연마수학 탄탄한 기본기 체계적 연마

KB085827

참 중요한 3·4점

수능에 꼭 나오는 기출 유형 체계적 공략

[3·4점 유형] 확률과 통계

구성과 특징

참 중요한 3·4점 수학

특징

이 책은 빈출 유형의 중요한 문제로 기본기를 탄탄하게 다지고, 문제 해결 능력과 실전 능력을 강화하여 고득점을 할 수 있도록 구성했습니다.

중요한 기출 유형과 개념 이해로 **탄탄한 기본기 강화**

- 교과서 핵심 개념 및 기본 공식, 이전에 배운 내용, 핵심 첨삭 등의 부가 설명으로 기초가 부족해도 쉽게 유형을 정복할 수 있습니다.
- 중요한 기출 유형과 맞춤 해법으로 개념을 확실하게 익힐 수 있습니다.

단계별 Action 전략으로 **문제 해결의 원리와 스킬 터득**

- 기출 유형 체계적 정복을 위한 단계적 Action 전략 제시로 3, 4점짜리 문제를 완벽하게 공략합니다.
- 문제 해결의 원리 터득으로 기본기를 강화합니다.

최신 출제 경향에 딱 맞춘 적중 예상 문제로 **실전 능력 강화**

- 최신 출제 경향에 따른 빈출 문제, 신유형 문제에 대한 적응력을 키울 수 있습니다.
- 중요한 3, 4점 문항들에 대한 해결 능력과 실전 적응 능력을 강화합니다.

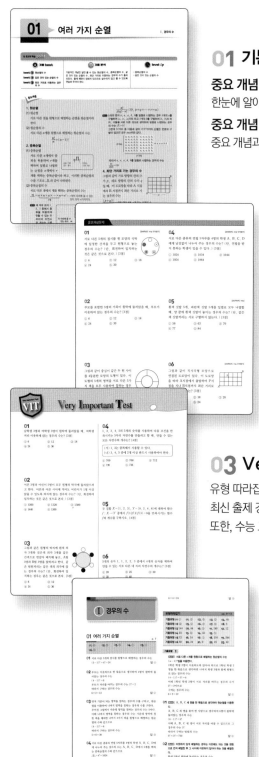

참 좋은한 3·4점 수학 구성

01 기본 학습

중요 개념 빈출 주제와 기출 분석에 따른 학습 대비책, 문제 해결에 필요한 중요 개념을
한눈에 알아볼 수 있도록 정리하였습니다.

중요 개념 문제 출제의도를 쉽게 파악할 수 있는 3, 4점짜리 우수 기출문제를 다루어
중요 개념과 출제의 맥락을 확실하게 이해할 수 있도록 하였습니다.

02 유형 따라잡기

수능 및 학력평가에 출제되었던 3, 4점짜리 문제의 핵심 유형을 선정하고, 해당 유형
해결책을 알려 주는 '해결의 실마리'를 제시하였습니다. 또한, 문제 해결 과정에서
적용해야 할 Action 전략을 제시하여, 문제 풀이의 맥락을 쉽게 알 수 있도록 하였습니다.

03 Very Important Test

유형 따라잡기에서 다루었던 기출문제를 토대로,
최신 출제 경향에 맞추어 출제가 예상되는 문제를 중심으로 출제하였습니다.
또한, 수능 고득점을 위한 1등급 level up 문제를 수록하였습니다.

04 정답과 해설

풀이를 보고도 이해를 하지 못하는 경우가 없도록 자세히 풀이하였습니다.
알찬 해설이 되도록 문제 해결 과정에서 풀이의 맥락을 알려주는 Action 전략,
특별히 보충해야 할 공식과 설명, 수식 계산의 팁 등으로 구성하였습니다.

참 중요한 3·4점 수학

이 책은 중요한 유형의 문제로 기본기를 탄탄하게 다지고
문제해결 능력을 강화하여 수능 및 학교시험의
중요한 문제를 완벽하게 해결할 수 있습니다.

학습방법

중요 개념 익히기

중요 개념, 이전에 배운 내용, 첨삭의 내용을 이해하고 3, 4점짜리 기출 중요 문제를 풀어
개념을 확실히 익힙니다.

기출 유형별 Action 전략 마스터하기

기출 유형으로 제시된 3, 4점짜리 기출 문제와 함께 '해결의 실마리'를 보고 어떻게 문제를 풀 것인지
생각한 후, 단계별 Action 전략을 따라서 풉니다. 동일한 유형의 문제를 통해 앞서 익힌 풀이 전략을
집중 연습하여 문제 해결의 원리를 확실하게 마스터합니다.

최신 출제 경향 문제로 실력 다지기

실전과 같이 해답을 보지 말고 앞에서 익힌 문제 해결의 원리를 적용하여 풀어 봅니다.
틀린 부분이 있다면 유형 따라잡기의 '해결의 실마리' 부분을 다시 한 번 복습합니다.

c o n t e n t s **차 례**

Ⅰ 경우의 수

01 여러 가지 순열   06
02 중복조합   16
03 이항정리   24

Ⅱ 확률

04 확률의 뜻과 활용   32
05 조건부확률   46
06 사건의 독립과 종속   56

Ⅲ 통계

07 이산확률변수의 확률분포   66
08 이항분포   76
09 정규분포   84
10 통계적 추정   96

중요개념

1. 원순열

(1) 원순열

서로 다른 것을 원형으로 배열하는 순열을 원순열이라 한다.

(2) 원순열의 수

서로 다른 n개를 원형으로 배열하는 원순열의 수는

$$\frac{n!}{n}=(n-1)!$$

2. 중복순열

(1) 중복순열

서로 다른 n개에서 중복을 허용하여 r개를 택하여 일렬로 나열하는 순열을 n개에서 r개를 택하는 중복순열이라 하고, 이러한 중복순열의 수를 기호로 $_n\Pi_r$와 같이 나타낸다.

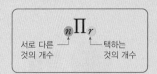

서로 다른 것의 개수 ─ $_n\Pi_r$ ─ 택하는 것의 개수

(2) 중복순열의 수

서로 다른 개에서 개를 택하는 중복순열의 수는

$$_n\Pi_r=\underbrace{n\times n\times n\times\cdots\times n}_{r개}=n^r$$ ← r개의 자리에 올 수 있는 것이 각각 n가지이다.

참고 세 개의 숫자 1, 2, 3 중에서 중복을 허용하여 만들 수 있는 두 자리의 자연수의 개수는 오른쪽과 같으므로 $3\times3=3^2=_3\Pi_2$

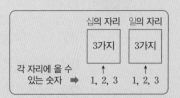

	십의 자리	일의 자리
	3가지	3가지
각 자리에 올 수 있는 숫자 →	↑ 1, 2, 3	↑ 1, 2, 3

3. 같은 것이 있는 순열

n개 중에서 같은 것이 각각 p개, q개, $\cdots$, r개씩 있을 때, 이 n개를 모두 일렬로 나열하는 순열의 수는

$$\frac{n!}{p!q!\cdots r!}\ (단,\ p+q+\cdots+r=n)$$

참고 5개의 문자 a, a, a, b, b를 일렬로 나열하는 경우 3개의 a를 구별하여 a_1, a_2, a_3이라 하고 2개의 b를 구별하여 b_1, b_2라 하자. 이들을 서로 다른 것으로 생각하여 일렬로 나열하는 경우의 수는 $_5P_5=5!$

그런데 5!가지 중 다음과 같이 3!2!가지의 순열은 번호의 구별이 없으면 모두 $aabb$와 같다.

$$3!가지\begin{bmatrix} a_1\ a_2\ a_3\ b_1\ b_2 & a_1\ a_2\ a_3\ b_2\ b_1 \\ a_1\ a_3\ a_2\ b_1\ b_2 & a_1\ a_3\ a_2\ b_2\ b_1 \\ a_2\ a_1\ a_3\ b_1\ b_2 & a_2\ a_1\ a_3\ b_2\ b_1 \\ a_2\ a_3\ a_1\ b_1\ b_2 & a_2\ a_3\ a_1\ b_2\ b_1 \\ a_3\ a_1\ a_2\ b_1\ b_2 & a_3\ a_1\ a_2\ b_2\ b_1 \\ a_3\ a_2\ a_1\ b_1\ b_2 & a_3\ a_2\ a_1\ b_2\ b_1 \end{bmatrix}$$ → $a\ a\ a\ b\ b$

2!가지

따라서 a, a, a, b, b를 일렬로 나열하는 경우의 수는

$$\frac{5!}{3!2!}=10$$

4. 최단 거리로 가는 경우의 수

그림과 같이 가로 방향의 칸의 수가 p, 세로 방향의 칸의 수가 q일 때, 이 도로망을 따라 A 지점에서 B 지점까지 최단 거리로 가는 경우의 수는

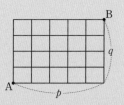

$$\frac{(p+q)!}{p!q!}$$ ← 같은 것이 p개, q개 있는 순열의 수

참고 그림에서 가로로 한 칸 가는 것을 a, 세로로 한 칸 가는 것을 b라 하면 A지점에서 B지점까지 최단 거리로 가는 경우는 가로로 4칸, 세로로 3칸을 가면 되므로 그 경우의 수는 a, a, a, a, b, b, b를 일렬로 나열하는 경우의 수와 같다.

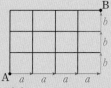

따라서 A지점에서 B지점까지 최단 거리로 가는 경우의 수는

$$\frac{7!}{4!3!}=35$$

중요개념문제

01
[2018학년도 수능 모의평가]

서로 다른 5개의 접시를 원 모양의 식탁에 일정한 간격을 두고 원형으로 놓는 경우의 수는? (단, 회전하여 일치하는 것은 같은 것으로 본다.) [3점]

① 6 　　　　② 12 　　　　③ 18

④ 24 　　　　⑤ 30

02

부모를 포함한 5명의 가족이 원탁에 둘러앉을 때, 부모가 이웃하여 앉는 경우의 수는? [3점]

① 6 　　　　② 12 　　　　③ 18

④ 24 　　　　⑤ 30

03

그림과 같이 중심이 같은 두 원 사이를 4등분한 모양의 도형이 있다. 이 도형의 5개의 영역을 서로 다른 5가지 색을 모두 사용하여 칠하는 경우의 수는? (단, 한 영역에는 한 가지 색을 칠하고, 회전하여 일치하는 것은 같은 것으로 본다.) [3점]

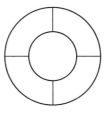

① 18 　　　　② 24 　　　　③ 30

④ 36 　　　　⑤ 42

04
[2016학년도 수능 모의평가]

서로 다른 종류의 연필 5자루를 4명의 학생 A, B, C, D 에게 남김없이 나누어 주는 경우의 수는? (단, 연필을 받지 못하는 학생이 있을 수 있다.) [3점]

① 1024 　　　　② 1034 　　　　③ 1044

④ 1054 　　　　⑤ 1064

05
[2012학년도 수능]

흰색 깃발 5개, 파란색 깃발 5개를 일렬로 모두 나열할 때, 양 끝에 흰색 깃발이 놓이는 경우의 수는? (단, 같은 색 깃발끼리는 서로 구별하지 않는다.) [3점]

① 56 　　　　② 63 　　　　③ 70

④ 77 　　　　⑤ 84

06
[2018학년도 수능 모의평가]

그림과 같이 직사각형 모양으로 연결된 도로망이 있다. 이 도로망을 따라 A지점에서 출발하여 P지점을 지나 B지점까지 최단 거리로 가는 경우의 수는? [3점]

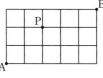

① 16 　　　　② 18 　　　　③ 20

④ 22 　　　　⑤ 24

기출유형 01 원순열의 수

[2019학년도 교육청]

그림과 같이 원형 탁자에 5개의 의자가 일정한 간격으로 놓여 있다. 1학년 학생 2명, 2학년 학생 2명, 3학년 학생 1명이 모두 이 5개의 의자에 앉으려고 할 때, 1학년 학생 2명이 서로 이웃하도록 앉는 경우의 수는? (단, 회전하여 일치하는 것은 같은 것으로 본다.) [3점]

① 12   ② 14   ③ 16
④ 18   ⑤ 20

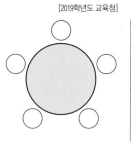

Act ❶
서로 다른 n개를 원형으로 배열하는 원순열의 수는 $(n-1)!$임을 이용한다.

해결의 실마리

(1) 서로 다른 n개를 원형으로 배열하는 원순열의 수는 ⇨ $(n-1)!$
(2) n개를 원형으로 배열할 때, 이웃하는 것이 있으면 ⇨ 이웃하는 것을 한 묶음으로 생각한다.

01

A, B, C를 포함한 8명의 사람이 원탁에 둘러앉을 때, A, B, C가 이웃하여 앉는 방법의 수는? (단, 회전하여 일치하는 것은 같은 것으로 본다.) [3점]

① 680   ② 720   ③ 760
④ 800   ⑤ 840

02

5명의 학생과 3명의 교사가 원탁에 둘러앉아 회의를 할 때, 교사가 이웃하지 않도록 앉는 방법의 수는? (단, 회전하여 일치하는 것은 같은 것으로 본다.) [3점]

① 1200   ② 1260   ③ 1320
④ 1400   ⑤ 1440

03

[2017학년도 교육청]

여학생 3명과 남학생 6명이 원탁에 같은 간격으로 둘러앉으려고 한다. 각각의 여학생 사이에는 1명 이상의 남학생이 앉고 각각의 여학생 사이에 앉은 남학생의 수는 모두 다르다. 9명의 학생이 모두 앉는 경우의 수가 $n \times 6!$일 때, 자연수 n의 값은? (단, 회전하여 일치하는 것들은 같은 것으로 본다.) [4점]

① 10   ② 12   ③ 14
④ 16   ⑤ 18

04

어느 고등학교에서 2학년 학생 4명, 3학년 학생 2명이 같은 학년끼리 2명씩 한 조를 만들어 9개의 자리가 있는 원탁에 앉으려고 한다. 서로 다른 두 개의 조 사이에는 반드시 한 자리를 비워둔다고 할 때, 앉을 수 있는 모든 경우의 수를 구하시오. (단, 회전하여 일치하는 것은 같은 것으로 본다.) [4점]

기출유형 02 여러 가지 모양의 탁자에 둘러앉는 경우의 수

그림과 같은 정오각형 모양의 탁자에 10명의 학생이 둘러앉는 경우의 수는? (단, 회전하여 일치하는 것은 같은 것으로 본다.) [3점]

① $\dfrac{9!}{2}$ ② $9! \times 2$ ③ $9! \times 5$

④ $\dfrac{10!}{2}$ ⑤ $10! \times 2$

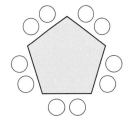

Act ❶
원형으로 둘러앉는 한 가지 경우에 대하여 정오각형 모양의 탁자에서 서로 다른 경우가 몇 가지씩 생기는지 생각해 본다.

해결의 실마리

여러 가지 모양의 탁자에 둘러앉는 경우의 수는 ⇨ (원순열의 수)×(회전시켰을 때 겹쳐지지 않는 자리의 수)

05

그림과 같은 정육각형 모양의 탁자에 12명의 학생이 둘러앉는 경우의 수는? (단, 회전하여 일치하는 것은 같은 것으로 본다.) [3점]

① $\dfrac{11!}{2}$ ② $11! \times 2$

③ $11! \times 6$ ④ $\dfrac{12!}{2}$ ⑤ $12! \times 2$

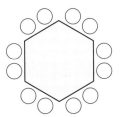

07

그림과 같이 정사각형 모양으로 배열된 8개의 의자에 남학생 4명과 여학생 4명을 앉히려고 한다. 붙어 있는 의자에는 반드시 남녀가 1명씩 앉도록 할 때, 이들 명이 앉을 수 있는 모든 경우의 수는? (단, 회전하여 일치하는 것은 같은 것으로 본다.) [3점]

① 1152   ② 2304   ③ 4608

④ 5760   ⑤ 9216

06

그림과 같은 직사각형 모양의 식탁에 10명의 가족이 앉아서 식사를 하려고 할 때, 앉을 수 있는 경우의 수는? (단, 회전하여 일치하는 것은 같은 것으로 본다.) [3점]

① $9! \times 2$ ② $9! \times 4$ ③ $9! \times 5$

④ $10! \times 2$ ⑤ $10! \times 4$

08

그림과 같은 정팔각형 모양의 탁자에 A, B를 포함한 8명의 학생이 둘러앉으려고 한다. A와 B 사이에 2명 또는 3명의 학생이 앉도록 둘러앉는 방법의 수가 $k \times 6!$일 때, 자연수 k의 값을 구하시오. (단, 회전하여 일치하는 것은 같은 것으로 본다.) [4점]

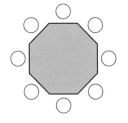

서로 다른 6가지 색을 모두 사용하여 그림과 같은 정오각뿔의 각 면을 칠하는 경우의 수를 구하시오. (단, 한 면에 한 가지의 색을 칠하고, 회전하여 일치하는 것은 같은 것으로 본다.) [3점]

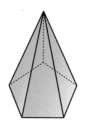

Act ①
먼저 기준이 되는 영역을 칠하는 경우의 수를 구하고, 원순열을 이용하여 나머지 영역을 칠하는 경우의 수를 구한다.

해결의 실마리

도형에 색칠하는 경우의 수 – 원순열
① 기준이 될 수 있는 영역(가장 많은 영역에 인접한 영역, 입체도형의 밑면 등)에 색을 칠하는 경우의 수를 구한다.
② 원순열을 이용하여 나머지 영역에 색을 칠하는 경우의 수를 구한 후 ①의 경우의 수를 곱한다.

09

정사면체의 각 면에 1부터 4까지의 자연수를 적은 다음 빨간색, 파란색, 노란색, 초록색으로 각 면에 다른 색을 칠해 주사위를 만들려고 한다. 만들 수 있는 서로 다른 주사위의 개수를 구하시오. [3점]

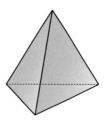

11

그림과 같은 도형의 다섯 부분에 서로 다른 다섯 가지 색을 칠하려고 한다. 사용할 수 있는 색이 6가지일 때, 구별할 수 있는 모든 경우의 수를 구하시오. (단, 회전하여 일치하는 것은 같은 것으로 본다.) [3점]

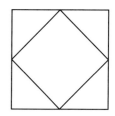

10

그림과 같은 도형의 여섯 부분에 서로 다른 여섯 가지 색을 칠하려고 한다. 사용할 수 있는 색이 7가지일 때, 구별할 수 있는 모든 경우의 수를 구하시오. (단, 회전하여 일치하는 것은 같은 것으로 본다.)
[3점]

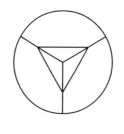

① 640 　　② 720 　　③ 1280
④ 1440 　　⑤ 1680

12

그림과 같이 정오각형을 5등분한 영역에 A, B를 포함한 서로 다른 5가지의 색을 모두 이용하여 칠하려고 할 때, A와 B를 이웃하도록 칠하는 경우의 수를 구하시오. (단, 회전하여 일치하는 것은 같은 것으로 본다.) [3점]

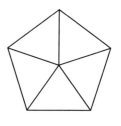

기출유형 **04** 중복순열의 수

[2001학년도 수능]

문자 a, b, c에서 중복을 허용하여 세 개를 택하여 만든 단어를 전송하려고 한다. 단, 전송되는 단어에 a가 연속되면 수신이 불가능하다고 한다. 예를 들면 aab, aaa 등은 수신이 불가능하고 bba, aba 등은 수신이 가능하다. 수신 가능한 단어의 개수를 구하시오. [2점]

Act ❶

서로 다른 세 개에서 중복을 허용하여 세 개를 택하는 전체 경우의 수를 구한 후 a가 연속되는 경우의 수를 뺀다.

해결의 실마리

서로 다른 n개에서 중복을 허락하여 r개를 택하는 중복순열의 수는
$$\Rightarrow {}_n\Pi_r = n^r$$

13

[2009학년도 교육청]

세 숫자 1, 2, 3을 중복 사용하여 만들 수 있는 네 자리의 자연수 중에서 2322보다 작은 수는 모두 k개이다. k의 값은? [3점]

① 48 ② 49 ③ 50
④ 51 ⑤ 52

14

[2019학년도 수능 모의평가]

세 문자 a, b, c 중에서 중복을 허락하여 4개를 택해 일렬로 나열할 때, 문자 a가 두 번 이상 나오는 경우의 수를 구하시오. [4점]

15

[2016학년도 교육청]

세 수 0, 1, 2 중에서 중복을 허락하여 다섯 개의 수를 택해 다음 조건을 만족시키도록 일렬로 배열하여 자연수를 만든다.

(가) 다섯 자리의 자연수가 되도록 배열한다.
(나) 1끼리는 서로 이웃하지 않도록 배열한다.

예를 들어 20200, 12201 조건을 만족시키는 자연수이고 11020은 조건을 만족시키지 않는 자연수이다. 만들 수 있는 모든 자연수의 개수는? [4점]

① 88 ② 92 ③ 96
④ 100 ⑤ 104

흰 공 2개, 검은 공 2개, 노란 공 1개의 5개의 공을 일렬로 나열할 때, 같은 색의 공끼리는 이웃하지 않게 나열하는 경우의 수를 구하시오. (단, 같은 색의 공끼리는 구별하지 않는다.)

[3점]

Act ❶

n개 중에서 같은 것이 각각 p개, q개, r개씩 있을 때, n개를 모두 일렬로 나열하는 순열의 수는

$$\frac{n!}{p!q!r!} \text{ (단, } p+q+r=n)$$

임을 이용한다.

해결의 실마리

(1) n개 중에서 같은 것이 각각 p개, q개, $\cdots$, r개씩 있을 때, 이 n개를 모두 일렬로 나열하는 순열의 수는 $\dfrac{n!}{p!q!\cdots r!}$ (단, $p+q+\cdots+r=n$)

(2) 서로 다른 n개를 일렬로 나열할 때, 특정한 r $(0 < r \le n)$개의 순서가 정해져 있는 경우에는

⇨ 순서가 정해진 r개를 같은 것으로 보고 같은 것이 있는 순열의 수를 이용한다.

16

5개의 숫자 1, 2, 2, 3, 5를 일렬로 나열할 때, 1, 3, 5를 크기가 작은 것부터 나열하는 경우의 수를 구하시오.

[3점]

18

0, 1, 1, 2, 2, 2, 3을 모두 나열하여 7자리의 짝수를 만드는 방법의 수를 구하시오.

17

[2011학년도 수능]

어느 행사장에는 현수막을 1개씩 설치할 수 있는 장소가 5곳이 있다. 현수막은 A, B, C 세 종류가 있고, A는 1개, B는 4개, C는 2개가 있다. 다음 조건을 만족시키도록 현수막 5개를 택하여 5곳을 설치할 때, 그 결과로 나타날 수 있는 경우의 수는? (단, 같은 종류의 현수막끼리는 구분하지 않는다.) [3점]

㉮ A는 반드시 설치한다.
㉯ B는 2곳 이상 설치한다.

① 55   ② 65   ③ 75
④ 85   ⑤ 95

19

[2018학년도 교육청]

세 문자 A, B, C에서 중복을 허락하여 각각 홀수 개씩 모두 7개를 선택하여 일렬로 나열하는 경우의 수를 구하시오. (단, 모든 문자는 한 개 이상씩 선택한다.) [4점]

기출유형 **06** | 최단 거리로 이동하는 경우의 수

그림과 같은 도로망을 따라 A 지점에서 B 지점까지 최단 거리로 가는 경우의 수를 구하시오. [3점]

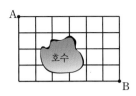

Act ❶
반드시 지나야 하는 지점을 경계로 나누어 생각한다.

해결의 실마리

그림과 같이 가로 방향의 칸의 수가 p, 세로 방향의 칸의 수가 q일 때, 이 도로망을 따라 A지점에서 B지점까지 최단 거리로 가는 경우의 수는

$\dfrac{(p+q)!}{p!\,q!}$ ← 같은 것이 p개, q개 있는 순열의 수

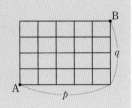

20

그림과 같은 도로망을 따라 집에서 학교까지 최단 거리로 가는 경우의 수를 구하시오.
[3점]

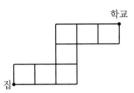

21

그림과 같은 도로망이 있다. A 지점에서 P를 거치지 않고 B 지점으로 갈 때, 최단 거리로 가는 방법의 수를 구하시오. [3점]

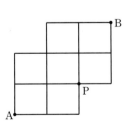

[2005학년도 교육청]

22

[2019학년도 교육청]

그림과 같이 직사각형 모양으로 연결된 도로망이 있다. 이 도로망을 따라 A 지점에서 출발하여 P 지점을 지나 B 지점까지 최단 거리로 가는 경우의 수를 구하시오. [3점]

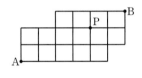

23

그림과 같은 도로망을 따라 A 지점에서 B 지점까지 최단 거리로 가는 경우의 수를 구하시오. [3점]

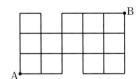

01

남학생 3명과 여학생 3명이 원탁에 둘러앉을 때, 여학생 끼리 이웃하게 앉는 경우의 수는? [3점]

① 6   ② 12   ③ 18
④ 24   ⑤ 36

02

어른 3명과 어린이 5명이 모두 원형의 탁자에 둘러앉으려고 한다. 어른과 어른 사이에 적어도 어린이가 1명 이상 앉을 수 있도록 의자에 앉는 경우의 수는? (단, 회전하여 일치하는 것은 같은 것으로 본다.) [3점]

① 1260   ② 1320   ③ 1380
④ 1440   ⑤ 1500

03

그림과 같은 원형의 탁자에 흰색 의자 3개와 검은색 의자 3개를 같은 간격으로 번갈아 배치해 놓고, A팀 3명과 B팀 3명을 앉히려고 한다. 같은 팀원끼리는 같은 색의 의자에 앉는 경우의 수는? (단, 회전하여 일치하는 경우는 같은 것으로 본다. [3점]

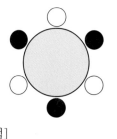

① 6   ② 12   ③ 18
④ 24   ⑤ 36

04

1, 2, 3, 4, 5의 5개의 숫자를 사용하여 다음 조건을 만족시키는 5자리 자연수를 만들려고 할 때, 만들 수 있는 모든 자연수의 개수는? [4점]

> (가) 1, 2는 중복해서 사용할 수 있다.
> (나) 3, 4, 5 중에 2개 이상 반드시 사용하여야 한다.

① 700   ② 708   ③ 712
④ 720   ⑤ 736

05

두 집합 $X=\{1, 2, 3\}$, $Y=\{0, 2, 4, 8\}$에 대하여 함수 $f : X \rightarrow Y$ 중에서 $f(1)f(2)f(3)=0$을 만족시키는 함수 f의 개수를 구하시오. [4점]

06

5개의 숫자 1, 1, 2, 2, 3 중에서 4개의 숫자를 택하여 만들 수 있는 서로 다른 네 자리 자연수의 개수는? [3점]

① 20   ② 25   ③ 30
④ 35   ⑤ 40

07

6개의 문자 a, b, c, d, e, f를 일렬로 나열할 때, b와 d 사이에 e가 있는 경우의 수는? [3점]

① 240   ② 250   ③ 260

④ 270   ⑤ 280

08

10단으로 된 계단을 한 걸음에 1단 또는 2단씩 올라간다면, 이 계단을 6걸음에 오르는 방법의 수는? [4점]

① 12   ② 15   ③ 18

④ 20   ⑤ 24

09

그림은 두 지점 A, B 사이에 같은 간격으로 이루어진 도로망을 나타낸 것이다. A지점에서 $\overline{PQ}$를 지나지 않고 B지점까지 최단 거리로 가는 경우의 수는? [3점]

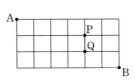

① 66   ② 67   ③ 68

④ 69   ⑤ 70

10

그림과 같이 정사각형 모양으로 연결된 도로망이 있다. 이 도로망을 따라 A지점을 출발하여 B지점까지 최단 거리로 갈 때, P지점은 지나지 않고 Q지점은 지나는 경우의 수를 구하시오.

[3점]

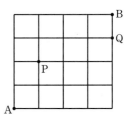

① level up

11

여섯 개의 알파벳 A, B, C, D, E, F 중에서 알파벳 A는 중복을 허락하지 않고 B, C, D, E, F는 중복을 허락하여 3개를 택해 일렬로 나열하는 경우의 수는? [4점]

① 100   ② 150   ③ 200

④ 250   ⑤ 300

12

6개의 문자 A, B, B, B, C, D를 일렬로 나열할 때, 다음 조건을 만족시키는 경우의 수를 구하시오. [4점]

(가) B끼리는 서로 이웃하지 않는다.

(나) C가 D보다 먼저 나열된다.

02 중복조합

참 중요한학습 **point**

✊ 기출 best	📊 기출 분석	📝 level Up
best ❶ 중복조합의 수 **best ❷** 방정식, 부등식의 해의 개수 **best ❸** 함수의 개수	중복조합의 계산 문제, 이해 문제가 매년 빠지지 않고 출제되며, 중복조합의 활용 문제는 방정식, 부등식을 만족시키는 정수해의 개수, 함수의 개수 등이 어려운 유형으로 알려져 있으나 출제 패턴이 정해져 있으므로 충분한 연습을 하면 고득점이 가능하다.	• 정수해의 개수 • 함수의 개수

중요개념

1. 중복조합

(1) 중복조합

서로 다른 n개에서 중복을 허용하여 r개를 택하는 조합을 중복조합이라 하고, 이러한 중복조합의 수를 기호로 $_n\mathrm{H}_r$와 같이 나타낸다.

서로 다른 ─── 것의 개수   택하는 ─── 것의 개수

(2) 중복조합의 수

서로 다른 n개에서 r개를 택하는 중복조합의 수는
$$_n\mathrm{H}_r = {}_{n+r-1}\mathrm{C}_r$$

참고 순열, 조합, 중복순열, 중복조합의 비교

서로 다른 n개에서 r개를 택할 때

순서를 생각 $\begin{cases} \text{중복 허용하지 않음} \Rightarrow \text{순열 } _n\mathrm{P}_r = \dfrac{n!}{(n-r)!} \\ \text{중복 허용} \Rightarrow \text{중복순열 } _n\Pi_r = n^r \end{cases}$

순서를 생각하지 않음 $\begin{cases} \text{중복 허용하지 않음} \Rightarrow \text{조합 } _n\mathrm{C}_r = \dfrac{_n\mathrm{P}_r}{r!} \\ \text{중복 허용} \Rightarrow \text{중복조합 } _n\Pi_r = {}_{n+r-1}\mathrm{C}_r \end{cases}$

2. 다항식의 거듭제곱의 서로 다른 항의 개수

다항식 $(x+y+z)^n$을 전개할 때 생기는 서로 다른 항의 개수는

▷ x, y, z에서 n개를 택하는 중복조합의 수 $_3\mathrm{H}_n$와 같다.

참고 다항식 $(x+y+z)^n$을 전개할 때 생기는 각 항은 $x^p y^q z^r$ (단, p, q, r는 음이 아닌 정수이고 $p+q+r=n$) 꼴이므로 서로 다른 항의 3개수는 개의 문자 x, y, z 중에서 n개를 택하는 중복조합의 수와 같다.

3. 정수해의 개수

(1) 음이 아닌 정수해의 개수

방정식 $x_1+x_2+\cdots+x_n=r$ (r는 자연수)의 음이 아닌 정수해의 개수는

▷ n개의 문자 x_1, x_2, $\cdots$, x_n 중에서 r개를 택하는 중복조합의 수와 같으므로 $_n\mathrm{H}_r$

예 방정식 $x+y+z=2$의 음이 아닌 정수해의 개수는 $_3\mathrm{H}_2$

(2) 양의 정수해의 개수

방정식 $x_1+x_2+\cdots+x_n=r$ (r는 자연수)의 양의 정수해의 개수는

▷ $(x_1'+1)+(x_2'+1)+\cdots+(x_n'+1)=r$, 즉 $x_1'+x_2'+\cdots+x_n'=r-n$의 음이 아닌 정수해의 개수와 같으므로 $_n\mathrm{H}_{r-n}$ (단, $n \le r$)

예 방정식 $x+y+z=4$의 양의 정수해의 개수는 $x'+y'+z'=1$의 음이 아닌 정수해의 개수와 같으므로 $_3\mathrm{H}_1$

참고 $x+y+z=10$에 대하여 $x\ge1$, $y\ge2$, $z\ge3$인 정수해의 개수는 $(x'+1)+(y'+2)+(z'+3)=10$, 즉 $x'+y'+z'=4$의 음이 아닌 정수해의 개수와 같으므로 $_3\mathrm{H}_4$

4. 조건을 만족하는 함수의 개수

집합 $X=\{1, 2, 3, \cdots, m\}$에서 집합 $Y=\{1, 2, 3, \cdots, n\}$로의 함수 f 중 X의 원소 i, j에 대하여

(1) $i<j$이면 $f(i)<f(j)$인 함수의 개수

Y의 원소 중에서 서로 다른 m개의 원소를 뽑아 X의 원소에 크기 순서로 대응시키면 된다.

따라서 1, 2, 3, $\cdots$, n 중에서 m개를 뽑는 조합의 수와 같다. 즉
$$_n\mathrm{C}_m = \dfrac{n!}{m!(n-m)!} \text{ (단, } n \ge m)$$

(2) $i<j$이면 $f(i) \le f(j)$인 함수의 개수

Y의 원소 중에서 중복을 허용하여 m개의 원소를 뽑아 X의 원소에 크기 순서로 대응시키면 된다.

따라서 1, 2, 3, $\cdots$, n 중에서 m개를 뽑는 중복조합의 수와 같다. 즉 $_n\mathrm{H}_m = {}_{n+m-1}\mathrm{C}_m$

01

[2012학년도 수능]

자연수 r에 대하여 $_3H_r = _7C_2$일 때, $_5H_r$의 값을 구하시오.

[3점]

02

[2013학년도 수능]

같은 종류의 주스 4병, 같은 종류의 생수 2병, 우유 1병을 3명에게 남김없이 나누어 주는 경우의 수는? (단, 1병도 받지 못하는 사람이 있을 수 있다.) [3점]

① 330   ② 315   ③ 300

④ 285   ⑤ 270

03

[2014학년도 수능 모의평가]

고구마피자, 새우피자, 불고기피자 중에서 m개를 주문하는 경우의 수가 36일 때, 고구마피자, 새우피자, 불고기피자를 적어도 하나씩 포함하여 m개를 주문하는 경우의 수는? [3점]

① 12   ② 15   ③ 18

④ 21   ⑤ 24

04

[2013학년도 수능 모의평가]

방정식 $x+y+z+w=4$를 만족시키는 음이 아닌 정수해의 순서쌍 (x, y, z, w)의 개수를 구하시오. [3점]

05

[2017학년도 수능 모의평가]

방정식 $x+y+z+5w=14$를 만족시키는 양의 정수 x, y, z, w의 모든 순서쌍 (x, y, z, w)의 개수는? [4점]

① 27   ② 29   ③ 31

④ 33   ⑤ 35

06

[2011학년도 교육청]

집합 $X=\{1, 2, 3, 4\}$에서 집합 $Y=\{4, 5, 6, 7\}$로의 함수 f 중 다음 조건을 만족하는 함수의 개수를 구하시오. [3점]

(가) $f(2)=5$
(나) 집합 X의 임의의 두 원소 i, j에 대하여
    $i<j$이면 $f(i) \leq f(j)$

기출유형 01 중복조합의 수

[2019학년도 수능 모의평가]

서로 다른 종류의 사탕 3개와 같은 종류의 구슬 7개를 같은 종류의 주머니 3개에 남김없이 나누어 넣으려고 한다. 각 주머니에 사탕과 구슬이 각각 1개 이상씩 들어가도록 나누어 넣는 경우의 수는? [4점]

① 11   ② 12   ③ 13   ④ 14   ⑤ 15

Act ①
먼저 서로 다른 종류의 사탕 3개를 각 주머니에 1개씩 넣으면 각 주머니는 서로 다른 주머니가 됨을 이용한다.

해결의 실마리

(1) 서로 다른 n개에서 r개를 택하는 중복조합의 수는 ⇨ $_n\mathrm{H}_r = {}_{n+r-1}\mathrm{C}_r$

(2) n명에게 서로 같은 개를 나누어 주는 경우의 수는 ⇨ $_n\mathrm{H}_r$

01
[2015학년도 수능 모의평가]

네 개의 자연수 1, 2, 4, 8 중에서 중복을 허락하여 세 수를 선택할 때, 세 수의 곱이 100 이하가 되도록 선택하는 경우의 수는? [4점]

① 12   ② 14   ③ 16

④ 18   ⑤ 20

02
[2010학년도 수능]

같은 종류의 사탕 5개를 3명의 아이에게 1개 이상씩 나누어 주고, 같은 종류의 초콜릿 5개를 1개의 사탕을 받은 아이에게만 1개 이상씩 나누어 주려고 한다. 사탕과 초콜릿을 남김없이 나누어 주는 경우의 수는? [3점]

① 27   ② 24   ③ 21

④ 18   ⑤ 15

03
[2020학년도 수능 모의평가]

연필 7자루와 볼펜 4자루를 다음 조건을 만족시키도록 여학생 3명과 남학생 2명에게 남김없이 나누어 주는 경우의 수를 구하시오. (단, 연필끼리는 서로 구별하지 않고, 볼펜끼리도 서로 구별하지 않는다.) [4점]

(가) 여학생이 각각 받는 연필의 개수는 서로 같고, 남학생이 각각 받는 볼펜의 개수도 서로 같다.
(나) 여학생은 연필을 1자루 이상 받고, 볼펜을 받지 못하는 여학생이 있을 수 있다.
(다) 남학생은 볼펜을 1자루 이상 받고, 연필을 받지 못하는 남학생이 있을 수 있다.

기출유형 02 '적어도'의 조건이 있는 중복조합의 수

같은 모양의 볼펜 15개를 세 명의 학생에게 나누어 주려고 할 때, 각 학생에게 적어도 3개 이상씩 나누어 주는 방법의 수를 구하시오. [3점]

Act①
중복조합에서 '적어도 a개가 포함된 경우'는 미리 a개를 나누어 준 후 나머지를 나누어 주는 경우를 생각한다.

해결의 실마리

서로 다른 n종류에서 중복을 허용하여 r개를 뽑을 때, 각 종류가 적어도 1개씩 포함되도록 뽑는 경우의 수는
⇨ 먼저 n종류에서 각각 1개씩 뽑은 후, 서로 다른 n종류에서 $(r-n)$개를 뽑는 중복조합의 수를 이용하여 구한다.

04

4명의 학생에게 같은 종류의 음료수 7개를 각 학생이 적어도 1개씩 갖도록 나누어 주는 경우의 수는? [3점]

① 16 　　② 20 　　③ 24
④ 28 　　⑤ 32

06

빨간색 공, 노란색 공, 파란색 공이 들어 있는 주머니에서 임의로 5개의 공을 꺼낼 때, 각 색깔의 공이 적어도 한 개씩 포함되도록 꺼내는 경우의 수를 구하시오. (단, 주머니에 각 색깔의 공이 3개 이상씩 들어 있다.) [3점]

05

[2009학년도 수능 모의평가]

사과 주스, 포도 주스, 감귤 주스 중에서 8병을 선택하려고 한다. 사과 주스, 포도 주스, 감귤 주스를 각각 적어도 1병 이상씩 선택하는 경우의 수는? (단, 각 종류의 주스는 8병 이상씩 있다.) [3점]

① 17 　　② 19 　　③ 21
④ 23 　　⑤ 25

07

[2014학년도 수능]

흰색 탁구공 8개와 주황색 탁구공 7개를 3명의 학생에게 남김없이 나누어 주려고 한다. 각 학생이 흰색 탁구공과 주황색 탁구공을 각각 한 개 이상 갖도록 나누어 주는 경우의 수는? [4점]

① 295 　　② 300 　　③ 305
④ 310 　　⑤ 315

[2018학년도 수능 모의평가]

다음 조건을 만족시키는 음이 아닌 정수 x, y, z의 모든 순서쌍 (x, y, z)의 개수는? [4점]

> (가) $x+y+z=10$ (나) $0<y+z<10$

① 39 ② 44 ③ 49 ④ 54 ⑤ 59

Act ①
$x_1+x_2+\cdots+x_n=r$ (r는 자연수)의 음이 아닌 정수해의 개수 $_nH_r$는 임을 이용한다.

해결의 실마리

(1) 방정식과 부등식의 해의 개수를 구할 때에는 주어진 방정식이나 부등식의 해의 조건이 음이 아닌 해의 개수를 구할 수 있도록 식을 변형한다.

(2) 방정식 $x_1+x_2+\cdots+x_n=r$ (r는 자연수)에 대하여

① 음이 아닌 정수해의 개수는 ⇨ $_nH_r$

② 양의 정수해의 개수는 ⇨ $_nH_{r-n}$ (단, $n \le r$)

---

08 [2016학년도 수능]

다음 조건을 만족시키는 음이 아닌 정수 a, b, c, d, e의 모든 순서쌍 (a, b, c, d, e)의 개수는? [4점]

> (가) a, b, c, d, e 중에서 0의 개수는 2이다.
> (나) $a+b+c+d+e=10$

① 240 ② 280 ③ 320
④ 360 ⑤ 400

10 [2020학년도 수능]

다음 조건을 만족시키는 음이 아닌 정수 a, b, c, d의 모든 순서쌍 (a, b, c, d)의 개수는? [4점]

> (가) $a+b+c-d=9$
> (나) $d \le 4$이고 $c \ge d$이다.

① 265 ② 270 ③ 275
④ 280 ⑤ 285

09 [2016학년도 수능 모의평가]

다음 조건을 만족시키는 음이 아닌 정수 a, b, c, d의 모든 순서쌍 (a, b, c, d)의 개수는? [4점]

> (가) $a+b+c+3d=10$
> (나) $a+b+c \le 5$

① 18 ② 20 ③ 22
④ 24 ⑤ 26

11 [2020학년도 수능 모의평가]

다음 조건을 만족시키는 음이 아닌 정수 x_1, x_2, x_3의 모든 순서쌍 (x_1, x_2, x_3)의 개수를 구하시오. [4점]

> (가) $n=1$, 2일 때, $x_{n+1}-x_n \ge 2$이다.
> (나) $x_3 \le 10$

기출유형 **04** 함수의 개수

두 집합 $A=\{1, 2, 3, \cdots, n\}$, $B=\{1, 2, 3, \cdots, 8\}$에 대하여 다음 조건을 만족시키는 집합 A에서 집합 B로의 함수 f의 개수가 210일 때, 자연수 n의 값을 구하시오. (단, $n \geq 4$) [4점]

Act❶
$n(X)=m$, $n(Y)=n$일 때 $i<j$이면 $f(i) \leq f(j)$인 함수 의 개수는 $_n\mathrm{H}_m$임을 이용한다. (단, $i \in X$, $j \in X$)

(가) 집합 A의 임의의 두 원소 x, y에 대하여 $x<y$이면 $f(x) \leq f(y)$이다.
(나) $f(n-2)=3$

해결의 실마리

두 집합 $X=\{1, 2, 3, \cdots, m\}$, $Y=\{1, 2, 3, \cdots, n\}$에 대하여
(1) $i<j$이면 $f(i)<f(j)$인 함수의 개수는 ⇨ $_n\mathrm{C}_m$ (단, $n \geq m$)
(2) $i<j$이면 $f(i) \leq f(j)$인 함수의 개수는 ⇨ $_n\mathrm{H}_m$

12

집합 $X=\{1, 2, 3, 4, 5\}$에 대하여 다음 조건을 만족시키는 함수 $f : X \to X$의 개수를 구하시오. [3점]

집합 X의 임의의 두 원소 x_1, x_2에 대하여 $x_1<x_2$이면 $2 \leq f(x_1) \leq f(x_2) \leq 4$이다.

13

집합 $X=\{1, 2, 3, 4\}$에서 집합 $Y=\{1, 2, 3, \cdots, 6\}$으로의 함수 중에서 $f(1) \leq f(2)<f(3) \leq f(4)$를 만족시키는 함수 f의 개수를 구하시오. [4점]

14

집합 $X=\{1, 2, 3, 4, 5, 6\}$에 대하여 함수 $f : X \to X$가 다음 조건을 만족시킨다.

(가) 모든 $a \in X$에 대하여 $f(a) \neq a$이다.
(나) $f(3)f(4)f(5)$는 3의 배수이다.

함수 f의 개수가 $5^3 \times k$일 때, 자연수 k의 값을 구하시오. [4점]

01

사이다, 콜라, 오렌지 주스의 세 종류의 음료수 중에서 중복을 허용하여 4개를 선택하는 방법의 수는? (단, 특정 음료수를 하나도 선택하지 않을 수 있다.) [3점]

① 12   ② 15   ③ 18

④ 21   ⑤ 24

02

같은 종류의 빵 11개를 세 명의 학생에게 나누어 주려고 할 때, 각 학생에게 적어도 1개씩 갖도록 나누어 주는 경우의 수는? [3점]

① 45   ② 48   ③ 51

④ 54   ⑤ 57

03

사과, 배, 오렌지, 바나나 중에서 중복을 허용하여 5개를 뽑아 과일 바구니를 만들 때, 사과가 적어도 한 개 포함되는 경우의 수는? [3점]

① 30   ② 35   ③ 40

④ 45   ⑤ 50

04

같은 종류의 아이스크림 5개, 같은 종류의 쿠키 8개를 세 사람에게 남김없이 나누어 줄 때, 각 사람이 적어도 아이스크림 1개, 쿠키 1개는 받도록 나누어 주는 경우의 수는? [4점]

① 126   ② 127   ③ 128

④ 129   ⑤ 130

05

어느 음식점에서 a, b, c, d 네 가지 메뉴 중에서 중복을 허용하여 다섯 개를 주문할 때, a를 두 개 이상 주문하는 경우의 수를 구하시오. [4점]

06

방정식 $x+y+z=11$을 만족시키는 자연수 x, y, z의 모든 순서쌍 (x, y, z)의 개수는? [3점]

① 30   ② 35   ③ 40

④ 45   ⑤ 50

07

방정식 $5x+y+z+w=11$을 만족시키는 음이 아닌 정수 x, y, z, w에 대하여 순서쌍 (x, y, z, w)의 개수를 구하시오. [4점]

08

부등식 $x+y+z<6$을 만족시키는 양의 정수해의 개수는? [3점]

① 10   ② 12   ③ 14
④ 16   ⑤ 18

09

세 자리 자연수의 백의 자리의 수를 a, 십의 자리의 수를 b, 일의 자리의 수를 c라 할 때, a는 4의 배수이고 $a\leq b\leq c$인 세 자리의 자연수의 개수를 구하시오. [4점]

10

집합 $X=\{x \mid x$는 5 이하의 자연수$\}$에서 집합 $Y=\{x \mid x$는 10 이하의 자연수$\}$로의 함수 중에서 $f(1)\leq f(2)<f(3)=f(4)\leq f(5)$를 만족시키는 함수 f의 개수를 구하시오. [4점]

 level up

11

다음 조건을 만족시키는 자연수 x, y, z의 모든 순서쌍 (x, y, z)의 개수는? [4점]

> (가) xyz는 1보다 큰 홀수이다.
> (나) $x\leq y\leq z\leq 16$

① 115   ② 117   ③ 119
④ 121   ⑤ 123

12

집합 $A=\{1, 2, 3, 4, 5, 6\}$에서 A로의 함수 $f : A \to A$ 중에서 다음 조건을 만족시키는 함수 f의 개수를 구하시오. [4점]

> (가) 함수 $f : A \to A$의 치역의 원소의 개수는 3이다.
> (나) 집합 A의 임의의 두 원소 x_1, x_2에 대하여
> $x_1<x_2$이면 $f(x_1)\leq f(x_2)$이다.

03 이항정리

참 중요한학습 point

기출 best	🏛 기출 분석	level up
best **1** $(a+b)^n$의 전개식 best **2** 파스칼의 삼각형 best **3** 이항계수의 성질	이항정리를 이용한 전개식에서 항의 계수를 묻는 문제가 매년 빠지지 않고 출제되므로 이항계수의 일반항의 공식을 확실히 알고 있어야 한다. 파스칼의 삼각형에서 알 수 있는 성질을 이용하여 식의 값을 간단히 하는 문제는 하키 스틱의 모양을 알아 두면 계산이 편하다.	• $(a+b)^n$의 전개식 • 이항계수의 성질

중요개념

1. 이항정리
자연수 n에 대하여 $(a+b)^n$의 전개식은 다음과 같고, 이것을 이항정리라 한다.

$(a+b)^n={}_nC_0a^n+{}_nC_1a^{n-1}b+\cdots+{}_nC_ra^{n-r}b^r$
$\qquad\qquad +\cdots+{}_nC_nb^n$

이때 각 항의 계수

$\qquad {}_nC_0,\ {}_nC_1,\ \cdots,\ {}_nC_r,\ {}_nC_n$

을 이항계수라 하고, ${}_nC_ra^{n-r}b^r$을 일반항이라 한다.

2. 파스칼의 삼각형
(1) $n=1,\ 2,\ 3,\ \cdots$일 때, $(a+b)^n$의 전개식에서 이항계수를 다음과 같이 삼각형 모양으로 배열한 것을 파스칼의 삼각형이라 한다.

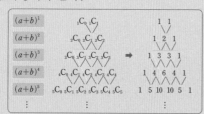

(2) 파스칼의 삼각형에서 알 수 있는 성질
　① 각 단계의 수의 배열이 좌우 대칭이다.
　$\Rightarrow {}_nC_r={}_nC_{n-r}$ (단, $0\leq r\leq n$)
　② 각 단계의 양끝에 있는 수는 모두 1이다.
　$\Rightarrow {}_nC_0=1,\ {}_nC_n=1$
　③ 이웃하는 두 수이 합은 이 두 수의 아래쪽 가운데에 있는 수와 같다.
　$\Rightarrow {}_{n-1}C_{r-1}+{}_{n-1}C_r={}_nC_r$ (단, $1\leq r\leq n-1$)

참고 하키 스틱
파스칼의 삼각형에서 부터 시작하여 아래의 대각선 방향으로 이항계수를 더하면 그 다음 행의 꺾어진 곳에 있는 이항계수

와 같음을 알 수 있다.
예를 들어 그림에서
$1+3+6+10=20$,
${}_2C_0+{}_3C_1+{}_4C_2+{}_5C_3={}_6C_3$

```
        1   1
      1   2   1
    1   3   3   1
  1   4   6   4   1
 1  5  10  10   5   1
1  6  15  20  15   6   1
1 7 21 35 35 21 7 1
1 8 28 56 70 56 28 8 1
1 9 36 84 126 126 84 36 9 1
          ⋮
```

3. 이항계수의 성질
이항정리를 이용하여 $(1+x)^n$을 전개하면

$(1+x)^n={}_nC_0+{}_nC_1x+{}_nC_2x^2+\cdots+{}_nC_nx^n$

이 전개식을 이용하여 여러 가지 이항계수의 성질을 알 수 있다.

(1) ${}_nC_0+{}_nC_1+{}_nC_2+\cdots+{}_nC_n=2^n$
(2) ${}_nC_0-{}_nC_1+{}_nC_2+\cdots+(-1)^n{}_nC_n=0$
(3) ${}_nC_0+{}_nC_2+{}_nC_4+\cdots+{}_nC_{n-1}$
$\quad={}_nC_1+{}_nC_3+{}_nC_5+\cdots+{}_nC_n$
$\quad=2^{n-1}$ (단, n은 1보다 큰 홀수)
(4) ${}_nC_0+{}_nC_2+{}_nC_4+\cdots+{}_nC_n$
$\quad={}_nC_1+{}_nC_3+{}_nC_5+\cdots+{}_nC_{n-1}$
$\quad=2^{n-1}$ (단, n은 짝수)

참고 파스칼의 삼각형으로 보는 이항계수의 성질
파스칼의 삼각형은 $(a+b)^n$의 전개식에서 이항계수를 시각화하여 배열한 것이므로 이항계수의 성질을 파스칼의 삼각형과 연관시켜 기억하면 편하다.

(1) ${}_nC_0+{}_nC_1+{}_nC_2+\cdots+{}_nC_n=(1+1)^n=2^n$ ← $x=1$일 때 가로행의 합

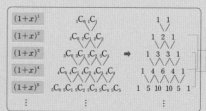

01

[2019학년도 수능]

다항식 $(1+x)^7$의 전개식에서 x^4의 계수는? [3점]

① 42　　　　② 35　　　　③ 28

④ 21　　　　⑤ 14

04

[2019학년도 수능 모의평가]

다항식 $(1+2x)(1+x)^5$의 전개식에서 x^4의 계수를 구하시오. [4점]

02

[2018학년도 수능]

$\left(x+\dfrac{2}{x}\right)^8$의 전개식에서 x^4의 계수는? [3점]

① 128　　　　② 124　　　　③ 120

④ 116　　　　⑤ 112

05

$_{n-1}C_2+_{n-1}C_3=_{n-1}C_8+_{n-1}C_9$를 만족시키는 자연수 n의 값은? [3점]

① 8　　　　② 9　　　　③ 10

④ 11　　　　⑤ 12

03

[2019학년도 수능 모의평가]

다항식 $(x+a)^5$의 전개식에서 x^3의 계수가 40일 때, x의 계수는? (단, a는 상수이다.) [3점]

① 60　　　　② 65　　　　③ 70

④ 75　　　　⑤ 80

06

[2013학년도 교육청]

$_5C_0+_5C_1+_5C_2+_5C_3+_5C_4+_5C_5$의 값을 구하시오. [3점]

기출유형 01 $(a+b)^n$의 전개식의 일반항

[2015학년도 수능]

다항식 $(x+a)^6$의 전개식에서 x^4의 계수가 60일 때, 양수 a의 값은? [3점]

① 1   ② 2   ③ 3   ④ 4   ⑤ 5

Act ❶
$(a+b)^n$의 전개식의 일반항은 $_nC_r a^{n-r}b^r$임을 이용한다.

해결의 실마리

$(a+b)^n$의 전개식의 일반항은 ⇨ $_nC_r a^{n-r}b^r$

01

[2012학년도 수능]

다항식 $(x+a)^7$의 전개식에서 x^4의 계수가 280일 때, x^5의 계수는? (단, a는 상수이다.) [3점]

① 84   ② 91   ③ 98

④ 105   ⑤ 112

03

[2018학년도 교육청]

$\left(\dfrac{x}{2}+\dfrac{a}{x}\right)^6$의 전개식에서 x^2의 계수가 15일 때, 양수 a의 값은? [3점]

① 4   ② 5   ③ 6

④ 7   ⑤ 8

02

[2020학년도 수능]

$\left(2x+\dfrac{1}{x^2}\right)^4$의 전개식에서 x의 계수는? [3점]

① 16   ② 20   ③ 24

④ 28   ⑤ 32

04

$\left(x+\dfrac{a}{x}\right)^6 + \left(x-\dfrac{2a}{x}\right)^6$의 전개식에서 x의 계수와 x^2의 계수의 합이 150일 때, a^2의 값은? [4점]

① 1   ② 2   ③ 3

④ 4   ⑤ 5

기출유형 02 $(a+b)^p(c+d)^q$의 전개식의 일반항

[2020학년도 수능 모의평가]

다항식 $(2+x)^4(1+3x)^3$의 전개식에서 x의 계수는? [3점]

① 174　　　② 176　　　③ 178　　　④ 180　　　⑤ 182

Act ❶
$(2+x)^4(1+3x)^3$의 전개식의 일반항은 $(2+x)^4$과 $(1+3x)^3$의 전개식의 일반항을 각각 구하여 곱한다.

해결의 실마리

$(a+b)^p(c+d)^q$의 전개식의 일반항은 ⇨ $(a+b)^p$과 $(c+d)^q$의 전개식의 일반항을 각각 구하여 곱한다.

05

$(x^2-1)\left(2x+\dfrac{1}{x}\right)^6$의 전개식에서 상수항은? [3점]

① -140　　　② -120　　　③ -100
④ -80　　　⑤ -60

06

[2020학년도 수능 모의평가]

$\left(x^2-\dfrac{1}{x}\right)\left(x+\dfrac{a}{x^2}\right)^4$의 전개식에서 x^3의 계수가 7일 때, 상수 a의 값은? [4점]

① 1　　　② 2　　　③ 3
④ 4　　　⑤ 5

07

$(x+k)^2(x+1)^5$의 전개식에서 x의 계수가 24일 때, 양수 k의 값을 구하시오. [4점]

08

$(1+x)^m(1+x^2)^n$의 전개식에서 x^2의 계수가 12일 때, x^3의 계수의 최댓값은? (단, m, n은 자연수이다.) [4점]

① 28　　　② 36　　　③ 44
④ 52　　　⑤ 60

오른쪽 파스칼 삼각형을 이용하여 $_2C_0+_2C_1+_3C_2+_4C_3+\cdots+_{18}C_{17}$ 의 값을 구하면? [3점]

① 168   ② 169   ③ 170
④ 171   ⑤ 172

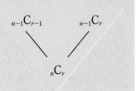

Act ①

$_{n-1}C_{r-1}+_{n-1}C_r=_nC_r$, $_nC_r=_nC_{n-r}$임을 이용하여 주어진 식을 간단히 한다.

해결의 실마리

파스칼의 삼각형에서

(1) 각 단계의 양끝에 있는 수는 모두 1이다. ⇨ $_nC_0=1$, $_nC_n=1$

(2) 이웃하는 두 수이 합은 이 두 수의 아래쪽 가운데에 있는 수와 같다.

⇨ $_{n-1}C_{r-1}+_{n-1}C_r=_nC_r$ (단, $1\le r\le n-1$)

09

[2007학년도 교육청]

다음은 등식 $_nC_r+_nC_{r+1}=_{n+1}C_{r+1}$을 이용하여

$$1^2+2^2+3^2+\cdots+n^2=\frac{n(n+1)(2n+1)}{6} \ (n=1,\ 2,\ 3,\ \cdots)$$

을 증명한 것이다.

---

2 이상인 자연수 k에 대하여

$k^2=\boxed{\text{(가)}}+2\cdot_kC_2$로 나타낼 수 있으므로

$1^2+2^2+3^2+\cdots+n^2$

$=_1C_1+(_2C_1+2\cdot_2C_2)+(_3C_1+2\cdot_3C_2)+\cdots$
$\qquad\qquad\qquad\qquad +(_nC_1+2\cdot\boxed{\text{(나)}})$

$=(_1C_1+_2C_1+_3C_1+\cdots+_nC_1)+2(_2C_2+_3C_2$
$\qquad\qquad\qquad\qquad +\cdots+\boxed{\text{(나)}})$

$=_{n+1}C_2+2\cdot\boxed{\text{(다)}}$

$=\dfrac{n(n+1)(2n+1)}{6}$

위 증명에서 (가), (나), (다)에 알맞은 것은? [3점]

	(가)	(나)	(다)
①	$_kC_1$	$_nC_2$	$_nC_3$
②	$_kC_1$	$_nC_2$	$_{n+1}C_3$
③	$_kC_1$	$_{n+1}C_2$	$_nC_3$
④	$_{k+1}C_1$	$_nC_2$	$_nC_3$
⑤	$_{k+1}C_1$	$_{n+1}C_2$	$_{n+1}C_3$

10

$_{n-1}C_3+_{n-1}C_4=_{n-1}C_6+_{n-1}C_7$를 만족시키는 자연수 n의 값을 구하시오. [3점]

11

[2010학년도 수능 모의평가]

빨간색, 파란색, 노란색 색연필이 있다. 각 색의 색연필을 적어도 하나씩 포함하여 15개 이하의 색연필을 선택하는 방법의 수를 구하시오. (단, 각 색의 색연필은 15개 이상씩 있고, 같은 색의 색연필은 서로 구별이 되지 않는다.) [4점]

기출유형 **04** 이항계수의 성질

$_{2n}C_1+_{2n}C_3+_{2n}C_5+\cdots+_{2n}C_{2n-1}=512$를 만족시키는 자연수 n의 값은? [3점]

① 5　　　　　② 6　　　　　③ 7　　　　　④ 8　　　　　⑤ 9

Act ❶
$_nC_1+_nC_3+_nC_5+\cdots+_nC_{n-1}$
$=2^{n-1}$ (단, n은 짝수)임을 이용한다.

해결의 실마리

(1) $_nC_0+_nC_1+_nC_2+\cdots+_nC_n=2^n$

(2) $_nC_0-_nC_1+_nC_2+\cdots+(-1)^n{_nC_n}=0$

(3) $_nC_0+_nC_2+_nC_4+\cdots+_nC_{n-1}=_nC_1+_nC_3+_nC_5+\cdots+_nC_n=2^{n-1}$ (단, n은 1보다 큰 홀수)

(4) $_nC_0+_nC_2+_nC_4+\cdots+_nC_n=_nC_1+_nC_3+_nC_5+\cdots+_nC_{n-1}=2^{n-1}$ (단, n은 짝수)

12

[2006학년도 수능 모의평가]

자연수 n에 대하여

$$f(n)=\sum_{k=1}^{n}(_{2k}C_1+_{2k}C_3+_{2k}C_5+\cdots+_{2k}C_{2k-1})$$

일 때, $f(5)$의 값을 구하시오. [4점]

14

공집합이 아닌 집합 A에 대하여 집합 A의 부분집합 중 원소의 개수가 홀수인 것의 개수가 2048일 때, 집합 A의 부분집합 중 원소의 개수가 8인 집합의 개수를 구하시오.

[4점]

13

[2007학년도 교육청]

동주는 5개의 서로 다른 알사탕과 5개의 똑같은 박하사탕을 가지고 있다. 이 중에서 5개를 택하여 진서에게 주는 방법의 수를 구하시오. [3점]

15

[2019학년도 교육청]

집합 $A=\{x\,|\,x$는 25 이하의 자연수$\}$의 부분집합 중 두 원소 1, 2를 모두 포함하고 원소의 개수가 홀수인 부분집합의 개수는? [4점]

① 2^{18}　　　　　② 2^{19}　　　　　③ 2^{20}

④ 2^{21}　　　　　⑤ 2^{22}

01

$(2x+1)^6$의 전개식에서 x^4의 계수는? [3점]

① 96 　　　　② 124 　　　　③ 144

④ 200 　　　　⑤ 240

02

$\left(x^2-\dfrac{2}{x}\right)^5$의 전개식에서 x^4의 계수는? [3점]

① 25 　　　　② 30 　　　　③ 35

④ 40 　　　　⑤ 45

03

다항식 $(a+x^2)^{10}$의 전개식에서 x^8의 계수가 420이 되도록 하는 상수 a에 대하여 a^6의 값을 구하시오. [4점]

04

$\left(ax^3-\dfrac{2}{x^2}\right)^4$의 전개식에서 x^2의 계수가 6일 때, 양수 a의 값은? [3점]

① $\dfrac{1}{4}$ 　　　　② $\dfrac{1}{2}$ 　　　　③ 1

④ 2 　　　　⑤ 4

05

$(x+2)^3(x^2+3)^4$의 전개식에서 x^7의 계수는? [3점]

① 195 　　　　② 196 　　　　③ 197

④ 198 　　　　⑤ 199

06

$(x-2)^3(2x+1)^4$의 전개식에서 x의 계수는? [4점]

① -54 　　　　② -52 　　　　③ -50

④ -48 　　　　⑤ -46

07

$(1+x)+(1+x)^2+(1+x)^3+\cdots+(1+x)^{20}$의 전개식에서 x^2의 계수는? [4점]

① 1330   ② 1340   ③ 1350

④ 1360   ⑤ 1370

08

$_7C_1-_6C_2+_7C_3-_6C_4+_7C_5-_6C_6+_7C_7$의 값은? [3점]

① 31   ② 32   ③ 33

④ 34   ⑤ 35

09

$_{2n}C_1+_{2n}C_3+_{2n}C_5+\cdots+_{2n}C_{2n-1}=128$을 만족시키는 자연수 n의 값은? [3점]

① 4   ② 5   ③ 6

④ 7   ⑤ 8

10

9명 중에서 5명 이상을 뽑는 경우의 수는? [4점]

① 16   ② 32   ③ 64

④ 128   ⑤ 256

 level up

11

$\left(x+\dfrac{a}{x}\right)^{10}$의 전개식에서 x^2의 계수와 $\dfrac{1}{x^2}$의 계수의 합이 $420a^4$일 때, 양수 a의 값을 구하시오. [4점]

12

전체집합 $U=\{x\,|\,1\leq x\leq 8,\ x$는 자연수$\}$의 공집합이 아닌 두 부분집합 A, B에 대하여 $A\subset B$를 만족시키는 경우의 수가 a^8-2^m일 때, $a+m$의 값을 구하시오. [4점]

04 확률의 뜻과 활용

참 중요한학습 point

기출 best

best 1 조합을 이용한 확률
best 2 확률의 덧셈정리
best 3 여사건의 확률

기출 분석

배반사건, 여사건, 확률의 기본 성질, 확률의 덧셈정리, 여사건의 확률은 매년 빠지지 않고 출제되는 내용이다. 특히, 확률의 덧셈정리와 여사건의 확률은 계산 문제와 활용 문제 모두 충분한 연습을 하여야 한다.

level up

· 확률의 덧셈정리
· 여사건의 확률

중요개념

1. 시행과 사건

(1) 시행과 사건

같은 조건에서 반복할 수 있고, 그 결과가 우연에 의하여 정해지는 실험이나 관찰을 시행이라 한다. 또 어떤 시행에서 일어날 수 있는 모든 결과의 집합을 표본공간이라 하고, 표본공간 S의 부분집합을 사건이라 한다. 이때 표본공간 S의 부분집합 중에서 한 개의 원소로 이루어진 사건을 근원사건이라 한다.

(2) 배반사건과 여사건

표본공간 S의 두 사건 A, B에 대하여

① $A \cup B$: A 또는 B가 일어나는 사건

② $A \cap B$: A, B가 동시에 일어나는 사건

③ 배반사건 : 동시에 일어나지 않는 두 사건 A, B, 즉 $A \cap B = \varnothing$

배반사건

④ 여사건 : A가 일어나지 않는 사건, 즉 $A \cap B^C = \varnothing$

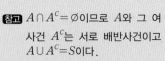
여사건

참고 $A \cap A^C = \varnothing$이므로 A와 그 여사건 A^C는 서로 배반사건이고 $A \cup A^C = S$이다.

2. 수학적 확률과 통계적 확률

(1) 어떤 시행에서 사건 A가 일어날 가능성을 수로 나타낸 것을 사건 A의 확률이라 하고, 이것을 기호로 $\mathrm{P}(A)$와 같이 나타낸다.

(2) 어떤 시행에서 표본공간 S에 대하여 각각의 근원사건이 일어날 가능성이 모두 같은 정도로 기대될 때, 사건 A가 일어날 확률 $\mathrm{P}(A)$는

$$\mathrm{P}(A) = \frac{n(A)}{n(S)} \quad \rightarrow \text{사건 } A \text{의 원소의 개수}$$
$$\rightarrow \text{표본공간 } S \text{의 원소의 개수}$$

로 정의하고, 이것을 사건 A가 일어날 수학적 확률이라 한다.

(3) 동일한 조건에서 같은 시행을 n번 반복할 때, 시행 횟수 n이 커짐에 따라 상대도수 $\dfrac{r_n}{n}$ (r_n은 사건 A가 일어난 횟수)이 일정한 값 p에 가까워지면 이 값 p를 사건 A가 일어날 통계적 확률이라 한다.

3. 확률의 기본 성질

(1) 임의의 사건 A에 대하여 $0 \leq \mathrm{P}(A) \leq 1$

(2) 표본공간 S에 대하여 $\mathrm{P}(S) = 1$

(3) 절대로 일어나지 않는 사건 $\varnothing$에 대하여 $\mathrm{P}(\varnothing) = 0$

4. 확률의 덧셈정리

두 사건 A, B에 대하여

(1) $\mathrm{P}(A \cup B) = \mathrm{P}(A) + \mathrm{P}(B) - \mathrm{P}(A \cap B)$

(2) 특히 두 사건 A, B가 서로 배반사건이면

$$\mathrm{P}(A \cup B) = \mathrm{P}(A) + \mathrm{P}(B)$$

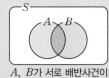 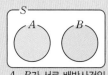

A, B가 서로 배반사건이 아닌 경우 　　 A, B가 서로 배반사건인 경우

5. 여사건의 확률

(1) 사건 A의 여사건 A^C의 확률은

$$\mathrm{P}(A^C) = 1 - \mathrm{P}(A)$$

(2) 두 사건 A, B와 그 각각의 여사건 A^C, B^C에 대하여

① $\mathrm{P}(A^C \cap B^C) = \mathrm{P}((A \cup B)^C) = 1 - \mathrm{P}(A \cup B)$

② $\mathrm{P}(A^C \cup B^C) = \mathrm{P}((A \cap B)^C) = 1 - \mathrm{P}(A \cap B)$

01
[2018학년도 수능 모의 평가]

A, A, A, B, B, C의 문자가 하나씩 적혀 있는 6장의 카드가 있다. 이 카드를 모두 한 번씩 사용하여 일렬로 임의로 나열할 때, 양 끝 모두에 A가 적힌 카드가 나오게 나열될 확률은? [4점]

① $\dfrac{3}{20}$ ② $\dfrac{1}{5}$ ③ $\dfrac{1}{4}$

④ $\dfrac{3}{10}$ ⑤ $\dfrac{7}{20}$

02
[2017학년도 수능 모의 평가]

흰 공 2개, 빨간 공 4개가 들어 있는 주머니가 있다. 이 주머니에서 임의로 2개의 공을 동시에 꺼낼 때, 꺼낸 2개의 공이 모두 흰 공일 확률이 $\dfrac{q}{p}$이다. $p+q$의 값을 구하시오. (단, p와 q는 서로소인 자연수이다.) [4점]

03
[2017학년도 수능 모의 평가]

두 사건 A와 B는 서로 배반사건이고

$$P(A)=\dfrac{1}{6},\ P(A\cup B)=\dfrac{1}{2}$$

일 때, $P(B)$의 값은? [3점]

① $\dfrac{1}{6}$ ② $\dfrac{1}{4}$ ③ $\dfrac{1}{3}$

④ $\dfrac{5}{12}$ ⑤ $\dfrac{1}{2}$

04
[2017학년도 교육청]

흰 공 6개와 빨간 공 4개가 들어 있는 주머니가 있다. 이 주머니에서 임의로 4개의 공을 동시에 꺼낼 때, 꺼낸 4개의 공 중 흰 공의 개수가 3 이상일 확률은? [3점]

① $\dfrac{17}{42}$ ② $\dfrac{19}{42}$ ③ $\dfrac{1}{2}$

④ $\dfrac{23}{42}$ ⑤ $\dfrac{25}{42}$

05
[2019학년도 수능]

두 사건 A, B에 대하여 A와 B^c는 서로 배반사건이고

$$P(A)=\dfrac{1}{3},\ P(A^c\cap B)=\dfrac{1}{6}$$

일 때, $P(B)$의 값은? (단, A^c는 A의 여사건이다.) [3점]

① $\dfrac{5}{12}$ ② $\dfrac{1}{2}$ ③ $\dfrac{7}{12}$

④ $\dfrac{2}{3}$ ⑤ $\dfrac{3}{4}$

06
[2017학년도 교육청]

A, B를 포함한 8명의 요리 동아리 회원 중에서 요리 박람회에 참가할 5명의 회원을 임의로 뽑을 때, A 또는 B가 뽑힐 확률은? [3점]

① $\dfrac{17}{28}$ ② $\dfrac{19}{28}$ ③ $\dfrac{3}{4}$

④ $\dfrac{23}{28}$ ⑤ $\dfrac{25}{28}$

기출유형 01 수학적 확률

[2017학년도 수능 모의평가]

한 개의 주사위를 두 번 던질 때 나오는 눈의 수를 차례로 a, b라 하자. 두 수의 곱 ab가 6의 배수일 때, 이 두 수의 합 $a+b$가 7일 확률은? [3점]

① $\dfrac{1}{5}$ ② $\dfrac{7}{30}$ ③ $\dfrac{4}{15}$ ④ $\dfrac{3}{10}$ ⑤ $\dfrac{1}{3}$

Act ❶

일어날 수 있는 모든 경우가 n가지이고 사건 A가 일어날 경우가 r가지이면 사건 A가 일어날 확률은 $P(A)=\dfrac{r}{n}$임을 이용한다.

해결의 실마리

표본공간이 S인 어떤 시행에서 각 근원사건이 일어날 가능성이 모두 같은 정도로 기대될 때, 사건 A가 일어날 수학적 확률 $P(A)$는

$\Rightarrow P(A)=\dfrac{n(A)}{n(S)}=\dfrac{(\text{사건 } A\text{가 일어나는 경우의 수})}{(\text{일어날 수 있는 모든 경우의 수})}$

01

$-5 \le p \le 5$인 정수 p 중에서 임의로 하나를 뽑을 때, 이차방정식 $x^2+px+\dfrac{p}{4}+\dfrac{1}{2}=0$이 실근을 가질 확률은? [3점]

① $\dfrac{5}{7}$ ② $\dfrac{7}{9}$ ③ $\dfrac{9}{11}$

④ $\dfrac{11}{13}$ ⑤ $\dfrac{13}{15}$

03

[2019학년도 수능 모의평가]

한 개의 주사위를 세 번 던질 때 나오는 눈의 수를 차례로 a, b, c라 하자. 세 수 a, b, c가 $a<b-2 \le c$를 만족시킬 확률은? [4점]

① $\dfrac{2}{27}$ ② $\dfrac{1}{12}$ ③ $\dfrac{5}{54}$

④ $\dfrac{11}{108}$ ⑤ $\dfrac{1}{9}$

02

[2020학년도 수능 모의평가]

한 개의 주사위를 세 번 던져서 나오는 눈의 수를 차례로 a, b, c라 할 때, $a>b$이고 $a>c$일 확률은? [4점]

① $\dfrac{13}{54}$ ② $\dfrac{55}{216}$ ③ $\dfrac{29}{108}$

④ $\dfrac{61}{216}$ ⑤ $\dfrac{8}{27}$

04

[2017학년도 수능 모의평가]

한 개의 주사위를 두 번 던질 때 나오는 눈의 수를 차례로 a, b라 하자. 이차함수 $f(x)=x^2-7x+10$에 대하여 $f(a)f(b)<0$이 성립할 확률은? [4점]

① $\dfrac{1}{18}$ ② $\dfrac{1}{9}$ ③ $\dfrac{1}{6}$

④ $\dfrac{2}{9}$ ⑤ $\dfrac{5}{18}$

기출유형 02 순열을 이용한 확률

7명의 사람을 한 줄로 세울 때, 특정한 세 사람을 이웃하게 세울 확률은 $\dfrac{q}{p}$이다. 이때 $p+q$의 값을 구하시오. (단, p와 q는 서로소인 자연수이다.) [3점]

Act❶
일렬로 세울 확률은 순열의 수를 이용하여 확률을 구한다.

해결의 실마리

서로 다른 n개에서 r개를 택하여 일렬로 나열하는 순열의 수는 ⇨ $_n\mathrm{P}_r=\dfrac{n!}{(n-r)!}$ (단, $0\le r\le n$)

05

A, B, C, D, E, F의 6개의 문자를 일렬로 나열할 때, A와 D 사이에 2개의 문자가 올 확률은? [3점]

① $\dfrac{1}{6}$ ② $\dfrac{1}{5}$ ③ $\dfrac{1}{4}$

④ $\dfrac{1}{3}$ ⑤ $\dfrac{1}{2}$

07

[2005학년도 수능]

키가 서로 다른 네 사람이 있다. 이들을 일렬로 세울 때, 앞에서 세 번째 사람이 자신과 이웃한 두 사람보다 키가 작을 확률은? [3점]

① $\dfrac{1}{3}$ ② $\dfrac{1}{2}$ ③ $\dfrac{3}{5}$

④ $\dfrac{2}{3}$ ⑤ $\dfrac{3}{4}$

06

1, 2, 3, 4, 5의 5개의 숫자를 한 번씩 사용하여 다섯 자리 자연수를 만들 때, 45000보다 큰 수일 확률은? [3점]

① $\dfrac{1}{6}$ ② $\dfrac{1}{4}$ ③ $\dfrac{1}{3}$

④ $\dfrac{1}{2}$ ⑤ $\dfrac{2}{3}$

08

[2005학년도 교육청]

3명씩 탑승한 두 대의 자동차 A, B가 어느 휴게소에서 만났다. 이들 6명은 연료절약을 위해 좌석수가 6개인 자동차 B에 모두 승차하려고 한다. 자동차 B의 운전자는 자리를 바꾸지 않고 나머지 5명은 임의로 앉을 때, 처음부터 자동차 B에 탔던 2명이 모두 처음 좌석이 아닌 다른 좌석에 앉게 될 확률은 $\dfrac{q}{p}$ (p, q는 서로소인 자연수)이다. 이때 $p+q$의 값을 구하시오. [4점]

부모를 포함한 6명의 가족이 원탁에 둘러앉을 때, 부모가 서로 이웃하게 앉을 확률은? [3점]

① $\dfrac{2}{5}$ ② $\dfrac{1}{2}$ ③ $\dfrac{3}{5}$ ④ $\dfrac{7}{10}$ ⑤ $\dfrac{4}{5}$

Act❶
부모를 한 사람으로 생각하여 원순열의 수를 구하고 부모끼리 바꾸어 앉는 경우의 수를 곱한다.

해결의 실마리

서로 다른 n개를 원형으로 배열하는 원순열의 수는 ⇨ $\dfrac{n!}{n} = (n-1)!$

09

여학생 4명, 남학생 3명이 원탁에 둘러앉을 때, 남학생끼리는 서로 이웃하지 않게 앉을 확률은? [3점]

① $\dfrac{1}{6}$ ② $\dfrac{1}{5}$ ③ $\dfrac{1}{4}$

④ $\dfrac{1}{3}$ ⑤ $\dfrac{1}{2}$

11

남학생 3명과 여학생 3명이 원탁에 둘러앉을 때, 남학생과 여학생이 교대로 앉을 확률은? [3점]

① $\dfrac{1}{12}$ ② $\dfrac{1}{10}$ ③ $\dfrac{1}{8}$

④ $\dfrac{1}{6}$ ⑤ $\dfrac{1}{4}$

10

A, B, C를 포함한 5명의 사람이 원탁에 둘러앉을 때, A, B, C가 이웃하여 앉을 확률은? [3점]

① $\dfrac{3}{10}$ ② $\dfrac{2}{5}$ ③ $\dfrac{1}{2}$

④ $\dfrac{3}{5}$ ⑤ $\dfrac{7}{10}$

12

그림과 같이 원을 8등분하여 빨간색과 파란색을 포함한 서로 다른 8가지 색을 모두 사용하여 칠하려고 한다. 빨간색의 맞은편에 파란색을 칠할 확률은? (단, 한 영역에 한 가지의 색을 칠하고, 회전하여 일치하는 것은 같은 것으로 본다.)

[3점]

① $\dfrac{1}{7}$ ② $\dfrac{1}{6}$ ③ $\dfrac{1}{5}$

④ $\dfrac{1}{4}$ ⑤ $\dfrac{1}{3}$

기출유형 **04**   중복순열을 이용한 확률

3명의 학생이 각각 1개씩 가지고 있는 공을 다섯 종류의 상자 A, B, C, D, E에 넣을 때, 서로 다른 상자에 공을 넣을 확률은 $\dfrac{q}{p}$이다. 이때 $p+q$의 값을 구하시오. (단, p와 q는 서로소인 자연수이다.) [3점]

Act①
서로 다른 n개에서 r개를 택하는 중복순열의 수는 $_n\Pi_r=n^r$임을 이용한다.

해결의 실마리

서로 다른 n개에서 r개를 택하는 중복순열의 수는 $\Rightarrow$ $_n\Pi_r=n^r$

13

1, 2, 3, 4의 4개의 숫자에서 중복을 허용하여 만든 네 자리 자연수가 2211보다 작은 수일 확률은? [3점]

① $\dfrac{1}{16}$ ② $\dfrac{3}{16}$ ③ $\dfrac{5}{16}$

④ $\dfrac{7}{16}$ ⑤ $\dfrac{9}{16}$

15

두 집합 $X=\{1, 2, 3\}$, $Y=\{a, b, c\}$에 대하여 X에서 Y로의 함수 $f : X \rightarrow Y$ 중에서 f가 일대일대응일 확률은? [3점]

① $\dfrac{2}{9}$ ② $\dfrac{1}{4}$ ③ $\dfrac{2}{7}$

④ $\dfrac{1}{3}$ ⑤ $\dfrac{2}{5}$

14

5개의 숫자 1, 2, 3, 4, 5로 중복을 허용하여 네 자리 자연수를 만들 때, 이 자연수가 홀수일 확률은 $\dfrac{q}{p}$이다. 이때 $p+q$의 값을 구하시오. (단, p와 q는 서로소인 자연수이다.) [3점]

16

[2010학년도 교육청]

다섯 개의 숫자 0, 1, 2, 3, 4를 중복 사용하여 만들 수 있는 네 자리의 자연수를 $a_1a_2a_3a_4$라 한다. 예를 들면, 1230인 경우 $a_1=1$, $a_2=2$, $a_3=3$, $a_4=0$이다. 이와 같이 네 자리 자연수 $a_1a_2a_3a_4$가 $a_1<a_2<a_3$, $a_3>a_4$를 만족할 확률은 $\dfrac{q}{p}$이다. $p+q$의 값을 구하시오. (단, p와 q는 서로소인 자연수이다.) [4점]

8개의 숫자 1, 1, 1, 2, 3, 3, 3, 3을 일렬로 나열할 때, 양 끝에 같은 숫자가 올 확률은?

[3점]

Act❶

n개 중에서 같은 것이 각각 p개, q개, …, r개씩 있을 때, 이 n개를 모두 일렬로 나열하는 순열의 수는 $\dfrac{n!}{p!q!\cdots r!}$ 임을 이용한다.

① $\dfrac{2}{7}$　　② $\dfrac{9}{28}$　　③ $\dfrac{5}{14}$　　④ $\dfrac{11}{28}$　　⑤ $\dfrac{3}{7}$

해결의 실마리

n개 중에서 같은 것이 각각 p개, q개, …, r개씩 있을 때, 이 n개를 모두 일렬로 나열하는 순열의 수는 ⇨ $\dfrac{n!}{p!q!\cdots r!}$ (단, $p+q+\cdots+r=n$)

17

a, b, r, a, c, a, d, a, b, r, a의 11개의 문자를 일렬로 나열할 때, 양 끝에 모음이 올 확률은? [3점]

① $\dfrac{2}{7}$　　② $\dfrac{2}{9}$　　③ $\dfrac{2}{11}$

④ $\dfrac{2}{13}$　　⑤ $\dfrac{2}{15}$

19

[2020학년도 수능 모의평가]

한 개의 주사위를 네 번 던질 때 나오는 눈의 수를 차례로 a, b, c, d라 하자. 네 수 a, b, c, d의 곱 $a \times b \times c \times d$가 12일 확률은? [4점]

① $\dfrac{1}{36}$　　② $\dfrac{5}{72}$　　③ $\dfrac{1}{9}$

④ $\dfrac{11}{72}$　　⑤ $\dfrac{7}{36}$

18

같은 모양과 크기의 8개의 공 중에 1이 적힌 공이 2개, 2가 적힌 공이 3개, 3이 적힌 공이 3개 있다. 임의로 공을 뽑아 다음 그림과 같이 두 줄로 나열할 때, 바로 위에 있는 공에 적힌 숫자가 바로 아래에 있는 공에 적힌 숫자보다 클 확률은? [4점]

① $\dfrac{9}{560}$　　② $\dfrac{3}{140}$　　③ $\dfrac{3}{112}$

④ $\dfrac{9}{280}$　　⑤ $\dfrac{21}{560}$

20

[2020학년도 수능 모의평가]

숫자 1, 1, 2, 2, 3, 3이 하나씩 적혀 있는 6개의 공이 들어 있는 주머니가 있다. 이 주머니에서 한 개의 공을 임의로 꺼내어 공에 적힌 수를 확인한 후 다시 넣지 않는다. 이와 같은 시행을 6번 반복할 때, $k\,(1 \le k \le 6)$번째 꺼낸 공에 적힌 수를 a_k라 하자. 두 자연수 m, n을

$$m = a_1 \times 100 + a_2 \times 10 + a_3, \quad n = a_4 \times 100 + a_5 \times 10 + a_6$$

이라 할 때, $m > n$일 확률은 $\dfrac{q}{p}$이다. $p+q$의 값을 구하시오. (단, p와 q는 서로소인 자연수이다.) [4점]

기출유형 06 조합을 이용한 확률

붉은 공이 7개, 흰 공이 3개 들어 있는 주머니에서 3개의 공을 꺼낼 때, 붉은 공이 2개, 흰 공이 1개 나올 확률은? [3점]

① $\dfrac{21}{40}$　　② $\dfrac{11}{20}$　　③ $\dfrac{23}{40}$　　④ $\dfrac{3}{5}$　　⑤ $\dfrac{5}{8}$

Act①
순서를 생각하지 않고 택하는 경우의 확률을 구할 때는 먼저 조합을 이용하여 경우의 수를 구한다.

해결의 실마리

서로 다른 n개에서 r개를 택하는 조합의 수는 ⇨ $_nC_r = \dfrac{_nP_r}{r!} = \dfrac{n!}{r!(n-r)!}$ (단, $0 \le r \le n$)

21

주머니 속에 붉은 공과 흰 공을 합해서 15개의 공이 들어 있다. 이 주머니에서 임의로 2개의 공을 꺼낼 때 2개 모두 붉은 공일 확률은 $\dfrac{1}{5}$이다. 이 주머니 속에는 몇 개의 붉은 공이 있는지 구하시오. [3점]

23

집합 $A = \{1, 2, 3, 4\}$의 부분집합 중에서 임의로 서로 다른 두 집합을 택할 때, 이 두 집합 중 한 집합이 다른 집합의 부분집합이 될 확률은? [4점]

① $\dfrac{11}{24}$　　② $\dfrac{1}{2}$　　③ $\dfrac{13}{24}$

④ $\dfrac{7}{12}$　　⑤ $\dfrac{5}{8}$

22

[2013학년도 수능 모의평가]

주머니 안에 1, 2, 3, 4의 숫자가 하나씩 적혀 있는 4장의 카드가 있다. 주머니에서 갑이 2장의 카드를 임의로 뽑고 을이 남은 2장의 카드 중에서 1장의 카드를 임의로 뽑을 때, 갑이 뽑은 2장의 카드에 적힌 수의 곱이 을이 뽑은 카드에 적힌 수보다 작을 확률은? [3점]

① $\dfrac{1}{12}$　　② $\dfrac{1}{6}$　　③ $\dfrac{1}{4}$

④ $\dfrac{1}{3}$　　⑤ $\dfrac{5}{12}$

24

어느 병원의 간호사는 일주일 단위로 주간근무만 하거나 야간근무만 하는데, 앞으로 9주 동안 3주는 야간근무, 6주는 주간근무를 한다. 이 병원의 어떤 간호사에게 임의로 주간근무 하는 주와 야간근무 하는 주를 배정하려고 할 때, 그 간호사가 2주 이상 연속으로 야간근무를 하지 않을 확률은? [4점]

① $\dfrac{1}{3}$　　② $\dfrac{3}{8}$　　③ $\dfrac{5}{12}$

④ $\dfrac{11}{24}$　　⑤ $\dfrac{1}{2}$

두 사건 A, B가 서로 배반이고 $P(A)=P(B)$, $P(A)P(B)=\dfrac{4}{25}$일 때, $P(A\cup B)$의 값은?

[3점]

① $\dfrac{1}{5}$ ② $\dfrac{2}{5}$ ③ $\dfrac{1}{2}$ ④ $\dfrac{3}{5}$ ⑤ $\dfrac{4}{5}$

Act ①
두 사건 A, B가 서로 배반사건이면
$P(A\cup B)=P(A)+P(B)$임을 이용한다.

해결의 실마리

두 사건 A, B에 대하여

(1) $P(A\cup B)=P(A)+P(B)-P(A\cap B)$

(2) 특히 두 사건 A, B가 서로 배반사건이면 $P(A\cup B)=P(A)+P(B)$

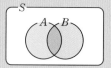
A, B가 서로 배반사건이 아닌 경우

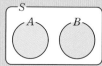
A, B가 서로 배반사건인 경우

25

두 사건 A와 B는 서로 배반사건이고 $P(A)=P(B)$, $P(A)P(B)=\dfrac{1}{16}$일 때, $P(A\cup B)$의 값은? [3점]

① $\dfrac{1}{6}$ ② $\dfrac{1}{3}$ ③ $\dfrac{1}{2}$

④ $\dfrac{2}{3}$ ⑤ $\dfrac{5}{6}$

26

[2015학년도 수능 모의평가]

두 사건 A, B에 대하여 $P(A\cap B)=\dfrac{2}{3}P(A)=\dfrac{2}{5}P(B)$일 때, $\dfrac{P(A\cup B)}{P(A\cap B)}$의 값은? (단, $P(A\cap B)\neq 0$이다.) [3점]

① 3 ② $\dfrac{1}{2}$ ③ 4

④ $\dfrac{1}{2}$ ⑤ 5

27

[2006학년도 수능]

사건 전체의 집합 S의 두 사건 A와 B는 서로 배반사건이고, $A\cup B=S$, $P(A)=2P(B)$일 때, $P(A)$의 값은?

[3점]

① $\dfrac{2}{3}$ ② $\dfrac{1}{2}$ ③ $\dfrac{2}{5}$

④ $\dfrac{1}{3}$ ⑤ $\dfrac{1}{4}$

28

두 사건 A, B가 서로 배반이고 $2P(A)+P(B)=\dfrac{7}{4}$일 때, $P(A)$의 최솟값은? [4점]

① $\dfrac{1}{8}$ ② $\dfrac{1}{4}$ ③ $\dfrac{3}{8}$

④ $\dfrac{1}{2}$ ⑤ $\dfrac{3}{4}$

기출유형 **08** 확률의 덧셈정리의 활용

어떤 동아리에는 남학생 6명, 여학생 4명이 있다. 이 중에서 동아리방 청소 당번 2명을 뽑을 때, 2명 모두 남학생이거나 2명 모두 여학생일 확률은? [3점]

① $\dfrac{1}{3}$
② $\dfrac{2}{5}$
③ $\dfrac{7}{15}$
④ $\dfrac{8}{15}$
⑤ $\dfrac{3}{5}$

Act ①
두 사건 A, B가 서로 배반사건이면 $P(A \cup B) = P(A) + P(B)$임을 이용한다.

해결의 실마리

'~ 또는 ~', '~이거나' 등의 표현으로 연결된 사건의 확률을 구할 때에는 확률의 덧셈정리를 이용하여 구한다. 이때 두 사건이 서로 배반사건인지 아닌지 반드시 확인한다.

(1) 표본공간이 S인 두 사건 A, B에 대하여 $A \cap B \neq \varnothing$이면 $\Rightarrow$ $P(A \cup B) = P(A) + P(B) - P(A \cap B)$

(2) 표본공간이 S인 두 사건 A, B에 대하여 $A \cap B = \varnothing$이면 $\Rightarrow$ $P(A \cup B) = P(A) + P(B)$ ← 두 사건 A, B가 배반사건일 때

29

빨간 공 3개, 노란 공 2개, 파란 공 1개가 들어 있는 주머니에서 임의로 2개의 공을 동시에 꺼낼 때, 서로 다른 색의 공 2개를 꺼낼 확률은? [3점]

① $\dfrac{7}{15}$
② $\dfrac{8}{15}$
③ $\dfrac{3}{5}$
④ $\dfrac{10}{15}$
⑤ $\dfrac{11}{15}$

31 [2018학년도 수능 모의평가]

그림과 같이 1, 2, 3, 4의 숫자가 하나씩 적혀 있는 카드가 각각 3장씩 12장이 있다. 이 12장의 카드 중에서 임의로 3장의 카드를 선택할 때, 선택한 카드 중에 같은 숫자가 적혀 있는 카드가 2장 이상일 확률은? [4점]

| 1 | 1 | 1 | 2 | 2 | 2 | 3 | 3 | 3 | 4 | 4 | 4 |

① $\dfrac{12}{55}$
② $\dfrac{16}{55}$
③ $\dfrac{4}{11}$
④ $\dfrac{24}{55}$
⑤ $\dfrac{28}{55}$

30 [2012학년도 수능 모의평가]

주사위를 1개 던져서 나오는 눈의 수가 6의 약수이면 동전을 3개 동시에 던지고, 6의 약수가 아니면 동전을 2개 동시에 던진다. 1개의 주사위를 1번 던진 후 그 결과에 따라 동전을 던질 때, 앞면이 나오는 동전의 개수가 1일 확률은? [3점]

① $\dfrac{1}{3}$
② $\dfrac{3}{8}$
③ $\dfrac{5}{12}$
④ $\dfrac{11}{24}$
⑤ $\dfrac{1}{2}$

32 [2019학년도 수능 모의평가]

동전 A의 앞면과 뒷면에는 각각 1과 2가 적혀 있고 동전 B의 앞면과 뒷면에는 각각 3과 4가 적혀 있다. 동전 A를 세 번, 동전 B를 네 번 던져 나온 7개의 수의 합이 19 또는 20일 확률은? [4점]

① $\dfrac{7}{16}$
② $\dfrac{15}{32}$
③ $\dfrac{1}{2}$
④ $\dfrac{17}{32}$
⑤ $\dfrac{9}{16}$

[2019학년도 수능 모의평가]

두 사건 A, B에 대하여 $P(A)=\frac{1}{2}$, $P(A \cap B^c)=\frac{1}{5}$일 때, $P(A^c \cup B^c)$의 값은? (단, A^c은 A의 여사건이다.) [3점]

Act ①
$P(A^c \cup B^c)=P((A \cap B)^c)$
$=1-P(A \cap B)$임을 이용한다.

① $\frac{2}{5}$ ② $\frac{1}{2}$ ③ $\frac{3}{5}$ ④ $\frac{7}{10}$ ⑤ $\frac{4}{5}$

해결의 실마리

(1) 사건 A의 여사건 A^c의 확률은 $P(A^c)=1-P(A)$

(2) 두 사건 A, B와 그 각각의 여사건 A^c, B^c에 대하여

① $P(A^c \cap B^c)=P((A \cup B)^c)=1-P(A \cup B)$ 　　② $P(A^c \cup B^c)=P((A \cap B)^c)=1-P(A \cap B)$

③ $P(A)=P(A \cap B)+P(A \cap B^c)$

33

[2019학년도 수능 모의평가]

두 사건 A, B에 대하여 $P(A)=\frac{2}{3}$, $P(A \cap B)=\frac{1}{4}$일 때, $P(A \cap B^c)$의 값은? (단, B^c은 B의 여사건이다.) [3점]

① $\frac{1}{3}$ ② $\frac{5}{12}$ ③ $\frac{1}{2}$

④ $\frac{7}{12}$ ⑤ $\frac{2}{3}$

35

[2014학년도 수능]

두 사건 A, B에 대하여 $P(A^c \cup B^c)=\frac{4}{5}$, $P(A \cup B^c)=\frac{1}{4}$일 때, $P(A^c)$의 값은? [3점]

① $\frac{1}{2}$ ② $\frac{11}{20}$ ③ $\frac{3}{5}$

④ $\frac{13}{20}$ ⑤ $\frac{7}{10}$

34

[2013학년도 교육청]

두 사건 A, B에 대하여 $P(A)=\frac{3}{4}$, $P(A \cap B^c)=\frac{2}{3}$일 때, $P(A \cap B)$의 값은? (단, B^c는 B의 여사건이다.) [3점]

① $\frac{1}{12}$ ② $\frac{1}{6}$ ③ $\frac{1}{4}$

④ $\frac{1}{3}$ ⑤ $\frac{5}{12}$

36

[2016학년도 수능 모의평가]

두 사건 A, B에 대하여 $P(A \cap B^c)=P(A^c \cap B)=\frac{1}{6}$, $P(A \cup B)=\frac{2}{3}$일 때, $P(A \cap B)$의 값은? (단, A^c은 A의 여사건이다.) [4점]

① $\frac{1}{12}$ ② $\frac{1}{6}$ ③ $\frac{1}{4}$

④ $\frac{1}{3}$ ⑤ $\frac{5}{12}$

기출유형 **10** 여사건의 확률의 활용

[2020학년도 수능 모의평가]

검은 공 3개, 흰 공 4개가 들어 있는 주머니가 있다. 이 주머니에서 임의로 3개의 공을 동시에 꺼낼 때, 꺼낸 개의 공 중에서 적어도 한 개가 검은 공일 확률은? [3점]

Act❶
'적어도 ~일' 경우의 확률은 여사건의 확률 $P(A^c)=1-P(A)$ 를 이용한다.

① $\dfrac{19}{35}$　　② $\dfrac{22}{35}$　　③ $\dfrac{5}{7}$　　④ $\dfrac{4}{5}$　　⑤ $\dfrac{31}{35}$

해결의 실마리

주어진 사건의 확률을 계산하는 것이 복잡할 때에는 여사건의 확률을 이용한다.

(1) (적어도 한 개가 □일 확률)＝1－(모두 □가 아닐 확률)

(2) (□가 아닐 확률)＝1－(모두 □일 확률)

(3) (□ 이상일 확률)＝1－(□ 미만일 확률), (□ 이하일 확률)＝1－(□ 초과일 확률)

37
[2019학년도 교육청]

한 개의 주사위를 5번 던져서 나오는 다섯 눈의 수의 곱이 짝수일 확률은? [3점]

① $\dfrac{23}{32}$　　② $\dfrac{25}{32}$　　③ $\dfrac{27}{32}$

④ $\dfrac{29}{32}$　　⑤ $\dfrac{31}{32}$

39
[2019학년도 수능 모의평가]

방정식 $a+b+c=9$를 만족시키는 음이 아닌 정수 a, b, c의 모든 순서쌍 $(a,\ b,\ c)$ 중에서 임의로 한 개를 선택할 때, 선택한 순서쌍 $(a,\ b,\ c)$가 $a<2$ 또는 $b<2$를 만족시킬 확률은 $\dfrac{q}{p}$이다. $p+q$의 값을 구하시오. (단, p와 q는 서로소인 자연수이다.) [4점]

38
[2020학년도 수능 모의평가]

1부터 7까지의 자연수 중에서 임의로 서로 다른 3개의 수를 선택한다. 선택된 3개의 수의 곱을 a, 선택되지 않은 4개의 수의 곱을 b라 할 때, a와 b가 모두 짝수일 확률은? [3점]

① $\dfrac{4}{7}$　　② $\dfrac{9}{14}$　　③ $\dfrac{5}{7}$

④ $\dfrac{11}{14}$　　⑤ $\dfrac{6}{7}$

40
[2020학년도 수능 모의평가]

다음 조건을 만족시키는 좌표평면 위의 점 $(a,\ b)$ 중에서 임의로 서로 다른 두 점을 선택할 때, 선택된 두 점 사이의 거리가 1보다 클 확률은? [4점]

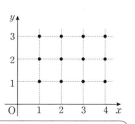

(가) a, b는 자연수이다.
(나) $1\le a\le 4$, $1\le b\le 3$

① $\dfrac{41}{66}$　　② $\dfrac{43}{66}$　　③ $\dfrac{15}{22}$

④ $\dfrac{47}{66}$　　⑤ $\dfrac{49}{66}$

01

1, 2, 3, 4, 5의 5개의 숫자 중 5개를 모두 사용하여 임의로 다섯 자리의 자연수를 만들 때, 십의 자리의 수와 일의 자리의 수의 합이 짝수일 확률은? [3점]

① $\dfrac{3}{10}$　　② $\dfrac{2}{5}$　　③ $\dfrac{1}{2}$

④ $\dfrac{3}{5}$　　⑤ $\dfrac{7}{10}$

02

원탁에 남학생 2명, 여학생 5명이 둘러앉을 때, 남학생끼리 이웃하게 앉을 확률은? (단, 회전하여 일치하는 것은 같은 것으로 본다.) [3점]

① $\dfrac{1}{6}$　　② $\dfrac{1}{3}$　　③ $\dfrac{1}{2}$

④ $\dfrac{2}{3}$　　⑤ $\dfrac{5}{6}$

03

흰 공 5개, 검은 공 3개를 일렬로 나열할 때, 검은 공 3개 중 어떤 2개도 이웃하지 않을 확률은? (단, 같은 색의 공은 서로 구별하지 않는다.) [3점]

① $\dfrac{1}{14}$　　② $\dfrac{1}{7}$　　③ $\dfrac{3}{14}$

④ $\dfrac{2}{7}$　　⑤ $\dfrac{5}{14}$

04

흰 공 2개, 검은 공 3개가 들어 있는 주머니가 있다. 이 주머니에서 임의로 2개의 공을 동시에 꺼낼 때, 공의 색깔이 모두 다를 확률은? [3점]

① $\dfrac{3}{10}$　　② $\dfrac{2}{5}$　　③ $\dfrac{1}{2}$

④ $\dfrac{3}{5}$　　⑤ $\dfrac{7}{10}$

05

주머니에 1, 1, 2, 3, 4의 숫자가 하나씩 적혀 있는 5개의 공이 들어 있다. 이 주머니에서 임의로 4개의 공을 동시에 꺼내어 일렬로 나열하고, 나열된 순서대로 공에 적혀 있는 수를 a, b, c, d라 할 때, $a \le b \le c \le d$일 확률을 $\dfrac{q}{p}$라 하자. $p+q$의 값을 구하시오. (단, p와 q는 서로소인 자연수이다.) [4점]

06

12의 약수가 하나씩 적혀 있는 4장의 카드가 들어 있는 상자에서 임의로 2장의 카드를 동시에 꺼낼 때, 카드에 적혀 있는 두 수 중 작은 수가 4의 약수일 확률은? [3점]

① $\dfrac{5}{6}$　　② $\dfrac{7}{9}$　　③ $\dfrac{3}{4}$

④ $\dfrac{11}{15}$　　⑤ $\dfrac{13}{18}$

07

두 사건 A, B에 대하여 A와 B^C은 서로 배반사건이고
$$\mathrm{P}(B)=2\mathrm{P}(A)=\frac{3}{5}$$
일 때, $\mathrm{P}(A^C \cap B)$의 값은? (단, A^C은 A의 여사건이다.) [3점]

① $\frac{3}{10}$　　　② $\frac{2}{5}$　　　③ $\frac{1}{2}$

④ $\frac{3}{5}$　　　⑤ $\frac{7}{10}$

08

4개의 흰 공과 4개의 검은 공이 들어 있는 주머니가 있다. 이 주머니에 들어 있는 8개의 공 중에서 4개를 뽑았을 때, 흰 공이 3개 이상이 나오거나 4개 모두 검은 공이 나올 확률을 $\frac{q}{p}$라 하자. $p+q$의 값을 구하시오. (단, p와 q는 서로소인 자연수이다.) [4점]

09

집합 $A=\{n\,|\,1\le n\le100,\ n$은 자연수$\}$가 있다. 집합 A에서 임의로 하나의 정수 a를 선택할 때, 이차방정식 $12x^2-7ax+a^2=0$이 적어도 하나의 정수해를 가질 확률은? [3점]

① $\frac{1}{8}$　　　② $\frac{1}{4}$　　　③ $\frac{3}{8}$

④ $\frac{1}{2}$　　　⑤ $\frac{5}{8}$

10

어느 학교의 학생 10명의 혈액형을 조사하였더니 A형, B형, O형인 학생이 각각 2명, 3명, 5명이었다. 이 10명의 학생 중에서 임의로 2명을 뽑을 때, 혈액형이 다를 확률을 $\frac{q}{p}$라 하자. $p+q$의 값을 구하시오. (단, p와 q는 서로소인 자연수이다.) [4점]

 level up

11

두 집합 $A=\{1,\ 2,\ 3\}$, $B=\{1,\ 3,\ 5,\ 7,\ 9\}$에 대하여 집합 A에서 집합 B로의 함수 중 임의로 택한 함수 f가 $\{f(1)-f(2)\}\{f(2)-f(3)\}>0$을 만족시킬 확률은? [4점]

① $\frac{3}{25}$　　　② $\frac{7}{50}$　　　③ $\frac{4}{25}$

④ $\frac{9}{50}$　　　⑤ $\frac{1}{5}$

12

정육면체 모양의 주사위를 세 번 던지는 시행을 할 때, 나온 눈의 수를 차례대로 x, y, z라 하자. 이때 $(x-y)(y-z)(z-x)=0$일 확률은? [4점]

① $\frac{4}{9}$　　　② $\frac{5}{9}$　　　③ $\frac{2}{3}$

④ $\frac{7}{9}$　　　⑤ $\frac{8}{9}$

중요개념

1. 조건부확률

(1) 표본공간 S의 두 사건 A, B에 대하여 확률이 0이 아닌 사건 A가 일어났을 때, 사건 B가 일어날 확률을 사건 A가 일어났을 때의 사건 B의 조건부확률이라 하고, 기호로 $\mathrm{P}(B|A)$와 같이 나타낸다.

(2) 사건 A가 일어났을 때의 사건 B의 조건부확률은

$$\mathrm{P}(B|A)=\frac{\mathrm{P}(A\cap B)}{\mathrm{P}(A)} \ (단, \mathrm{P}(A)>0)$$

주의 일반적으로 $\mathrm{P}(B|A)\neq\mathrm{P}(A|B)$임에 유의한다.

(3) 사건 A가 일어났을 때 사건 B가 일어날 조건부확률은 다음과 같이 구한다.

① $\mathrm{P}(A)$, $\mathrm{P}(A\cap B)$를 구한다.

② $\mathrm{P}(B|A)=\dfrac{\mathrm{P}(A\cap B)}{\mathrm{P}(A)}$ (단, $\mathrm{P}(A)>0$)를 구한다.

(4) 조건부확률을 계산할 때는 확률의 덧셈정리, 여사건의 확률 등을 이용한다.

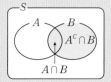

2. 조건부확률의 활용

(1) 표가 주어진 조건부확률 문제는

① 문제의 마지막에서 묻고 있는 문장 '~이었을 때 (●), ~일(★) 확률'를 찾고 ●인 사건을 전사건 A로, ★인 사건을 B로 놓는다.

② 표를 이용하여 $\mathrm{P}(B|A)=\dfrac{\mathrm{P}(A\cap B)}{\mathrm{P}(A)}$를 구한다.

(2) 표가 주어지지 않은 조건부확률 문제는 주어진 조건을 표로 나타낸 후 조건부확률을 구한다.

3. 확률의 곱셈정리

두 사건 A, B에 대하여

$$\mathrm{P}(A\cap B)=\mathrm{P}(A)\mathrm{P}(B|A)=\mathrm{P}(B)\mathrm{P}(A|B)$$
$$(단, \mathrm{P}(A)>0, \mathrm{P}(B)>0)$$

참고 $\mathrm{P}(B|A)=\dfrac{\mathrm{P}(A\cap B)}{\mathrm{P}(A)}$의 양변에 $\mathrm{P}(A)$를 곱하면

$\mathrm{P}(A\cap B)=\mathrm{P}(A)\mathrm{P}(B|A)$

$\mathrm{P}(A|B)=\dfrac{\mathrm{P}(A\cap B)}{\mathrm{P}(B)}$의 양변에 $\mathrm{P}(B)$를 곱하면

$\mathrm{P}(A\cap B)=\mathrm{P}(B)\mathrm{P}(A|B)$

4. 확률의 곱셈정리의 활용

사건 E가 일어났을 때 사건 A가 일어날 확률은

$$\mathrm{P}(A|E)=\frac{\mathrm{P}(A\cap E)}{\mathrm{P}(E)}$$
$$=\frac{\mathrm{P}(A\cap E)}{\mathrm{P}(A\cap E)+\mathrm{P}(A^c\cap E)}$$

특히 $A^c=B$인 두 사건 A, B에 대하여

$$\mathrm{P}(A|E)=\frac{\mathrm{P}(A\cap E)}{\mathrm{P}(E)}$$
$$=\frac{\mathrm{P}(A\cap E)}{\mathrm{P}(A\cap E)+\mathrm{P}(B\cap E)}$$

01
[2018학년도 수능 모의평가]

두 사건 A, B에 대하여 $\mathrm{P}(A)=\dfrac{2}{3}$, $\mathrm{P}(A \cap B)=\dfrac{2}{5}$일 때, $\mathrm{P}(B|A)$의 값은? [3점]

① $\dfrac{2}{5}$ ② $\dfrac{7}{15}$ ③ $\dfrac{8}{15}$

④ $\dfrac{3}{5}$ ⑤ $\dfrac{2}{3}$

02
[2017학년도 수능 모의평가]

두 사건 A, B에 대하여 $\mathrm{P}(A)=\dfrac{13}{16}$, $\mathrm{P}(A \cap B^C)=\dfrac{1}{4}$일 때, $\mathrm{P}(B|A)$의 값은? (단, A^C는 A의 여사건) [3점]

① $\dfrac{5}{13}$ ② $\dfrac{6}{13}$ ③ $\dfrac{7}{13}$

④ $\dfrac{8}{13}$ ⑤ $\dfrac{9}{13}$

03
[2018학년도 수능 모의평가]

14개의 공에 각각 검은색과 흰색 중 한 가지 색이 칠해져 있고, 자연수가 하나씩 적혀 있다. 각각의 공에 칠해져 있는 색과 적혀 있는 수에 따라 분류한 공의 개수는 다음과 같다.

（단위 : 개）

구분	검은색	흰색	합계
홀수	5	3	8
짝수	4	2	6
합계	9	5	14

14개의 공 중에서 임의로 선택한 한 개의 공이 검은색일 때, 이 공에 적혀 있는 수가 짝수일 확률은? [3점]

① $\dfrac{2}{9}$ ② $\dfrac{5}{18}$ ③ $\dfrac{1}{3}$

④ $\dfrac{7}{18}$ ⑤ $\dfrac{4}{9}$

04
[2017학년도 수능]

어느 학교의 전체 학생은 360명이고, 각 학생은 체험 학습 A, 체험 학습 B 중 하나를 선택하였다. 이 학교의 학생 중 체험 학습 A를 선택한 학생은 남학생 90명과 여학생 70명이다. 이 학교의 학생 중 임의로 뽑은 1명의 학생이 체험 학습 B를 선택한 학생일 때, 이 학생이 남학생일 확률은 $\dfrac{2}{5}$이다. 이 학교의 여학생의 수는? [3점]

① 180   ② 185   ③ 190

④ 195   ⑤ 200

05
[2016학년도 수능]

두 사건 A, B에 대하여 $\mathrm{P}(A)=\dfrac{2}{5}$, $\mathrm{P}(B|A)=\dfrac{5}{6}$일 때, $\mathrm{P}(A \cap B)$의 값은? [3점]

① $\dfrac{1}{3}$ ② $\dfrac{4}{15}$ ③ $\dfrac{1}{5}$

④ $\dfrac{2}{15}$ ⑤ $\dfrac{1}{15}$

06
[2013학년도 수능]

어느 학교 전체 학생의 60%는 버스로, 나머지 40%는 걸어서 등교하였다. 버스로 등교한 학생의 $\dfrac{1}{20}$이 지각하였고, 걸어서 등교한 학생의 $\dfrac{1}{15}$이 지각하였다. 이 학교 전체 학생 중 임의로 선택한 1명의 학생이 지각하였을 때, 이 학생이 버스로 등교하였을 확률은? [3점]

① $\dfrac{3}{7}$ ② $\dfrac{9}{20}$ ③ $\dfrac{9}{19}$

④ $\dfrac{1}{2}$ ⑤ $\dfrac{9}{17}$

[2020학년도 수능 모의평가]

두 사건 A, B에 대하여 $P(A)=\dfrac{7}{10}$, $P(A \cup B)=\dfrac{9}{10}$일 때, $P(B^C \mid A^C)$의 값은? (단, A^C은 A의 여사건이다.) [3점]

① $\dfrac{1}{6}$　　② $\dfrac{1}{5}$　　③ $\dfrac{1}{4}$　　④ $\dfrac{1}{3}$　　⑤ $\dfrac{1}{2}$

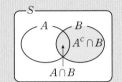

Act ❶
$$P(B^C \mid A^C)=\frac{P(A^C \cap B^C)}{P(A^C)}$$
임을 이용한다.

해결의 실마리

(1) 사건 A가 일어났을 때 사건 B가 일어날 조건부확률은 다음과 같이 구한다.

　① $P(A)$, $P(A \cap B)$를 구한다.

　② $P(B \mid A)=\dfrac{P(A \cap B)}{P(A)}$ (단, $P(A) > 0$)를 구한다.

(2) 조건부확률을 계산할 때는 확률의 덧셈정리, 여사건의 확률 등을 이용한다.

　$P(B)=P(A \cap B)+P(A^C \cap B)$

01

[2015학년도 교육청]

두 사건 A, B에 대하여 $P(A)=\dfrac{1}{4}$, $P(A \cap B)=\dfrac{1}{6}$일 때, $P(B \mid A)$의 값은? [3점]

① $\dfrac{1}{6}$　　② $\dfrac{1}{3}$　　③ $\dfrac{1}{2}$

④ $\dfrac{2}{3}$　　⑤ $\dfrac{5}{6}$

03

[2005학년도 교육청]

두 사건 A, B에 대하여 $P(A \cap B)=\dfrac{1}{3}$, $P(A^C \cap B)=\dfrac{1}{4}$일 때, $P(A \mid B)$의 값은? (단, A^C은 A의 여사건이다.) [3점]

① $\dfrac{1}{7}$　　② $\dfrac{2}{7}$　　③ $\dfrac{3}{7}$

④ $\dfrac{4}{7}$　　⑤ $\dfrac{5}{7}$

02

[2009학년도 수능 모의평가]

두 사건 A, B에 대하여
$$P(A \cup B)=\frac{5}{8}, \quad P(B)=\frac{1}{4}$$
일 때, $P(A \mid B^C)$의 값은? (단, B^C는 B의 여사건이다.) [3점]

① $\dfrac{1}{2}$　　② $\dfrac{1}{3}$　　③ $\dfrac{1}{4}$

④ $\dfrac{1}{5}$　　⑤ $\dfrac{1}{6}$

04

[2015학년도 수능]

두 사건 A, B에 대하여 $P(A)=\dfrac{1}{3}$, $P(A \cap B)=\dfrac{1}{8}$일 때, $P(B^C \mid A)$의 값은? (단, B^C은 B의 여사건이다.) [4점]

① $\dfrac{11}{24}$　　② $\dfrac{1}{2}$　　③ $\dfrac{13}{24}$

④ $\dfrac{7}{12}$　　⑤ $\dfrac{5}{8}$

기출유형 02 조건부확률의 활용－표가 주어진 경우

5명의 학생 A, B, C, D, E가 김밥, 만두, 쫄면 중에서 서로 다른 2종류의 음식을 표와 같이 선택하였다. 이 5명 중에서 임의로 뽑힌 한 학생이 만두를 선택한 학생일 때, 이 학생이 쫄면도 선택하였을 확률은? [3점]

Act❶

임의로 뽑은 한 학생이 만두를 선택한 학생일 사건을 전사건으로 놓고 조건부확률을 구한다.

	A	B	C	D	E
김밥	○	○		○	
만두	○	○	○		○
쫄면			○	○	○

① $\dfrac{1}{4}$ ② $\dfrac{1}{3}$ ③ $\dfrac{1}{2}$ ④ $\dfrac{2}{3}$ ⑤ $\dfrac{3}{4}$

해결의 실마리

표가 주어진 조건부확률 문제는

⇨ 문제의 마지막에서 묻고 있는 문장 '~ 이었을 때(●), ~ 일(★) 확률'을 찾고 ●인 사건을 전사건 A로, ★인 사건을 B로 놓는다.

⇨ 표를 이용하여 $P(B|A) = \dfrac{P(A \cap B)}{P(A)}$ 를 구한다.

05

어느 고등학교 3학년 전체 학생 300명을 대상으로 영화와 뮤지컬에 대한 관람 희망 여부를 조사한 결과는 다음과 같다.

(단위 : 개)

영화＼뮤지컬	희망함	희망하지 않음	합계
희망함	90	50	140
희망하지 않음	120	40	160
합계	210	90	300

이 고등학교 3학년 학생 중에서 임의로 선택한 1명이 영화 관람을 희망한 학생일 때, 이 학생이 뮤지컬 관람도 희망한 학생일 확률은? [3점]

① $\dfrac{1}{14}$ ② $\dfrac{2}{7}$ ③ $\dfrac{5}{14}$

④ $\dfrac{3}{7}$ ⑤ $\dfrac{1}{2}$

06

어느 도서관 이용자 300명을 대상으로 각 연령대별, 성별 이용 현환을 조사한 결과는 다음과 같다.

(단위 : 개)

구분	19세 이하	20대	30대	40세 이상	계
남성	40	a	$60-a$	100	200
여성	35	$45-b$	b	20	100

이 도서관 이용자 300명 중에서 30대가 차지하는 비율은 12%이다. 이 도서관 이용자 300명 중에서 임의로 선택한 1명이 남성일 때 이용자가 20대일 확률과, 이 도서관 이용자 300명 중에서 임의로 선택한 1명이 여성일 때 이 이용자가 30대일 확률이 서로 같다. $a+b$의 값을 구하시오. [4점]

[2016학년도 수능]

어느 회사의 직원은 모두 60명이고, 각 직원은 두 개의 부서 A, B 중 한 부서에 속해 있다. 이 회사의 A 부서는 20명, B 부서는 40명의 직원으로 구성되어 있다. 이 회사의 A 부서에 속해 있는 직원의 50%가 여성이다. 이 회사 여성 직원의 60%가 B 부서에 속해 있다. 이 회사의 직원 60명 중에서 임의로 선택한 한 명이 B 부서에 속해 있을 때, 이 직원이 여성일 확률은 p 이다. $80p$의 값을 구하시오. [4점]

Act ①
임의로 선택한 한 명이 B 부서에 속하는 사건을 전사건으로 놓고 조건부확률을 구한다.

해결의 실마리

표가 주어지지 않은 조건부확률 문제는 ⇨ 주어진 조건을 표로 정리하거나 식으로 나타낸 후 조건부확률을 구한다.

07

[2018학년도 수능 모의평가]

그림과 같이 주머니 A에는 1부터 6까지의 자연수가 하나씩 적힌 6장의 카드가 들어 있고 주머니 B와 C에는 1부터 3까지의 자연수가 하나씩 적힌 3장의 카드가 각각 들어 있다. 갑은 주머니 A에서, 을은 주머니 B에서, 병은 주머니 C에서 각자 임의로 1장의 카드를 꺼낸다. 이 시행에서 갑이 꺼낸 카드에 적힌 수가 을이 꺼낸 카드에 적힌 수보다 클 때, 갑이 꺼낸 카드에 적힌 수가 을과 병이 꺼낸 카드에 적힌 수의 합보다 클 확률이 k이다. $100k$의 값을 구하시오. [4점]

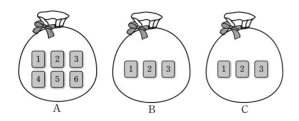

08

[2018학년도 수능 모의평가]

흰 공 3개, 검은 공 4개가 들어 있는 주머니가 있다. 이 주머니에서 임의로 3개의 공을 동시에 꺼내어, 꺼낸 흰 공과 검은 공의 개수를 각각 m, n이라 하자. 이 시행에서 $2m \geq n$일 때, 꺼낸 흰 공의 개수가 2일 확률은 $\dfrac{q}{p}$이다. $p+q$의 값을 구하시오. (단, p와 q는 서로소인 자연수이다.) [4점]

기출유형 04 확률의 곱셈정리의 계산

두 사건 A, B에 대하여 $P(A)=\dfrac{3}{4}$, $P(B|A)=\dfrac{1}{3}$일 때, $P(A\cap B)$의 값은? [3점]

① $\dfrac{1}{4}$ ② $\dfrac{1}{3}$ ③ $\dfrac{1}{2}$ ④ $\dfrac{2}{3}$ ⑤ $\dfrac{3}{4}$

Act①
$P(A\cap B)=P(A)P(B|A)$
임을 이용한다.

해결의 실마리

$P(A\cap B)=P(A)P(B|A)=P(B)P(A|B)$ (단, $P(A)>0$, $P(B)>0$)

09

두 사건 A, B에 대하여 $P(A)=\dfrac{1}{2}$, $P(A|B)=\dfrac{1}{4}$,

$P(A^c\cap B^c)=\dfrac{1}{3}$일 때, $P(B)$의 값은? [3점]

① $\dfrac{2}{9}$ ② $\dfrac{1}{4}$ ③ $\dfrac{2}{7}$

④ $\dfrac{1}{3}$ ⑤ $\dfrac{2}{5}$

11

두 사건 A, B에 대하여 $P(A)=\dfrac{3}{10}$, $P(A|B)=\dfrac{1}{4}$,

$P(A^c\cap B^c)=\dfrac{2}{5}$일 때, $P(B|A)$의 값은? (단, A^c은 A의 여사건이다.) [3점]

① $\dfrac{5}{18}$ ② $\dfrac{1}{3}$ ③ $\dfrac{7}{15}$

④ $\dfrac{4}{9}$ ⑤ $\dfrac{1}{2}$

10

두 사건 A, B에 대하여 $P(A^c|B)=\dfrac{1}{2}$, $P(B^c|A)=\dfrac{2}{3}$,

$P(A\cup B)=\dfrac{8}{9}$일 때, $P(A\cap B)$의 값은? (단, A^c은 A의 여사건이다.) [3점]

① $\dfrac{2}{9}$ ② $\dfrac{1}{4}$ ③ $\dfrac{2}{7}$

④ $\dfrac{1}{3}$ ⑤ $\dfrac{2}{5}$

12

두 사건 A, B에 대하여 $P(A|B)=\dfrac{1}{3}$, $P(A)=\dfrac{3}{10}$,

$P(B^c)=\dfrac{4}{5}$일 때, $P(B|A^c)$의 값은? (단, A^c은 A의 여사건이다.) [3점]

① $\dfrac{3}{20}$ ② $\dfrac{4}{21}$ ③ $\dfrac{7}{24}$

④ $\dfrac{8}{25}$ ⑤ $\dfrac{9}{26}$

어느 축구팀이 이번 시즌에 A구장에서 전체의 20%의 경기를 치르는데 이 축구팀의 A구장에서의 승률은 70%, 타구장에서의 승률은 30%이다. 이번 시즌의 어떤 경기에서 이 팀이 승리하였을 때, 그 경기장이 A구장이었을 확률은? [3점]

① $\dfrac{5}{17}$　　② $\dfrac{7}{19}$　　③ $\dfrac{9}{21}$　　④ $\dfrac{11}{23}$　　⑤ $\dfrac{13}{25}$

Act ①

사건 E가 일어났을 때 사건 A가 일어날 확률은

$$P(A|E)=\dfrac{P(A\cap E)}{P(E)}$$

$$=\dfrac{P(A\cap E)}{P(A\cap E)+P(A^c\cap E)}$$

임을 이용한다.

해결의 실마리

사건 E가 일어났을 때 사건 A가 일어날 확률은 ⇨ $P(A|E)=\dfrac{P(A\cap E)}{P(E)}=\dfrac{P(A\cap E)}{P(A\cap E)+P(A^c\cap E)}$

특히 $A^c=B$인 두 사건 A, B에 대하여 $P(A|E)=\dfrac{P(A\cap E)}{P(E)}=\dfrac{P(A\cap E)}{P(A\cap E)+P(B\cap E)}$

13

흰 공 3개와 검은 공 2개가 들어 있는 주머니가 있다. 이 주머니에서 임의로 1개의 공을 꺼내어 꺼낸 공이 흰 공이면 꺼낸 흰 공 대신 1개의 검은 공을 주머니에 넣고, 꺼낸 공이 검은 공이면 꺼낸 검은 공 대신 1개의 흰 공을 주머니에 넣는다. 다시 이 주머니에서 임의로 동시에 꺼낸 2개의 공이 모두 흰 공일 때, 처음 꺼낸 공이 흰 공일 확률은? [3점]

① $\dfrac{1}{5}$　　② $\dfrac{2}{9}$　　③ $\dfrac{1}{4}$

④ $\dfrac{2}{7}$　　⑤ $\dfrac{1}{3}$

14

[2013학년도 교육청]

크기와 모양이 같은 공이 상자 A에는 검은 공 2개와 흰 공 2개, 상자 B에는 검은 공 1개와 흰 공 2개가 들어 있다. 두 상자 A, B 중 임의로 선택한 하나의 상자에서 공을 1개 꺼냈더니 검은 공이 나왔을 때, 그 상자에 남은 공이 모두 흰 공일 확률은? [4점]

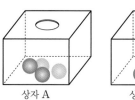

상자 A　　상자 B

① $\dfrac{3}{10}$　　② $\dfrac{2}{5}$　　③ $\dfrac{1}{2}$

④ $\dfrac{3}{5}$　　⑤ $\dfrac{7}{10}$

Very Important Test

01

두 사건 A, B에 대하여 $P(A)=\dfrac{1}{2}$, $P(A \cap B)=\dfrac{1}{9}$일 때, $P(B^c|A)$의 값은? (단, B^c은 B의 여사건이다.) [3점]

① $\dfrac{3}{5}$ ② $\dfrac{2}{3}$ ③ $\dfrac{5}{7}$

④ $\dfrac{3}{4}$ ⑤ $\dfrac{7}{9}$

02

두 사건 A, B에 대하여 $P(A)=\dfrac{1}{3}$, $P(B)=\dfrac{1}{4}$, $P(A \cap B)=\dfrac{1}{12}$일 때, $P(A|B^c)$의 값은? (단, B^c은 B의 여사건이다.) [3점]

① $\dfrac{1}{4}$ ② $\dfrac{1}{3}$ ③ $\dfrac{5}{12}$

④ $\dfrac{1}{2}$ ⑤ $\dfrac{7}{12}$

03

두 사건 A, B에 대하여 $P(A)=\dfrac{3}{8}$, $P(B)=\dfrac{1}{2}$, $P(A \cap B)=\dfrac{1}{4}$일 때, $P(B^c|A^c)$의 값은? (단, A^c은 A의 여사건이다.) [3점]

① $\dfrac{1}{4}$ ② $\dfrac{2}{5}$ ③ $\dfrac{1}{2}$

④ $\dfrac{3}{5}$ ⑤ $\dfrac{3}{4}$

04

두 사건 A, B에 대하여 $P(A)=\dfrac{1}{2}$, $P(B)=\dfrac{2}{3}$, $P(A^c \cap B^c)=\dfrac{1}{6}$일 때, $P(A|B)$는? (단, A^c은 A의 여사건이다.) [3점]

① $\dfrac{1}{3}$ ② $\dfrac{5}{12}$ ③ $\dfrac{1}{2}$

④ $\dfrac{7}{12}$ ⑤ $\dfrac{2}{3}$

05

어느 고등학교 2학년 학생 300명을 대상으로 급식에 대한 만족도를 조사한 결과의 일부가 다음 표와 같다.

(단위 : 명)

	만족	불만족	합계
남학생		28	
여학생	$4a$	$3a$	
합계	200		300

조사에 참여한 학생 중에서 임의로 선택한 한 학생이 남학생일 때, 이 학생이 급식에 대하여 '만족'이라고 응답한 학생일 확률은 $\dfrac{q}{p}$이다. $p+q$의 값을 구하시오. (단, a는 자연수이고, p, q는 서로소인 자연수이다.) [4점]

06

어느 고등학교의 2학년 학생들을 대상으로 통학 수단을 조사한 결과 대중교통을 이용하는 남학생의 수가 대중교통을 이용하지 않는 여학생 수의 2배이고, 대중교통을 이용하는 학생 중 여학생의 비율은 30%이다. 2학년 학생 중 임의로 한 명을 뽑았더니 여학생이었다. 이 학생이 대중교통을 이용하는 학생일 확률은 $\dfrac{q}{p}$이다. $p+q$의 값을 구하시오. (단, p와 q는 서로소인 자연수이다.) [4점]

07

검은 공 3개, 흰 공 2개, 파란 공 4개가 들어 있는 주머니가 있다. 이 주머니에서 임의로 동시에 꺼낸 2개의 공의 색이 서로 다를 때, 꺼낸 2개의 공의 색이 흰색과 파란색일 확률이 $\dfrac{q}{p}$이다. $p+q$의 값을 구하시오. (단, p, q는 서로소인 자연수이다.) [4점]

08

주머니 안에 흰 공 3개와 검은 공 2개가 들어 있다. 이 주머니에서 한 개의 공을 꺼내어 색을 확인한 후 다시 넣지 않고 두 번째 공을 꺼내었더니 흰 공이 나왔을 때, 처음에 꺼낸 공도 흰 공이었을 확률은? [3점]

① $\dfrac{3}{14}$ ② $\dfrac{2}{7}$ ③ $\dfrac{5}{14}$

④ $\dfrac{3}{7}$ ⑤ $\dfrac{1}{2}$

09

A, B 두 사람이 가위바위보를 하여 먼저 2번 이기는 사람이 상품을 얻는 게임에서 A가 첫 번째 게임에서 졌을 때, A가 네 번째 게임에서 이겨서 상품을 획득할 확률은? (단, A와 B는 매번 가위바위보를 임의로 내고 비기는 경우도 게임을 1번 한 것으로 본다.) [4점]

① $\dfrac{1}{27}$ ② $\dfrac{2}{27}$ ③ $\dfrac{1}{9}$

④ $\dfrac{4}{27}$ ⑤ $\dfrac{5}{27}$

10

어느 공장에서 두 개의 생산 라인 A, B는 각각 전체 제품 생산량의 70%, 30%를 생산하고, 그중 각각 3%, 2%는 불량품이라고 한다. 어떤 제품이 불량품일 때, 이 제품이 A라인에서 생산되었을 확률은? [3점]

① $\dfrac{3}{5}$ ② $\dfrac{2}{3}$ ③ $\dfrac{5}{7}$

④ $\dfrac{3}{4}$ ⑤ $\dfrac{7}{9}$

11

주머니 속에 a, a, b, c가 각각 적혀 있는 흰 공 4개와 a, b, b, c, c가 각각 적혀 있는 검은 공 5개가 들어 있다. 이 주머니에서 꺼낸 한 개의 공에 b가 적혀 있을 때, 이 공이 흰 공일 확률은? [3점]

① $\dfrac{1}{5}$ ② $\dfrac{2}{9}$ ③ $\dfrac{1}{4}$

④ $\dfrac{2}{7}$ ⑤ $\dfrac{1}{3}$

12

7개의 제비 중에 당첨 제비가 4개 있다. 두 사람 A, B가 이 순서대로 제비를 임의로 한 개씩 뽑을 때, B가 당첨 제비를 선택할 확률은? (단, 뽑은 제비는 다시 넣지 않는다.) [3점]

① $\dfrac{4}{7}$ ② $\dfrac{13}{21}$ ③ $\dfrac{2}{3}$

④ $\dfrac{5}{7}$ ⑤ $\dfrac{16}{21}$

13

주머니 A에는 흰 공 2개와 검은 공 3개가 들어 있고, 주머니 B에는 흰 공 3개와 검은 공 2개가 들어 있다. 주머니 A에서 임의로 1개의 공을 꺼내어 주머니 B에 넣은 후 다시 주머니 B에서 임의로 1개의 공을 꺼낼 때, 이 공이 흰 공일 확률은 $\dfrac{q}{p}$이다. $p+q$의 값을 구하시오. (단, p와 q는 서로소인 자연수이다.) [4점]

14

흰 공 3개, 검은 공 3개가 들어 있는 주머니와 각 면에 0, 1, 2, 3의 숫자가 하나씩 적혀 있는 정사면체가 있다. 이 정사면체를 한 번 던져서 바닥에 닿은 면에 적혀 있는 수에 해당하는 개수만큼 주머니에서 임의로 공을 동시에 꺼낼 때, 검은 공이 2개 나올 확률은 $\dfrac{q}{p}$이다. $p+q$의 값을 구하시오. (단, p와 q는 서로소인 자연수이다.) [4점]

15

어느 연구소에서 기상 자료를 이용하여 장마철에 비가 올 확률을 조사해 보니, 비가 온 다음 날에 비가 올 확률은 $\dfrac{1}{3}$이고, 비가 오지 않은 날의 다음 날에 비가 올 확률은 $\dfrac{1}{4}$이었다고 한다. 장마철 수요일에 비가 왔을 때, 같은 주 토요일에 비가 올 확률은 p이다. $216p$의 값을 구하시오. [4점]

16

어떤 농구 선수가 자유투 연습을 할 때, 다음과 같은 확률을 가진다고 한다.

> (가) 첫 번째 자유투를 성공하였을 때, 두 번째 자유투도 성공할 확률은 0.8이다.
> (나) 첫 번째 자유투를 실패하였을 때, 두 번째 자유투도 실패할 확률은 0.4이다.

이 농구 선수가 첫 번째 자유투를 성공할 확률이 0.8일 때, 두 번째 자유투에서 성공할 확률은 p이다. $100p$의 값을 구하시오. [4점]

level up

17

어떤 부품 공장의 제품 검사기는 합격품과 불합격품을 바르게 판별할 확률이 90%이다. 어느 날 이 공장에서 만든 부품의 20%가 불합격품이라고 한다. 이 제품 중에서 임의로 선택한 부품을 제품 검사기로 검사하였더니 합격품으로 판정하였다. 이 제품이 실제로 합격품일 확률은 $\dfrac{q}{p}$일 때, $p+q$의 값을 구하시오. (단, p, q는 서로소인 자연수이다.) [4점]

18

어느 비행기에는 남자 승객 200명과 여자 승객 100명이 탔고, 이들 300명에게 점심 식사로 두 메뉴 A, B 중에서 한 가지를 제공한다고 한다. 남자 승객의 60%와 여자 승객의 40%가 A메뉴를 선택하였다. 이 비행기의 승객 300명 중에서 임의로 택한 한 승객이 A메뉴를 선택하였다고 할 때, 이 승객이 남자 승객일 확률은 p이다. $32p$의 값을 구하시오. [4점]

참 중요한학습 **point**

 기출 best

best **1** 독립사건의 확률 계산

best **2** 사건의 독립과 종속의 성질

best **3** 독립시행의 확률

 기출 분석

독립사건의 확률 계산, 독립시행의 확률은 매년 빠지지 않고 출제된다. 사건의 독립과 종속의 성질에 대한 개념을 정확히 이해하여야 한다. 또한, 독립시행의 확률은 문제를 읽고 각 사건이 독립시행인 것을 알아내는 것이 핵심이다.

 level up

· 독립시행의 확률

중요개념

1. 사건의 독립과 종속

(1) 독립

두 사건 A, B에 대하여 한 사건이 일어나는 것이 다른 사건이 일어날 확률에 아무런 영향을 주지 않을 때, 즉

$$P(B|A)=P(B) \text{ 또는 } P(A|B)=P(A)$$

일 때, 두 사건 A, B는 서로 독립이라 한다.

(2) 종속

두 사건 A, B가 서로 독립이 아닐 때, 즉

$$P(B|A)\neq P(B) \text{ 또는 } P(A|B)\neq P(A)$$

일 때, 두 사건 A, B는 서로 종속이라 한다.

2. 사건의 독립과 종속의 판정

(1) 두 사건 A, B가 서로 독립이기 위한 필요충분조건은

$$P(A\cap B)=P(A)P(B)$$
$$(단, P(A)>0, P(B)>0)$$

(2) 사건의 독립과 종속의 판정

$P(A\cap B)=P(A)P(B)$이면 $\Rightarrow A$, B는 서로 독립

$P(A\cap B)\neq P(A)P(B)$이면 $\Rightarrow A$, B는 서로 종속

3. 독립사건의 확률 계산

(1) 두 사건 A, B가 독립이면

$\Rightarrow P(A\cap B)=P(A)P(B)$

(2) 두 사건 A, B가 독립이면

$\Rightarrow A$와 B^C, A^C와 B, A^C와 B^C도 각각 서로 독립이다.

(3) 두 사건 A, B가 독립이면

$\Rightarrow P(A\cup B)=P(A)+P(B)-P(A\cap B)$

┗ 확률이 0이 아닌 두 사건이 서로 독립이면 두 사건은 배반이 아니다.

참고 배반사건과 독립사건의 비교

① 두 사건 A, B가 배반사건이면 $\Rightarrow P(A\cap B)=0$

② 두 사건 A, B가 독립사건이면

$P(A\cap B)=P(A)P(B)>0$

따라서 확률이 0이 아닌 두 사건이 서로 독립이면 두 사건은 배반이 아니다.

4. 독립시행의 확률

(1) 어떤 시행을 반복하는 경우 매 시행마다 일어나는 사건이 서로 독립일 때, 이러한 시행을 독립시행이라 한다.

(2) 독립시행의 확률

1회의 시행에서 사건 A가 일어날 확률이 p일 때, n회의 독립시행에서 사건 A가 r회 일어날 확률은

$_{n}C_{r}p^{r}q^{n-r}$ (단, $q=1-p$, $r=0,1, 2, \cdots, n$)

참고 각각의 시행에서 사건 A가 일어날 확률이 p로 일정할 때, n회의 독립시행에서 사건 A가 r회 일어날 확률은 이항정리 $(p+q)^{n}$의 전개식의 일반항과 같다. (단, $p+q=1$, $r=0, 1, 2, \cdots, n$)

01
[2018학년도 수능]

두 사건 A와 B는 서로 독립이고

$P(A)=\dfrac{2}{3}$, $P(A \cup B)=\dfrac{5}{6}$일 때, $P(B)$의 값은? [3점]

① $\dfrac{1}{3}$　　　② $\dfrac{5}{12}$　　　③ $\dfrac{1}{2}$

④ $\dfrac{7}{12}$　　　⑤ $\dfrac{2}{3}$

02
[2017학년도 수능]

두 사건 A와 B는 서로 독립이고

$P(B^C)=\dfrac{1}{3}$, $P(A|B)=\dfrac{1}{2}$일 때, $P(A)P(B)$의 값은?

(단, B^C은 B의 여사건이다.) [3점]

① $\dfrac{5}{6}$　　　② $\dfrac{2}{3}$　　　③ $\dfrac{1}{2}$

④ $\dfrac{1}{3}$　　　⑤ $\dfrac{1}{6}$

03
[2009학년도 교육청]

세 사건 A, B, C가 다음 조건을 만족시킨다.

> (가) $P(A)=\dfrac{1}{2}$, $P(B)=\dfrac{1}{3}$, $P(C)=\dfrac{1}{12}$
> (나) 두 사건 A, B는 서로 독립이다.
> (다) 사건 $A \cup B$와 사건 C는 서로 배반이다.

이때 확률 $P(A \cup B \cup C)$의 값은? [3점]

① $\dfrac{7}{12}$　　　② $\dfrac{2}{3}$　　　③ $\dfrac{3}{4}$

④ $\dfrac{5}{6}$　　　⑤ $\dfrac{11}{12}$

04

주사위와 동전을 차례대로 던질 때, 주사위는 소수인 눈이 나오고 동전은 앞면이 나올 확률은? [3점]

① $\dfrac{1}{7}$　　　② $\dfrac{1}{6}$　　　③ $\dfrac{1}{5}$

④ $\dfrac{1}{4}$　　　⑤ $\dfrac{1}{3}$

05
[2017학년도 수능]

한 개의 주사위를 3번 던질 때, 4의 눈이 한 번만 나올 확률은? [3점]

① $\dfrac{25}{72}$　　　② $\dfrac{13}{36}$　　　③ $\dfrac{3}{8}$

④ $\dfrac{7}{18}$　　　⑤ $\dfrac{29}{72}$

06
[2016학년도 수능]

한 개의 동전을 5번 던질 때, 앞면이 나오는 횟수와 뒷면이 나오는 횟수의 곱이 6일 확률은? [3점]

① $\dfrac{5}{8}$　　　② $\dfrac{9}{16}$　　　③ $\dfrac{1}{2}$

④ $\dfrac{7}{16}$　　　⑤ $\dfrac{3}{8}$

기출유형 01 　독립사건의 확률 계산

[2016학년도 교육청]

서로 독립인 두 사건 A, B가 서로 독립이고 $\mathrm{P}(A)=\dfrac{1}{2}$, $\mathrm{P}(A\cap B)=\dfrac{3}{16}$일 때, $\mathrm{P}(B^C)$의 값은? (단, B^C은 B의 여사건이다.) [3점]

Act❶
두 사건이 서로 독립이므로
$\mathrm{P}(A\cap B)=\mathrm{P}(A)\mathrm{P}(B)$임을
이용한다.

① $\dfrac{1}{4}$　　② $\dfrac{3}{8}$　　③ $\dfrac{1}{2}$　　④ $\dfrac{5}{8}$　　⑤ $\dfrac{3}{4}$

해결의 실마리

(1) 두 사건 A, B가 독립이면 ⇨ $\mathrm{P}(B|A)=\mathrm{P}(B)$, $\mathrm{P}(A|B)=\mathrm{P}(A)$

(2) 두 사건 A, B가 독립이면 ⇨ $\mathrm{P}(A\cap B)=\mathrm{P}(A)\mathrm{P}(B)$

(3) 두 사건 A, B가 독립이면 ⇨ A와 B^C, A^C와 B, A^C와 B^C도 각각 서로 독립이다.

(4) 두 사건 A, B가 독립이면 ⇨ $\mathrm{P}(A\cup B)=\mathrm{P}(A)+\mathrm{P}(B)-\underline{\mathrm{P}(A\cap B)}$ ← 확률이 0이 아닌 두 사건이 서로 독립이면 $\mathrm{P}(A\cap B)=\mathrm{P}(A)\mathrm{P}(B)>0$

01

[2014학년도 수능]

두 사건 A, B가 서로 독립이고 $\mathrm{P}(A)=\dfrac{1}{3}$, $\mathrm{P}(B)=\dfrac{1}{3}$일 때, $\mathrm{P}(A\cap B^C)$의 값은? (단, B^C은 B의 여사건이다.) [3점]

① $\dfrac{5}{27}$　　② $\dfrac{2}{9}$　　③ $\dfrac{7}{27}$

④ $\dfrac{8}{27}$　　⑤ $\dfrac{1}{3}$

03

[2012학년도 수능]

두 사건 A와 B는 서로 독립이고, $\mathrm{P}(A\cup B)=\dfrac{1}{2}$,

$\mathrm{P}(A|B)=\dfrac{3}{8}$일 때, $\mathrm{P}(A\cap B^C)$의 값은?

(단, B^C은 B의 여사건이다.) [3점]

① $\dfrac{1}{10}$　　② $\dfrac{3}{20}$　　③ $\dfrac{1}{5}$

④ $\dfrac{1}{4}$　　⑤ $\dfrac{3}{10}$

02

[2019학년도 교육청]

두 사건 A, B가 서로 독립이고 $\mathrm{P}(A)=\dfrac{2}{3}$, $\mathrm{P}(A\cup B)=\dfrac{7}{9}$일 때, $\mathrm{P}(B)$의 값은? [3점]

① $\dfrac{2}{9}$　　② $\dfrac{1}{3}$　　③ $\dfrac{4}{9}$

④ $\dfrac{5}{9}$　　⑤ $\dfrac{2}{3}$

04

[2016학년도 수능 모의평가]

두 사건 A, B가 서로 독립이고 $\mathrm{P}(A)=\dfrac{1}{6}$,

$\mathrm{P}(A\cap B^C)+\mathrm{P}(A^C\cap B)=\dfrac{1}{3}$일 때, $\mathrm{P}(B)$의 값은?

(단, A^C은 A의 여사건이다.) [3점]

① $\dfrac{1}{8}$　　② $\dfrac{1}{4}$　　③ $\dfrac{3}{8}$

④ $\dfrac{1}{2}$　　⑤ $\dfrac{5}{8}$

기출유형 02 사건의 독립과 종속의 성질

확률이 0이 아닌 두 사건 A, B에 대하여 다음 [보기]에서 옳은 것만을 있는 대로 고른 것은? [3점]

┤보기├
ㄱ. A, B가 서로 배반사건이면 $P(B|A)=0$이다.
ㄴ. A, B가 서로 독립이면 A와 B^C도 서로 독립이다.
ㄷ. A, B가 서로 독립이면 $P(A|B^C)=P(B^C|A)$이다.

① ㄱ   ② ㄷ   ③ ㄱ, ㄴ   ④ ㄴ, ㄷ   ⑤ ㄱ, ㄴ, ㄷ

Act ❶
두 사건 A, B에 대하여 A, B가 서로 배반사건이면 $P(A\cap B)=0$이고 A, B가 서로 독립이면 $P(A|B^C)=P(A)$임을 이용하여 보기의 참, 거짓을 판단한다.

해결의 실마리

독립사건과 배반사건의 비교
① 두 사건 A, B가 독립사건이면 ⇨ $P(A\cap B)=P(A)P(B)>0$
② 두 사건 A, B가 배반사건이면 ⇨ $P(A\cap B)=0$
따라서 확률이 0이 아닌 두 사건이 서로 독립이면 두 사건은 배반이 아니다.

05
[2009학년도 교육청]

표본공간 S의 공사건이 아닌 세 사건 A, B, C에 대하여 옳은 것만을 [보기]에서 있는 대로 고른 것은? [3점]

┤보기├
ㄱ. A, B가 서로 배반사건이고 B, C가 서로 배반사건이면 A, C도 서로 배반사건이다.
ㄴ. A, B가 서로 독립이고 B, C가 서로 독립이면 A, C도 서로 독립이다.
ㄷ. A, B가 서로 배반사건이고 B^C, C가 서로 배반사건이면 A, C는 서로 종속이다.

① ㄱ   ② ㄴ   ③ ㄷ
④ ㄱ, ㄴ   ⑤ ㄴ, ㄷ

06

확률이 0이 아닌 두 사건 A, B가 서로 독립일 때, 다음 [보기]에서 옳은 것만을 있는 대로 고른 것은? [3점]

┤보기├
ㄱ. A와 B는 서로 배반사건이다.
ㄴ. A^C와 B^C는 서로 종속이다.
ㄷ. $P(A^C|B)=1-P(A|B)$

① ㄱ   ② ㄴ   ③ ㄷ
④ ㄱ, ㄴ   ⑤ ㄴ, ㄷ

축구 경기에서 승부차기 성공률이 각각 $\frac{1}{2}$, $\frac{1}{3}$인 두 선수 A, B가 한 번씩 승부차기를 하였을 때, 둘 중 한 명만 성공할 확률은? [3점]

① $\frac{1}{6}$　　② $\frac{1}{5}$　　③ $\frac{1}{4}$　　④ $\frac{1}{3}$　　⑤ $\frac{1}{2}$

Act①
두 사건 A, B가 독립이면 $P(A \cap B) = P(A)P(B)$이고, A와 B^c, A^c와 B도 서로 독립임을 이용한다.

해결의 실마리
두 사건 A, B가 독립이면
(1) $P(A \cap B) = P(A)P(B)$
(2) A와 B^c, A^c와 B, A^c와 B^c도 각각 서로 독립이다.

07

어떤 자격증 시험에 응시한 A, B, C 세 사람의 합격할 확률이 각각 $\frac{1}{4}$, $\frac{2}{5}$, $\frac{1}{3}$일 때, 세 사람 중에서 적어도 한 사람이 합격할 확률은? (단, A, B, C가 자격증 시험에 합격하는 사건은 각각 서로 독립이다.) [3점]

① $\frac{13}{20}$　　② $\frac{7}{10}$　　③ $\frac{3}{4}$

④ $\frac{4}{5}$　　⑤ $\frac{17}{20}$

08

두 사격 선수 A, B가 표적을 맞힐 확률은 각각 0.4, 0.5이다. A와 B가 각각 한 발씩 쏠 때, A 또는 B가 표적을 맞힐 확률은? (단, 표적을 맞히는 사건은 서로 독립이다.) [3점]

① 0.6　　② 0.65　　③ 0.7

④ 0.75　　⑤ 0.8

09

흰 공 6개와 검은 공 3개가 들어 있는 주머니에서 갑, 을 두 사람이 이 순서대로 임의로 공을 하나씩 꺼낼 때, 먼저 흰 공을 꺼내는 사람이 이기는 게임이 있다. 갑부터 시작하여 승부가 날 때까지 계속 공을 꺼낼 때, 이 경기에서 을이 두 번째 또는 네 번째에서 이길 확률은? (단, 꺼낸 공은 다시 넣는다.) [3점]

① $\frac{10}{81}$　　② $\frac{20}{81}$　　③ $\frac{30}{81}$

④ $\frac{40}{81}$　　⑤ $\frac{50}{81}$

10

주사위를 던져 5 이상의 눈이 나오면 갑이 이기고 4 이하의 눈이 나오면 을이 이기는 경기에서 갑과 을 중 두 번 먼저 이기면 승리하는 게임을 한다. 을이 승리할 확률이 $\frac{q}{p}$일 때, $p+q$의 값을 구하시오. (단, p, q는 서로소인 자연수이다.) [3점]

기출유형 **04** 독립시행의 확률 (1)

[2015학년도 교육청]

한 개의 주사위를 4번 던질 때 6의 약수의 눈이 2번 나올 확률을 p_1이라 하고, 한 개의 동전을 3번 던질 때 동전의 앞면이 2번 나올 확률을 p_2라 하자. $\dfrac{1}{p_1 p_2}$의 값을 구하시오. [4점]

Act❶

A가 일어날 확률이 p일 때, n회의 독립시행에서 사건 A가 r회 일어날 확률은
${}_nC_r p^r q^{n-r}$ (단, $q=1-p$)임을 이용한다.

해결의 실마리

1회의 시행에서 사건 A가 일어날 확률이 p일 때, n회의 독립시행에서 사건 A가 r회 일어날 확률은
${}_nC_r p^r q^{n-r}$ (단, $q=1-p$, $r=0,1,2,\cdots,n$)

11

[2014학년도 교육청]

좌표평면의 원점에 점 P가 있다. 한 개의 동전을 1번 던질 때마다 다음 규칙에 따라 점 P를 이동시키는 시행을 한다. 시행을 5번 한 후 점 P가 직선 $x-y=3$ 위에 있을 확률은? [3점]

(가) 앞면이 나오면 x축의 방향으로 1만큼 평행이동시킨다.
(나) 뒷면이 나오면 y축의 방향으로 1만큼 평행이동시킨다.

① $\dfrac{1}{8}$ ② $\dfrac{5}{32}$ ③ $\dfrac{3}{16}$

④ $\dfrac{7}{32}$ ⑤ $\dfrac{1}{4}$

12

[2019학년도 수능 모의평가]

상자 A와 상자 B에 각각 6개의 공이 들어 있다. 동전 1개를 사용하여 다음 시행을 한다.

동전을 한 번 던져 앞면이 나오면 상자 A에서 공 1개를 꺼내어 상자 B에 넣고, 뒷면이 나오면 상자 B에서 공 1개를 꺼내어 상자 A에 넣는다.

위의 시행을 6번 반복할 때, 상자 B에 들어 있는 공의 개수가 번째 시행 후 처음으로 이 될 확률은? [3점]

① $\dfrac{1}{64}$ ② $\dfrac{3}{64}$ ③ $\dfrac{5}{64}$

④ $\dfrac{7}{64}$ ⑤ $\dfrac{9}{64}$

[2015학년도 교육청]

좌표평면 위의 점 P가 다음 규칙에 따라 이동한다.

Act ①
동전을 6번 던졌으므로 $a=6$이고 $0 \leq b \leq 6$임을 생각한다.

(가) 원점에서 출발한다.
(나) 동전을 1개 던져서 앞면이 나오면 x축의 방향으로 1만큼 평행이동한다.
(다) 동전을 1개 던져서 뒷면이 나오면 x축의 방향으로 1만큼, y축의 방향으로 1만큼 평행이동한다.

1개의 동전을 6번 던져서 점 P가 (a, b)로 이동하였다. $a+b$가 3의 배수가 될 확률이 $\dfrac{q}{p}$일 때, $p+q$의 값을 구하시오. (단, p, q는 서로소인 자연수이다.) [4점]

해결의 실마리

경우를 나누어 독립시행의 확률을 계산할 때는 다음과 같이 구한다.
① 조건이 성립하는 경우를 모두 찾는다.
② 독립시행의 확률을 이용하여 각 경우의 확률을 구한다.
③ ①의 각 경우는 배반사건이므로 $P(A \cup B) = P(A) + P(B)$를 이용한다.

13

[2018학년도 수능 모의평가]

서로 다른 2개의 주사위를 동시에 던져 나온 눈의 수가 같으면 한 개의 동전을 4번 던지고, 나온 눈의 수가 다르면 한 개의 동전을 2번 던진다. 이 시행에서 동전의 앞면이 나온 횟수와 뒷면이 나온 횟수가 같을 때, 동전을 4번 던졌을 확률은? [4점]

① $\dfrac{3}{23}$ ② $\dfrac{5}{23}$ ③ $\dfrac{7}{23}$

④ $\dfrac{9}{23}$ ⑤ $\dfrac{11}{23}$

14

[2019학년도 수능]

좌표평면의 원점에 점 A가 있다. 한 개의 동전을 사용하여 다음 시행을 한다.

동전을 한 번 던져
앞면이 나오면 점 A를 x축의 양의 방향으로 1만큼,
뒷면이 나오면 점 A를 y축의 양의 방향으로 1만큼
이동시킨다.

위의 시행을 반복하여 점 A의 좌표 x 또는 y좌표가 처음으로 3이 되면 이 시행을 멈춘다. 점 A의 y좌표가 처음으로 3이 되었을 때, 점 A의 x좌표가 1일 확률은? [4점]

① $\dfrac{1}{4}$ ② $\dfrac{5}{16}$ ③ $\dfrac{3}{8}$

④ $\dfrac{7}{16}$ ⑤ $\dfrac{1}{2}$

Very Important Test

01

두 사건 A, B는 서로 독립이고 $P(A)=\dfrac{1}{5}$, $P(B)=\dfrac{2}{3}$일 때, $P(A^c \cup B)$의 값은? (단, A^c은 A의 여사건이다.) [3점]

① $\dfrac{2}{3}$ ② $\dfrac{11}{15}$ ③ $\dfrac{4}{5}$

④ $\dfrac{13}{15}$ ⑤ $\dfrac{14}{15}$

02

서로 독립인 두 사건 A, B에 대하여 $P(A|B)=P(B|A)=\dfrac{2}{3}$가 성립할 때, $P(A \cup B)$의 값은? [3점]

① $\dfrac{1}{2}$ ② $\dfrac{2}{3}$ ③ $\dfrac{4}{5}$

④ $\dfrac{6}{7}$ ⑤ $\dfrac{8}{9}$

03

두 사건 A, B가 서로 독립이고 $P(A^c \cap B)=\dfrac{1}{2}$, $P(A^c \cap B^c)=\dfrac{1}{6}$일 때, $P(A)P(B)$의 값은? (단, A^c은 A의 여사건이다.) [3점]

① $\dfrac{1}{10}$ ② $\dfrac{3}{20}$ ③ $\dfrac{1}{5}$

④ $\dfrac{1}{4}$ ⑤ $\dfrac{3}{10}$

04

한 개의 주사위를 던지는 시행에서 짝수의 눈이 나오는 사건을 A, 소수의 눈이 나오는 사건을 B, 6의 약수의 눈이 나오는 사건을 C라 할 때, 다음 [보기]에서 서로 독립인 사건을 있는 대로 고른 것은? [3점]

┤보기├
ㄱ. A와 B ㄴ. B와 C
ㄷ. A와 C

① ㄱ   ② ㄱ, ㄴ   ③ ㄱ, ㄷ
④ ㄴ, ㄷ   ⑤ ㄱ, ㄴ, ㄷ

05

두 농구선수 갑, 을의 자유투 성공률은 각각 0.7, 0.6이다. 갑과 을이 자유투를 할 때, 갑 또는 을이 자유투를 성공할 확률은? (단, 자유투를 성공하는 사건은 서로 독립이다.) [3점]

① 0.68   ② 0.73   ③ 0.78
④ 0.83   ⑤ 0.88

06

세 학생 A, B, C가 인형뽑기에서 인형을 뽑을 확률은 각각 $\dfrac{1}{2}$, $\dfrac{1}{3}$, $\dfrac{1}{4}$이라 한다. 세 명 중 적어도 한 명이 인형을 뽑을 확률은? [3점]

① $\dfrac{1}{4}$ ② $\dfrac{3}{8}$ ③ $\dfrac{1}{2}$

④ $\dfrac{5}{8}$ ⑤ $\dfrac{3}{4}$

07

세 축구 선수 A, B, C가 승부차기를 성공할 확률이 각각 $\frac{4}{5}$, $\frac{3}{4}$, $\frac{7}{10}$이라 한다. 세 축구 선수가 한 번씩 승부차기를 할 때, 두 사람만 성공할 확률은? [3점]

① $\frac{7}{20}$　　② $\frac{3}{8}$　　③ $\frac{2}{5}$

④ $\frac{17}{40}$　　⑤ $\frac{9}{20}$

08

갑, 을이 목표물에 명중시키는 사건은 서로 독립이고, 갑, 을이 목표물에 명중시킬 확률은 각각 $\frac{3}{5}$, $\frac{2}{3}$이다. 갑, 을이 목표물을 향해 동시에 한 발씩 쏘아 목표물에 한 발만이 명중했을 때, 갑이 명중시켰을 확률은? [3점]

① $\frac{1}{5}$　　② $\frac{1}{3}$　　③ $\frac{3}{7}$

④ $\frac{1}{2}$　　⑤ $\frac{5}{9}$

09

A, B 두 팀이 5번의 축구 경기를 해서 한 팀이 먼저 세 경기를 이기거나 연속하여 두 경기를 이기면 승리하기로 한다. 각 경기에서 A팀이 이길 확률은 $\frac{1}{3}$이고, B팀이 이길 확률은 $\frac{2}{3}$이다. 첫 경기에서 A팀이 이겼을 때, A팀이 승리할 확률은 $\frac{p}{q}$이다. $p+q$의 값을 구하시오. (단, p, q는 서로소인 자연수이다.) [4점]

10

한 개의 동전을 4번 던질 때, 앞면이 나오는 횟수가 뒷면이 나오는 횟수보다 작을 확률은? [3점]

① $\frac{3}{16}$　　② $\frac{1}{4}$　　③ $\frac{5}{16}$

④ $\frac{3}{8}$　　⑤ $\frac{7}{16}$

11

A, B 두 팀이 축구 경기에서 연장전까지 0:0으로 승부를 가리지 못하여 승부차기를 하였다. 각 팀당 5명의 선수가 A팀부터 시작하여 1명씩 교대로 승부차기를 할 때, B팀이 5:4로 이길 확률은? (단, 각 선수가 승부차기에서 성공할 확률은 $\frac{4}{5}$이다.) [3점]

① $\frac{1}{4}(0.8)^{10}$　　② $\frac{1}{2}(0.8)^{10}$　　③ $(0.8)^9$

④ $2(0.8)^9$　　⑤ $4(0.8)^9$

12

A가 주사위를 던져 나온 눈의 수만큼 B가 동전을 던질 때, B가 동전을 던져서 나온 앞면의 개수가 5일 확률이 $k \times \left(\frac{1}{2}\right)^6$이다. k의 값은? [3점]

① $\frac{7}{6}$　　② $\frac{4}{3}$　　③ $\frac{3}{2}$

④ $\frac{5}{3}$　　⑤ $\frac{11}{6}$

13

어느 대회는 1차와 2차로 나누어 진행되는데, 1차 대회를 통과한 사람만이 2차 대회에 나갈 수 있다. 2차 대회를 통과하면 결승전에 진출하게 된다. 1차 대회와 2차 대회를 통과할 확률이 각각 $\frac{1}{2}$과 $\frac{2}{3}$인 어느 선수가 이 대회에 4번 출전하여 결승전에 2번 오를 확률은? (단, 1차 대회와 2차 대회의 결과는 서로 독립이다.) [3점]

① $\frac{5}{27}$ ② $\frac{2}{9}$ ③ $\frac{7}{27}$

④ $\frac{8}{27}$ ⑤ $\frac{1}{3}$

14

수직선 위의 원점 O에 점 P가 있다. 주사위를 던져서 짝수의 눈과 홀수의 눈이 나옴에 따라 점 P는 각각 $+1$, -1만큼 이동한다고 한다. 주사위를 10회 던질 때, 원점에서 점 P까지의 거리가 3 이하가 될 확률은? [3점]

① $\frac{11}{32}$ ② $\frac{1}{2}$ ③ $\frac{21}{32}$

④ $\frac{13}{16}$ ⑤ $\frac{31}{32}$

15

수직선 위의 원점에 있는 점 A를 다음의 규칙에 따라 이동시킨다.

> (가) 주사위를 던져 5 이상의 눈이 나오면 A를 양의 방향으로 3만큼 이동시킨다.
> (나) 주사위를 던져 4 이하의 눈이 나오면 A를 음의 방향으로 3만큼 이동시킨다.

주사위를 5번 던지고 난 후 점 A의 위치가 3 또는 -3이 될 확률은 $\frac{p}{q}$이다. $p+q$의 값을 구하시오. (단, p, q는 서로소인 자연수이다.) [4점]

1등급 level up

16

한 개의 주사위를 소영이는 2번 던지고 성하는 3번 던질 때, 5의 약수의 눈이 나오는 횟수를 각각 a, b라 하자. $a+b$의 값이 4일 확률은 p라 한다. $243p$의 값을 구하시오. [4점]

17

한 개의 주사위를 던져 3 이상의 눈이 나오면 1500원의 상금을 받고 2 이하의 눈이 나오면 500원의 상금을 받는다고 할 때, 주사위를 5번 던져 6000원 이상의 상금을 받을 확률은 $\frac{q}{p}$라고 한다. $p+q$의 값을 구하시오. (단, p, q는 서로소인 자연수이다.) [4점]

18

좌표평면 위에 두 점 A, B가 있다. 이 두 점이 다음과 같은 규칙으로 움직인다고 할 때, 두 점이 만날 확률은? [4점]

> ㄱ. A의 위치는 $(0, 0)$, B의 위치는 $(6, 6)$이다.
> ㄴ. 동전을 던져서 앞면이 나오면
> A는 (x, y)에서 $(x+1, y)$로 이동하고,
> B는 (x, y)에서 $(x-1, y)$로 이동한다.
> ㄷ. 동전을 던져서 뒷면이 나오면
> A는 (x, y)에서 $(x, y+1)$로 이동하고,
> B는 (x, y)에서 $(x, y-1)$로 이동한다.

① $\frac{5}{16}$ ② $\frac{7}{16}$ ③ $\frac{9}{16}$

④ $\frac{11}{16}$ ⑤ $\frac{13}{16}$

참 중요한학습 point

 기출 best

best **1** 확률질량함수의 성질

best **2** 이산확률변수의 평균, 분산, 표준편차

best **3** 확률변수 $aX+b$의 평균, 분산, 표준편차

 기출 분석

예전에 자주 출제되었던 유형으로 언제든지 출제될 수 있는 유형이다. 주로 확률분포표를 제시해 주고 평균, 분산, 표준편차를 계산하도록 하는 유형이 많았다. 특히, $aX+b$ 꼴의 평균과 분산을 구하는 방법을 반드시 익혀 두어야 한다.

 level up

• 확률변수 $aX+b$의 평균, 분산, 표준편차

중요개념

1. 확률변수와 확률분포

(1) 어떤 시행에서 표본공간의 각 원소에 하나의 실수를 대응시킨 함수를 확률변수라 한다. 확률변수는 보통 알파벳 대문자 X, Y, Z 등으로 나타내고, 확률변수가 가지는 값은 소문자 x, y, z 등으로 나타낸다.

(2) 확률변수 X가 가질 수 있는 값이 유한개이거나 무한히 많더라도 자연수와 같이 셀 수 있을 때 그 확률변수를 이산확률변수라 한다.

(3) 확률변수 X가 어떤 값 x를 가질 확률을 기호로 $\mathrm{P}(X=x)$와 같이 나타내고, 확률변수 X의 값과 그 값을 가질 확률 사이의 대응 관계를 확률변수 X의 확률분포라 한다.

2. 확률질량함수

(1) 이산확률변수 X가 가지는 값이 x_1, x_2, $\cdots$, x_n이고 X가 이들 값을 가질 확률이 각각 p_1, p_2, $\cdots$, p_n일 때, 이산확률변수 X의 확률분포는

$$\mathrm{P}(X=x_i)=p_i \ (i=1, 2, \cdots, n)$$

와 같이 나타낼 수 있다. 이때 이 관계식을 이산확률변수 X의 확률질량함수라 한다.

(2) 확률변수 X가 a 이상 b 이하의 값을 가질 확률은 $\mathrm{P}(a \leq X \leq b)$로 나타낸다.

3. 확률질량함수의 성질

이산확률변수 X의 확률질량함수가 $\mathrm{P}(X=x_i)=p_i \ (i=1, 2, \cdots, n)$일 때, 확률의 기본 성질에 의하여 다음이 성립한다.

(1) $0 \leq p_i \leq 1$

(2) $p_1 + p_2 + \cdots + p_n = 1$

4. 이산확률변수의 기댓값

(1) 이산확률변수 X의 확률분포가 다음 표와 같을 때,

$$x_1 p_1 + x_2 p_2 + \cdots + x_n p_n$$

을 이산확률변수 X의 기댓값 또는 평균이라 하고, 이것을 기호로 $\mathrm{E}(X)$와 같이 나타낸다.

X	x_1	x_2	$\cdots$	x_n	합계
$\mathrm{P}(X=x_i)$	p_1	p_2	$\cdots$	p_n	1

(2) 이산확률변수 X의 확률분포가 $\mathrm{P}(X=x_i)=p_i \ (i=1, 2, \cdots, n)$일 때, X의 기댓값 $\mathrm{E}(X)$는

$$\mathrm{E}(X)=x_1 p_1 + x_2 p_2 + \cdots + x_n p_n$$

5. 이산확률변수의 분산과 표준편차

(1) 이산확률변수 X의 기댓값 $\mathrm{E}(X)$를 m이라 할 때, $(X-m)^2$의 기댓값을 확률변수 X의 분산이라 하고, 이것을 기호로 $\mathrm{V}(X)$와 같이 나타낸다.

$$\mathrm{V}(X)=\mathrm{E}((X-m)^2)=\mathrm{E}(X^2)-\{\mathrm{E}(X)\}^2$$

(2) 분산 $\mathrm{V}(X)$의 양의 제곱근 $\sqrt{\mathrm{V}(X)}$를 확률변수 X의 표준편차라 하고, 이것을 기호로 $\sigma(X)$와 같이 나타낸다.

$$\sigma(X)=\sqrt{\mathrm{V}(X)}$$

6. 이산확률변수 $aX+b$의 평균, 분산, 표준편차

이산확률변수 X와 임의의 상수 a, $b(a \neq 0)$에 대하여

(1) 평균 $\mathrm{E}(aX+b)=a\mathrm{E}(X)+b$

(2) 분산 $\mathrm{V}(aX+b)=a^2 \mathrm{V}(X)$

(3) 표준편차 $\sigma(aX+b)=|a|\sigma(X)$

중요개념문제

01
[2018학년도 교육청]

이산확률변수 X의 확률분포를 표로 나타내면 다음과 같다.

X	1	2	3	합계
$P(X=x)$	a	$a+\dfrac{1}{4}$	$a+\dfrac{1}{2}$	1

$P(X \le 2)$의 값은? [3점]

① $\dfrac{1}{4}$ ② $\dfrac{7}{24}$ ③ $\dfrac{1}{3}$

④ $\dfrac{3}{8}$ ⑤ $\dfrac{5}{12}$

02

빨간 구슬 5개, 파란 구슬 5개가 들어 있는 주머니가 있다. 이 주머니에서 임의로 3개의 구슬을 동시에 꺼낼 때, 파란 구슬의 개수를 확률변수 X라고 하자. 파란 구슬을 1개 이하로 꺼낼 확률은? [3점]

① $\dfrac{1}{6}$ ② $\dfrac{1}{3}$ ③ $\dfrac{1}{2}$

④ $\dfrac{2}{3}$ ⑤ $\dfrac{5}{6}$

03
[2011학년도 수능]

확률변수 X의 확률분포표는 다음과 같다.

X	-1	0	1	2	합계
$P(X=x)$	$\dfrac{3-a}{8}$	$\dfrac{1}{8}$	$\dfrac{3+a}{8}$	$\dfrac{1}{8}$	1

$P(0 \le X \le 2) = \dfrac{7}{8}$일 때, 확률변수 X의 평균 $E(X)$의 값은? [3점]

① $\dfrac{1}{4}$ ② $\dfrac{3}{8}$ ③ $\dfrac{1}{2}$

④ $\dfrac{5}{8}$ ⑤ $\dfrac{3}{4}$

04

흰 공 3개와 검은 공 3개가 들어 있는 주머니에서 임의로 2개의 공을 동시에 꺼낼 때, 나오는 검은 공의 개수를 확률변수 X라 하자. 이때 확률변수 X의 분산 $V(X)$의 값은? [3점]

① $\dfrac{3}{10}$ ② $\dfrac{2}{5}$ ③ $\dfrac{1}{2}$

④ $\dfrac{3}{5}$ ⑤ $\dfrac{7}{10}$

05
[2016학년도 수능]

이산확률변수 X의 확률분포를 표로 나타내면 다음과 같다.

X	-5	0	5	합계
$P(X=x)$	$\dfrac{1}{5}$	$\dfrac{1}{5}$	$\dfrac{3}{5}$	1

$E(4X+3)$의 값을 구하시오. [3점]

06
[2012학년도 수능]

확률변수 X의 확률분포를 표로 나타내면 다음과 같다.

X	0	1	2	합계
$P(X=x)$	$\dfrac{1}{4}$	a	$2a$	1

$E(4X+10)$의 값은? [3점]

① 11 ② 12 ③ 13
④ 14 ⑤ 15

확률변수 X의 확률분포가 다음과 같을 때, $P(2 \leq X \leq 3)$의 값은? (단, p는 상수이다.) [3점]

X	1	2	3	4	합계
$P(X=x)$	$2p$	p	$\dfrac{2}{5}$	$\dfrac{1}{10}$	1

① $\dfrac{17}{24}$ ② $\dfrac{17}{26}$ ③ $\dfrac{17}{28}$ ④ $\dfrac{17}{30}$ ⑤ $\dfrac{17}{32}$

Act ❶
확률의 총합이 1임을 이용하여 p의 값을 구한다.

해결의 실마리

이산확률변수 X의 확률질량함수 $P(X=x_i)=p_i$ $(i=1, 2, \cdots, n)$에 대하여

(1) $0 \leq p_i \leq 1$ $(i=1, 2, \cdots, n)$ ← 확률은 0에서 1까지의 값을 갖는다.

(2) $p_1+p_2+\cdots+p_n=1$ ← 확률의 총합은 1이다.

(3) $P(x_i \leq X \leq x_j)=p_i+p_{i+1}+p_{i+2}+\cdots+p_j$ (단, $j=1, 2, \cdots, n$이고 $i \leq j$)

참고 $P(X=x_i$ 또는 $X=x_j)=P(X=x_i)+P(X=x_j)$ (단, $j=1, 2, \cdots, n$이고 $i \neq j$)

01

확률변수 X의 확률분포를 표로 나타내면 다음과 같다. $P(2 \leq X \leq 3)=\dfrac{1}{3}$일 때, $\dfrac{b}{a}$의 값을 구하시오. (단, a, b는 상수이다.) [3점]

X	1	2	3	4	합계
$P(X=x)$	$\dfrac{1}{2}$	a	$\dfrac{1}{4}$	b	1

02

[2007학년도 교육청]

확률변수 X가 취하는 모든 값이 1, 2, 3, $\cdots$, 99일 때, $X=k$일 확률은 $P(X=k)=\dfrac{a}{\sqrt{k+1}+\sqrt{k}}$ $(k=1, 2, 3, \cdots, 99)$이다. $P(X=16)+P(X=17)+P(X=18)+\cdots+P(X=99)=b$라 할 때, $a+b$의 값은? [3점]

① $\dfrac{5}{9}$ ② $\dfrac{7}{9}$ ③ 1

④ $\dfrac{11}{9}$ ⑤ $\dfrac{13}{9}$

03

[2007학년도 수능 모의 평가]

이산확률변수 X의 확률분포표는 다음과 같다.

X	0	1	2	$\cdots$	10	합계
$P(X=x)$	p_0	p_1	p_2	$\cdots$	p_{10}	1

(단, $p_i > 0$이고 $i=0, 1, 2, \cdots, 10$이다.)

집합 $\{x \mid 0 \leq x \leq 10\}$에서 정의된 두 함수 $F(x)$, $G(x)$가 $F(x)=P(0 \leq X \leq x)$, $G(x)=P(X > x)$일 때, [보기]에서 옳은 것을 모두 고른 것은? [4점]

보기

ㄱ. $G(3)=1-F(3)$

ㄴ. $P(3 \leq X \leq 8)=F(8)-F(3)$

ㄷ. $P(3 \leq X \leq 8)=G(2)-G(8)$

① ㄱ ② ㄷ ③ ㄱ, ㄴ

④ ㄱ, ㄷ ⑤ ㄴ, ㄷ

기출유형 02 이산확률변수의 확률분포 (2)

빨간 구슬 2개, 노란 구슬 3개, 파란 구슬 5개가 들어 있는 주머니가 있다. 이 주머니에서 임의로 3개의 구슬을 동시에 꺼낼 때, 파란 구슬의 개수를 확률변수 X라 하자. $P(0<X\leq2)$의 값은? [3점]

Act①
확률변수 X가 가질 수 있는 값을 구하고, X가 각 값을 가질 확률을 구한다.

① $\dfrac{2}{3}$　　② $\dfrac{3}{4}$　　③ $\dfrac{4}{5}$　　④ $\dfrac{5}{6}$　　⑤ $\dfrac{6}{7}$

해결의 실마리

확률질량함수가 주어지지 않았을 때 확률을 구하는 방법
① 확률변수 X가 가질 수 있는 값을 모두 찾는다.
② X가 각 값을 가질 확률을 구한다.

04

3개의 불량품을 포함한 7개의 제품 중에서 임의로 3개의 제품을 동시에 뽑을 때 나오는 불량품의 수를 확률변수 X라 하자. 이때 $P(0<X\leq2)$의 값은? [3점]

① $\dfrac{2}{3}$　　② $\dfrac{3}{4}$　　③ $\dfrac{4}{5}$

④ $\dfrac{5}{6}$　　⑤ $\dfrac{6}{7}$

06

[2007학년도 수능 모의평가]

검은 공 3개, 흰 공 2개가 들어 있는 주머니가 있다. 이 주머니에서 한 개의 공을 꺼내어 색을 확인한 후 다시 넣지 않는다. 이와 같은 시행을 반복할 때, 흰 공 2개가 나올 때까지의 시행 횟수를 X라 하면 $P(X>3)=\dfrac{q}{p}$이다. $p+q$의 값을 구하시오. (단, p와 q는 서로소인 자연수이다.) [4점]

05

네 개의 수 1, 2, 3, 4 중에서 임의로 서로 다른 두 수를 동시에 뽑을 때, 두 수의 차를 확률변수 X라 하자. $P(X=a)=\dfrac{1}{3}$일 때, 상수 a의 값을 구하시오. [3점]

07

1, 2, 3, 4, 5, 6의 6개의 숫자와 A, B, C, D의 4개의 알파벳 중에서 서로 다른 4개를 뽑아 숫자와 알파벳을 각각 적어도 하나씩 포함하도록 암호를 만들려고 한다. 만들어진 암호에서 알파벳의 개수를 확률변수 X라 하면 $P(X=1)+P(X=2)=\dfrac{q}{p}$일 때, $p-q$의 값을 구하시오. (단, p와 q는 서로소인 자연수이다.) [4점]

확률변수 X의 확률분포표가 다음과 같다.

X	1	3	7	합계
$P(X=x)$	a	$\dfrac{1}{4}$	b	1

$E(X)=5$일 때, $\dfrac{b}{a}$의 값은? [3점]

① $\dfrac{5}{2}$ ② 3   ③ $\dfrac{7}{2}$ ④ 4   ⑤ $\dfrac{9}{2}$

> **Act ❶**
> 확률의 총합이 1이고 X의 평균이 5임을 이용하여 a, b에 대한 연립방정식을 푼다.

해결의 실마리

이산확률변수 X의 확률분포가 $P(X=x_i)=p_i$ $(i=1, 2, \cdots, n)$일 때,

(1) $E(X)=x_1p_1+x_2p_2+\cdots+x_np_n$ (2) $V(X)=E((X-m)^2)=E(X^2)-\{E(X)\}^2$ (3) $\sigma(X)=\sqrt{V(X)}$

08
[2005학년도 수능 모의평가]

이산확률변수 X의 확률분포표는 다음과 같다.

X	1	2	4	8	합계
$P(X=x)$	$\dfrac{1}{4}$	a	$\dfrac{1}{8}$	b	1

확률변수 X의 평균이 5일 때, X의 분산은? [4점]

① 9.75   ② 8.5   ③ 7.25

④ 6.5   ⑤ 4.25

10
[2016학년도 교육청]

다음은 확률변수 X의 확률분포가

$P(X=k)=\dfrac{1}{10}+(-1)^k p$ $(k=1, 2, 3, \cdots, 2n)$인 확률변수 X의 확률분포표이다.

X	1	2	3	$\cdots$	$2n$	합계
$P(X=x)$	$\dfrac{1}{10}-p$	$\dfrac{1}{10}+p$	$\dfrac{1}{10}-p$	$\cdots$	$\dfrac{1}{10}+p$	1

확률변수 X의 기댓값이 $E(X)=\dfrac{23}{4}$일 때, $\dfrac{1}{p}$의 값을 구하시오. (단, $0<p<\dfrac{1}{10}$이고, n은 자연수이다.) [4점]

09
[2006학년도 수능 모의평가]

이산확률변수 X의 확률분포표는 다음과 같다.

X	0	1	2	3	합계
$P(X=x)$	p	$\dfrac{1}{4}$	q	$\dfrac{1}{12}$	1

X의 분산이 1이 되는 p와 q에 대하여 $3p+q$의 값은? [4점]

① $\dfrac{1}{2}$ ② $\dfrac{3}{4}$ ③ 1

④ $\dfrac{3}{2}$ ⑤ 2

기출유형 **04** 이산확률변수의 평균, 분산, 표준편차—확률분포가 주어지지 않은 경우

한 개의 주사위를 던져서 나오는 눈의 수를 4로 나누었을 때의 나머지를 확률변수 X라 하자. 이때 $V(X)$는? [4점]

Act❶
$X=0$, 1, 2, 3인 경우의 확률을 각각 구하여 확률분포표를 이용한다.

① $\dfrac{1}{2}$ ② $\dfrac{2}{3}$ ③ $\dfrac{3}{4}$ ④ $\dfrac{5}{6}$ ⑤ $\dfrac{11}{12}$

해결의 실마리

① 확률변수 X가 가질 수 있는 값을 모두 찾고, X가 각 값을 가질 확률을 구한다.
② 확률변수 X의 확률분포를 표로 나타낸다.
③ 확률변수 X의 평균, 분산, 표준편차를 구한다.

11
[2005학년도 교육청]

2, 4, 6, 8의 숫자가 각 면에 하나씩 적혀 있는 정사면체 주사위를 한 번 던지는 시행에서 바닥에 닿는 면을 제외한 세 면의 숫자의 합을 확률변수 X라 하자. 이때 X의 분산은? [3점]

① 1 ② 2 ③ 3
④ 4 ⑤ 5

13

주머니 속에 100원짜리 동전이 3개, 500원짜리 동전이 1개 들어 있다. 이 주머니에서 두 개의 동전을 동시에 꺼내어 나온 금액의 합계를 확률변수 X라 할 때, X의 기댓값을 구하시오. [4점]

12

검은 구슬 2개, 흰 구슬 3개가 들어 있는 주머니에서 임의로 2개의 구슬을 동시에 꺼낼 때 나오는 검은 구슬의 개수를 확률변수 X라 하자. 이때 $\sigma(X)$의 값은? [3점]

① $\dfrac{3}{10}$ ② $\dfrac{2}{5}$ ③ $\dfrac{1}{2}$
④ $\dfrac{3}{5}$ ⑤ $\dfrac{7}{10}$

14
[2010학년도 교육청]

1이 적혀 있는 구슬이 1개, 2가 적혀 있는 구슬이 3개, 3이 적혀 있는 구슬이 5개가 들어 있는 주머니가 있다. 이 주머니에서 구슬 두 개를 동시에 꺼낼 때, 두 개의 구슬에 적혀 있는 수의 곱을 X라 하자. 확률변수 X의 기댓값 $E(X)$의 값은? [4점]

① $\dfrac{61}{12}$ ② $\dfrac{65}{12}$ ③ $\dfrac{71}{12}$
④ $\dfrac{73}{12}$ ⑤ $\dfrac{77}{12}$

[2015학년도 교육청]

확률변수 X의 확률분포를 표로 나타내면 다음과 같다.

X	1	2	3	합계
$P(X=x)$	k	$2k$	$3k$	1

$E(6X+1)$의 값은? (단, k는 상수이다.) [3점]

① 11 ② 12 ③ 13 ④ 14 ⑤ 15

Act ❶
확률의 총합이 1임을 이용하여 k의 값을 구하고
$E(aX+b)=aE(X)+b$임을 이용한다.

해결의 실마리

이산확률변수 X와 임의의 상수 a, $b(a \neq 0)$에 대하여

(1) 평균 $\quad E(aX+b)=aE(X)+b$

(2) 분산 $\quad V(aX+b)=a^2V(X)$

(3) 표준편차 $\quad \sigma(aX+b)=|a|\sigma(X)$

15

[2009학년도 수능 모의평가]

확률변수 X의 확률분포표는 다음과 같다.

X	1	2	3	4	5	합계
$P(X=x)$	$\dfrac{3}{10}$	p	$\dfrac{1}{10}$	p	p	1

확률변수 $5X+3$의 평균 $E(5X+3)$은? [3점]

① 17 ② 18 ③ 19
④ 20 ⑤ 21

17

[2010학년도 수능 모의평가]

이산확률변수 X의 확률질량함수가

$$P(X=x)=\frac{|x-4|}{7} \ (x=1,\ 2,\ 3,\ 4,\ 5)$$

일 때, $E(14X+5)$의 값은? [3점]

① 31 ② 35 ③ 39
④ 43 ⑤ 47

16

[2005학년도 수능 모의평가]

각 면에 1, 1, 2, 2, 2, 4의 숫자가 하나씩 적혀 있는 정육면체 모양의 상자가 있다. 이 상자를 던졌을 때, 윗면에 적힌 수를 확률변수 X라 하자. 확률변수 $5X+3$의 평균을 구하시오. [3점]

18

[2018학년도 수능 모의평가]

두 이산확률변수 X와 Y가 가지는 값이 각각 1부터 5까지의 자연수이고

$$P(Y=k)=\frac{1}{2}P(X=k)+\frac{1}{10} \ (x=1,\ 2,\ 3,\ 4,\ 5)$$

이다. $E(X)=4$일 때, $E(Y)=a$이다. $8a$의 값을 구하시오. [4점]

$\mathbf{V}$ery $\mathbf{I}$mportant $\mathbf{T}$est

01

서로 다른 두 개의 주사위를 동시에 던져 나오는 두 눈의 수의 합을 확률변수 X라 할 때, $P(X^2-9X+20=0)$의 값은? [3점]

① $\frac{7}{36}$　　　② $\frac{1}{4}$　　　③ $\frac{11}{36}$

④ $\frac{13}{36}$　　　⑤ $\frac{5}{12}$

02

1부터 5까지의 자연수가 하나씩 적혀 있는 5개의 공이 들어 있는 주머니에서 임의로 2개의 공을 동시에 꺼낼 때, 꺼낸 공에 적혀 있는 두 수의 합을 4로 나눈 나머지를 확률변수 X라 하자. $P(X=1)+P(X=3)$의 값은? [3점]

① $\frac{2}{5}$　　　② $\frac{1}{2}$　　　③ $\frac{3}{5}$

④ $\frac{7}{10}$　　　⑤ $\frac{4}{5}$

03

확률변수 X의 확률질량함수가

$P(X=x)=\dfrac{k}{x}$ $(x=1, 2, 3, 4)$일 때, $P(X \geq 3)$의 값은? (단, k는 상수이다.) [3점]

① $\frac{1}{5}$　　　② $\frac{7}{25}$　　　③ $\frac{9}{25}$

④ $\frac{11}{25}$　　　⑤ $\frac{13}{25}$

04

이산확률변수 X가 가질 수 있는 값이 0, 1, 2, 3, 4이고 X의 확률질량함수가 $P(X=x)=\begin{cases} k+x & (x=0, 1, 2) \\ k^2-2x & (x=3, 4) \end{cases}$ 일 때, 가능한 모든 실수 k의 값의 합은? [3점]

① -2　　　② $-\dfrac{3}{2}$　　　③ -1

④ $-\dfrac{3}{4}$　　　⑤ $-\dfrac{1}{2}$

05

확률변수 X의 확률질량함수가

$P(X=x)=\begin{cases} -a(x-1) & (x=-1, 0, 1) \\ ax & (x=2, 3) \end{cases}$ 일 때, $P(X \geq 2)$의 값은? (단, a는 상수이다.) [3점]

① $\frac{1}{8}$　　　② $\frac{1}{4}$　　　③ $\frac{3}{8}$

④ $\frac{1}{2}$　　　⑤ $\frac{5}{8}$

06

다음은 확률변수 X의 확률분포를 표로 나타낸 것이다.

X	-2	0	2	4	합계
$P(X=x)$	a	$\dfrac{1}{3}$	$2a$	b	1

$E(X)=\dfrac{11}{6}$일 때, 두 상수 a, b에 대하여 $\dfrac{b}{a}$의 값을 구하시오. [3점]

07

다음은 확률변수 X의 확률분포를 표로 나타낸 것이다.

X	0	2	4	합계
$P(X=x)$	a	$\dfrac{2}{5}$	b	1

$E(X)=\dfrac{8}{5}$일 때, $V(X)=\dfrac{q}{p}$이다. $p+q$의 값을 구하시오. (단, p와 q는 서로소인 자연수이다.) [4점]

08

각 면에 1, 2, 3, 4가 적혀 있는 서로 다른 두 정사면체를 동시에 던져 밑면에 각각 적힌 두 수의 차를 확률변수 X라 할 때, $V(X)$의 값은? [3점]

① $\dfrac{5}{8}$ ② $\dfrac{15}{16}$ ③ $\dfrac{5}{4}$

④ $\dfrac{25}{16}$ ⑤ $\dfrac{15}{8}$

09

1, 2, 3, 4, 5의 숫자가 각각 하나씩 적힌 5장의 카드가 있다. 이 중에서 임의로 뽑은 3장의 카드에 적혀 있는 수 중 가장 작은 수를 확률변수 X라 할 때, $V(X)=\dfrac{q}{p}$이다. $p+q$의 값을 구하시오. (단, p와 q는 서로소인 자연수이다.) [4점]

10

다음은 확률변수 X의 확률분포를 표로 나타낸 것이다.

X	0	1	2	합계
$P(X=x)$	$\dfrac{1}{2}$	$\dfrac{2}{5}$	a	1

$E(5X+2)$의 값은? (단, a는 상수이다.) [3점]

① 5 ② 6 ③ 7
④ 8 ⑤ 9

11

2개의 당첨 제비가 들어 있는 5개의 제비 중에서 임의로 2개를 동시에 뽑을 때, 나오는 당첨 제비의 개수를 확률변수 X라 하자. $E(15X+4)$의 값은? [3점]

① 13 ② 14 ③ 15
④ 16 ⑤ 17

12

서로 다른 두 개의 주사위를 동시에 던질 때 나오는 두 눈의 수의 차를 확률변수 X라 하자. 이때 $E(36X+5)$의 값을 구하시오. [3점]

13

이산확률변수 X에 대하여 확률변수 $3X+2$의 평균은 20 이고, 확률변수 $-3X+4$의 분산은 18일 때, $\mathrm{E}(X^2)$의 값은? [3점]

① 36   ② 37   ③ 38
④ 39   ⑤ 40

14

이산확률변수 X에 대하여 $\mathrm{E}\left(\dfrac{1}{2}X-3\right)=3$,

$\sigma(-2X+1)=6$일 때, $\mathrm{E}(X^2)$의 값은? [3점]

① 150   ② 151   ③ 152
④ 153   ⑤ 154

15

주사위를 한 번 던져 나온 눈의 수를 십의 자리의 숫자로 하고, 일의 자리의 숫자가 k인 두 자리의 자연수를 확률변수 X라 하자. $\mathrm{E}(3X-2)=118$일 때, k의 값을 구하시오. (단, k는 10보다 작은 자연수이다.) [4점]

16

확률변수 X의 확률분포를 표로 나타내면 다음과 같다. $\mathrm{E}(45X)=7$일 때, $\dfrac{p}{q}$의 값을 구하시오. (단, $q>0$) [4점]

X	$p-2q$	$p-q$	p	$p+q$	$p+2q$	합계
$\mathrm{P}(X=x)$	$p+2q$	$p+q$	p	$p-q$	$p-2q$	1

 level up

17

주머니 A에는 1, 3, 5의 숫자가 하나씩 적혀 있는 공 3개가 들어 있고, 주머니 B에는 2, 4, 6의 숫자가 하나씩 적혀 있는 공 3개가 들어 있다. 두 주머니 A, B에서 임의로 공을 각각 한 개씩 꺼낼 때, 꺼낸 공에 적혀 있는 두 수의 차를 확률변수 X라 하자. $\mathrm{E}(X)$의 값은? [4점]

① $\dfrac{11}{9}$ ② $\dfrac{13}{9}$ ③ $\dfrac{5}{3}$
④ $\dfrac{17}{9}$ ⑤ $\dfrac{19}{9}$

18

흰 공 3개, 검은 공 n개가 들어 있는 주머니에서 임의로 2개의 공을 동시에 꺼낼 때, 나오는 흰 공의 개수를 확률변수 X라 하자. $\mathrm{E}(14X+3)=15$일 때, 자연수 n의 값을 구하시오. [4점]

08 ▶ 이항분포

참 중요한학습 point

 기출 best

best **1** 이항분포와 확률

best **2** 이항분포를 따르는 확률변수의 평균, 분산, 표준편차

best **3** $aX+b$의 평균, 분산, 표준편차

 기출 분석

최근 출제 빈도가 다시 늘고 있는 유형으로, 쉬운 수준의 3점짜리 문제가 출제되었다. 확률변수X가 이항분포를 따를 때, 확률변수 X의 평균, 분산, 표준편차 그리고 $aX+b$의 평균, 분산, 표준편차를 구할 수 있어야 한다.

 level up

• 이항분포를 따르는 확률변수 X에 대한 $aX+b$의 평균, 분산, 표준편차

중요개념

1. 이항분포에서의 확률

1회의 시행에서 사건 A가 일어날 확률이 p일 때, n회의 독립시행에서 사건 A가 일어나는 횟수를 확률변수 X라 하자. 이때 확률변수 X가 가지는 값은 $0, 1, 2, \cdots, n$이고, X의 확률질량함수는 다음과 같다.

$$P(X=x)={_n}C_x p^x q^{n-x} \; (단, x=1, 2, \cdots, n, \; q=1-p)$$

사건 A가 일어날 확률 └─┘ 사건 A가 일어나지 않을 확률

이와 같은 확률변수 X의 확률분포를 이항분포라 하고, 이것을 기호로 $B(n, p)$와 같이 나타낸다. 이때 확률변수 X는 이항분포 $B(n, p)$를 따른다고 하며, X의 확률분포를 표로 나타내면 다음과 같다.

X	0	1	2	$\cdots$
$P(X=x)$	${_n}C_0 q^n$	${_n}C_1 p^1 q^{n-1}$	${_n}C_2 p^2 q^{n-2}$	$\cdots$

x	$\cdots$	n	합계
${_n}C_x p^x q^{n-x}$	$\cdots$	${_n}C_n p^n$	1

참고 다음을 만족하는 문제는 이항분포를 이용하여 푼다.
(가) 각 시행의 결과는 두 가지 결과로 나눠진다.
(나) 각 시행에서 성공할 확률은 p로 일정하다.
(다) 각 시행은 서로 독립이다.

2. 이항분포의 평균, 분산, 표준편차

확률변수 X가 이항분포 $B(n, p)$를 따를 때 (단, $q=1-p$)

(1) 평균 $\quad E(X)=np$

(2) 분산 $\quad V(X)=npq$

(3) 표준편차 $\quad \sigma(X)=\sqrt{npq}$

참고 확률변수 X가 이항분포를 따를 때, 확률변수 $aX+b$의 평균, 분산, 표준편차는 다음의 순서로 구한다.
① 확률변수 X가 따르는 이항분포를 구한다.
$\Rightarrow B(n, p)$
② 확률변수 X의 평균, 분산, 표준편차를 구한다.
$\Rightarrow E(X)=np$
$V(X)=np(1-p)$
$\sigma(X)=\sqrt{V(X)}$
③ 확률변수 $aX+b$의 평균, 분산, 표준편차를 구한다.
$\Rightarrow E(aX+b)=aE(X)+b$
$V(aX+b)=a^2 V(X)$
$\sigma(aX+b)=|a|\sigma(X)$

3. 큰수의 법칙

어떤 시행에서 사건 A가 일어날 수학적 확률이 p일 때, n회의 독립시행에서 사건 A가 일어나는 횟수를 X라 하면 임의의 작은 양수 h에 대하여 확률 $P\left(\left|\dfrac{X}{n}-p\right|<h\right)$는 n이 한없이 커짐에 따라 1에 한없이 가까워진다. 이것을 큰수의 법칙이라 한다.

참고 큰수의 법칙에 의하면 시행 횟수가 충분히 클 때, 통계적 확률은 수학적 확률에 가까워짐을 알 수 있다 따라서 자연 현상이나 사회 현상에서 수학적 확률을 구하기 곤란한 경우 통계적 확률을 대신 사용할 수 있다.

중요개념문제

01

[2013학년도 교육청]

확률변수 X가 이항분포 $B\left(n, \dfrac{1}{7}\right)$을 따르고, X의 평균이 3일 때, n의 값을 구하시오. [3점]

04

[3점]

전화를 걸면 20번에 1번꼴로 통화 연결이 되지 않는 휴대 전화로 100번 전화를 걸 때, 통화가 연결되지 않는 횟수를 확률변수 X라 하자. 이때, X의 평균을 구하시오. [3점]

02

[2019학년도 수능]

확률변수 X가 이항분포 $B\left(n, \dfrac{1}{2}\right)$을 따르고 $E(X^2)=V(X)+25$를 만족시킬 때, n의 값은? [3점]

① 10   ② 12   ③ 14

④ 16   ⑤ 18

05

[2015학년도 수능]

확률변수 X가 이항분포 $B\left(n, \dfrac{1}{3}\right)$을 따르고 $V(3X)=40$일 때, n의 값을 구하시오. [3점]

03

확률변수 X의 확률질량함수가

$$P(X=x)={}_{10}C_x\left(\dfrac{1}{3}\right)^x\left(\dfrac{2}{3}\right)^{10-x} \ (단, \ x=0, \ 1, \ 2, \ \cdots, \ 10)$$

일 때, $E(X)+V(X)$의 값은? [3점]

① $\dfrac{46}{5}$ ② $\dfrac{47}{6}$ ③ $\dfrac{48}{7}$

④ $\dfrac{49}{8}$ ⑤ $\dfrac{50}{9}$

06

[2011학년도 수능]

동전 2개를 동시에 던지는 시행을 10회 반복할 때, 동전 2개 모두 앞면이 나오는 횟수를 확률변수 X라 하자. 확률변수 $4X+1$의 분산 $V(4X+1)$의 값을 구하시오. [3점]

기출유형 01   이항분포의 평균, 분산, 표준편차 — 이항분포가 주어진 경우

확률변수 X가 이항분포 $B\left(n, \dfrac{1}{8}\right)$을 따르고, X의 분산이 7일 때, X의 평균을 구하시오. [3점]

Act ❶
확률변수 X가 이항분포 $B(n, p)$를 따르므로 $V(X)=np(1-p)$, $E(X)=np$임을 이용한다.

해결의 실마리

확률변수 X가 이항분포 $B(n, p)$를 따를 때
⇨ 평균 $E(X)=np$, 분산 $V(X)=np(1-p)$, 표준편차 $\sigma(X)=\sqrt{np(1-p)}$

01

[2020학년도 수능 모의평가]

확률변수 X가 이항분포 $B\left(n, \dfrac{1}{4}\right)$을 따르고 $V(X)=6$일 때, n의 값을 구하시오. [3점]

02

확률변수 X가 이항분포 $B\left(n, \dfrac{2}{3}\right)$를 따르고, X의 분산이 10일 때, X의 평균을 구하시오. [3점]

03

확률변수 X가 이항분포 $B(4, p)$를 따르고 $\{E(X)\}^2 = V(X)$일 때, p의 값은? (단, $0 < p < 1$) [3점]

① $\dfrac{1}{8}$ ② $\dfrac{1}{7}$ ③ $\dfrac{1}{6}$

④ $\dfrac{1}{5}$ ⑤ $\dfrac{1}{4}$

04

확률변수 X가 이항분포 $B\left(n, \dfrac{1}{4}\right)$을 따르고 $E(X^2) = V(X) + 16$을 만족시킬 때, n의 값은? [3점]

① 10   ② 12   ③ 14
④ 16   ⑤ 18

기출유형 02 이항분포의 평균, 분산, 표준편차─확률질량함수가 주어진 경우

확률변수 X의 확률질량함수가 $P(X=x)={}_{24}C_x\left(\dfrac{1}{4}\right)^x\left(\dfrac{3}{4}\right)^{24-x}$ (단, $x=0,\ 1,\ 2,\ \cdots,\ 24$)일 때, $E(X)+V(X)$의 값은? [3점]

① $\dfrac{21}{2}$ ② $\dfrac{22}{3}$ ③ $\dfrac{23}{4}$ ④ $\dfrac{24}{5}$ ⑤ $\dfrac{25}{6}$

Act①
$P(X=x)={}_{n}C_x p^x(1-p)^{n-x}$
(단, $x=1,\ 2,\ \cdots,\ n$)이면 X는 이항분포 $B(n,\ p)$를 따른다.

해결의 실마리

확률변수 X의 확률질량함수가
$P(X=x)={}_{n}C_x p^x(1-p)^{n-x}$ (단, $x=1,\ 2,\ \cdots,\ n$)이면
⇨ X는 이항분포 $B(n,\ p)$를 따르므로 $E(X)=np$, $V(X)=np(1-p)$이다.

05

확률변수 X의 확률질량함수가

$P(X=x)={}_{72}C_x\left(\dfrac{1}{3}\right)^x\left(\dfrac{2}{3}\right)^{72-x}$ (단, $x=0,\ 1,\ 2,\ \cdots,\ 72$)

일 때, X의 표준편차 $\sigma(X)$는? [3점]

① 4 ② $3\sqrt{2}$ ③ $2\sqrt{5}$
④ $\sqrt{22}$ ⑤ $2\sqrt{6}$

06

확률변수 X의 확률질량함수가
$$P(X=x)={}_{n}C_x p^x(1-p)^{n-x}$$
(단, $x=0,\ 1,\ 2,\ \cdots,\ n$이고 $0<p<1$)

이다. $E(X)=84$, $V(X)=28$일 때, $\dfrac{n}{p}$의 값을 구하시오. [3점]

07

확률변수 X의 확률질량함수가

$P(X=x)={}_{10}C_x\left(\dfrac{1}{5}\right)^x\left(\dfrac{4}{5}\right)^{10-x}$ (단, $x=0,\ 1,\ 2,\ \cdots,\ 10$)

일 때, $E(X^2)$의 값은? [3점]

① $\dfrac{18}{5}$ ② $\dfrac{23}{5}$ ③ $\dfrac{28}{5}$
④ $\dfrac{33}{5}$ ⑤ $\dfrac{38}{5}$

08

이산확률변수 X가 값 x를 가질 확률이
$P(X=x)={}_{n}C_x p^x(1-p)^{n-x}$ (단, $x=0,\ 1,\ 2,\ \cdots,\ n$이고 $0<p<1$)이다. $E(X)=2$, $V(X)=\dfrac{8}{5}$일 때, $P(X<2)$의 값은? [4점]

① $\dfrac{17}{8}\left(\dfrac{7}{8}\right)^{12}$ ② $\dfrac{16}{7}\left(\dfrac{6}{7}\right)^{11}$ ③ $\dfrac{15}{6}\left(\dfrac{5}{6}\right)^{10}$
④ $\dfrac{14}{5}\left(\dfrac{4}{5}\right)^{9}$ ⑤ $\dfrac{13}{4}\left(\dfrac{3}{4}\right)^{8}$

어떤 책을 임의로 펼쳤을 때, 그림이 나올 확률이 $\frac{2}{3}$라고 한다. 이 책을 임의로 90번 펼쳐 그림이 나오는 횟수를 X라 할 때, X의 분산을 구하시오. [3점]

Act ❶
각 시행이 독립이고 그 확률이 일정하면 이항분포를 따른다.

해결의 실마리
다음을 만족하는 문제는 이항분포를 이용하여 푼다.
(가) 각 시행의 결과는 두 가지 결과로 나눠진다.
(나) 각 시행에서 성공할 확률은 p로 일정하다.
(다) 각 시행은 서로 독립이다.

09
[2008학년도 교육청]

한 번의 시행에서 일어날 확률이 $\frac{1}{4}$인 사건 A가 있다. 80번의 독립시행에서 사건 A가 일어나는 횟수를 확률변수 X라 할 때, X^2의 평균 $\mathrm{E}(X^2)$을 구하시오. [3점]

11
[2010학년도 수능]

어느 수학반에 남학생 3명, 여학생 2명으로 구성된 모둠이 10개 있다. 각 모둠에서 임의로 2명씩 선택할 때, 남학생들만 선택된 모둠의 수를 확률변수 X라 하자. X의 평균 $\mathrm{E}(X)$의 값은? (단, 두 모둠 이상에 속한 학생은 없다.) [3점]

① 6   ② 5   ③ 4
④ 3   ⑤ 2

10
[2006학년도 교육청]

정육면체 모양의 주사위를 90번 던져 3의 배수의 눈이 나오는 횟수를 확률변수 X라 할 때, 확률변수 X^2의 평균 $\mathrm{E}(X^2)$의 값을 구하시오. [3점]

12
[2009학년도 수능 모의평가]

한 개의 주사위를 던져 나온 눈의 수 a에 대하여 직선 $y=ax$와 곡선 $y=x^2-2x+4$가 서로 다른 두 점에서 만나는 사건을 A라 하자. 한 개의 주사위를 300회 던지는 독립시행에서 사건 A가 일어나는 횟수를 확률변수 X라 할 때, X의 평균 $\mathrm{E}(X)$는? [4점]

① 100   ② 150   ③ 180
④ 200   ⑤ 240

기출유형 04 확률변수 X가 이항분포를 따를 때, $aX+b$의 평균, 분산, 표준편차 (1)

[2019학년도 교육청]

이항분포 $B(72, p)$를 따르는 확률변수 X에 대하여 $E(2X-3)=45$일 때, $V(2X-3)$의 값을 구하시오. [3점]

Act①
$E(aX+b)=aE(X)+b$, $V(aX+b)=a^2V(X)$임을 이용한다.

해결의 실마리

확률변수 X가 이항분포 $B(n, p)$를 따를 때, 확률변수 $aX+b$의 평균, 분산, 표준편차는 다음과 같다.
$$E(aX+b)=aE(X)+b, \ V(aX+b)=a^2V(X), \ \sigma(aX+b)=|a|\sigma(X)$$

13 [2019학년도 수능 모의평가]

이항분포 $B\left(n, \dfrac{1}{2}\right)$을 따르는 확률변수 X에 대하여 $V\left(\dfrac{1}{2}X+1\right)=5$일 때, n의 값을 구하시오. [4점]

15 [2013학년도 수능]

확률변수 X가 이항분포 $B(n, p)$를 따른다. 확률변수 $2X-5$의 평균과 표준편차가 각각 175와 12일 때, n의 값은? [3점]

① 130   ② 135   ③ 140
④ 145   ⑤ 150

14 [2015학년도 교육청]

확률변수 X가 이항분포 $B(n, p)$를 따르고 $E(3X)=18$, $E(3X^2)=120$일 때, n의 값을 구하시오. [4점]

16 [2010학년도 수능 모의평가]

확률변수 X가 이항분포 $B(10, p)$를 따르고, $P(X=4)=\dfrac{1}{3}P(X=5)$일 때, $E(7X)$의 값을 구하시오. (단, $0<p<1$) [3점]

어느 회사에서 생산한 제품에는 10%의 불량품이 포함되어 있다고 한다. 이 회사의 제품 중에서 임의로 40개를 택하여 하나씩 검사할 때, 불량품의 개수를 확률변수 X라 하자. 이때 $V(5X+1)$의 값을 구하시오. [3점]

Act ①

확률변수 X가 따르는 이항분포 $B(n,\ p)$를 찾아 $V(X)$를 구한 후 $V(aX+b)=a^2V(X)$임을 이용한다.

해결의 실마리

확률변수 X가 이항분포를 따를 때, 확률변수 $aX+b$의 평균, 분산, 표준편차는 다음의 순서로 구한다.

① 확률변수 X가 따르는 이항분포를 구한다. ⇨ $B(n,\ p)$

② 확률변수 X의 평균, 분산, 표준편차를 구한다. ⇨ $E(X)=np$, $V(X)=np(1-p)$, $\sigma(X)=\sqrt{V(X)}$

③ 확률변수 $aX+b$의 평균, 분산, 표준편차를 구한다.

⇨ $E(aX+b)=aE(X)+b$, $V(aX+b)=a^2V(X)$, $\sigma(aX+b)=|a|\sigma(X)$

---

17 [2007학년도 교육청]

동전 2개를 100번 던질 때, 모두 앞면이 나올 횟수를 X라 하자. $Y=2X+3$일 때, $E(Y)$의 값을 구하시오. [3점]

19

한 개의 주사위를 10번 던질 때, 홀수의 눈이 나오는 횟수를 확률변수 X라 하자. 확률변수 Y를 $Y=10-X$라 할 때, |보기|에서 옳은 것을 모두 고른 것은? [4점]

|보기|

ㄱ. $P(5\le Y\le 7)=P(3\le X\le 5)$

ㄴ. Y의 평균은 X의 평균과 같다.

ㄷ. Y의 분산은 X의 분산보다 크다.

① ㄱ   ② ㄷ   ③ ㄱ, ㄴ

④ ㄴ, ㄷ   ⑤ ㄱ, ㄴ, ㄷ

18

어느 상자에 들어 있는 공 6개 중에는 흰 공이 2개 포함되어 있다. 이 상자에서 임의로 1개의 공을 꺼내어 보고 다시 넣는 작업을 45회 반복할 때, 흰 공이 나오는 횟수를 확률변수 X라 하자. 이때 확률변수 $2X+5$의 평균을 m, 분산을 n이라 할 때, $m+n$의 값을 구하시오. [3점]

01

확률변수 X가 이항분포 $B\left(n, \dfrac{1}{4}\right)$을 따르고

$E(X^2)=V(X)+64$를 만족시킬 때, n의 값은? [3점]

① 16   ② 20   ③ 24

④ 28   ⑤ 32

02

확률변수 X의 확률질량함수가

$P(X=x)={}_{16}C_x\left(\dfrac{1}{4}\right)^x\left(\dfrac{3}{4}\right)^{16-x}$ (단, $x=0, 1, 2, 3, \cdots, 16$)

일 때, $E(X^2)$의 값은? [3점]

① 15   ② 17   ③ 19

④ 21   ⑤ 23

03

흰 공 3개, 검은 공 4개가 들어 있는 주머니에서 임의로 2개의 공을 동시에 꺼내어 확인하고 다시 넣는 시행을 140번 반복한다. 흰 공 1개, 검은 공 1개가 나오는 횟수를 확률변수 X라 할 때, $E(X)$의 값은? [3점]

① 70   ② 75   ③ 80

④ 85   ⑤ 90

04

확률변수 X가 이항분포 $B(n, p)$를 따른다. 확률변수 $11X-2$의 평균과 표준편차가 각각 185와 44일 때, n의 값을 구하시오. [3점]

05

다섯 개의 동전을 동시에 던지는 시행을 240회 반복할 때, 앞면이 세 개 나온 횟수를 확률변수 X라 하자.

$E\left(\dfrac{1}{3}X-2\right)$의 값은? [3점]

① 17   ② 19   ③ 21

④ 23   ⑤ 25

1단계 level up

06

이항분포 $B(n, p)$를 따르는 확률변수 X가 다음 조건을 만족시킨다. $V(nX)$의 값을 구하시오. (단, n은 2 이상의 자연수이다.) [4점]

> (가) $38P(X=1)=2P(X=2)$
> (나) $E(X)=9$

참 중요한학습 point

 기출 best

best 1 확률밀도함수의 그래프와 확률 계산

best 2 정규분포의 확률

best 3 이항분포와 정규분포의 관계

 기출 분석

확률밀도함수의 그래프와 확률 계산, 정규분포의 확률 계산, 정규분포의 실생활 활용 문제는 매년 빠지지 않고 출제되는 유형이다. 정규분포를 표준정규분포로 바꾸어 확률을 구하는 연습을 충분히 하고, 이항분포와 정규분포의 관계도 익혀 둔다.

 level up

· 정규분포의 성질
· 정규분포의 실생활 활용

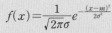 중요개념

1. 연속확률변수의 확률분포

(1) 확률변수 X가 어떤 범위에 속하는 모든 실숫값을 가질 때, X를 연속확률변수라 한다.

(2) $\alpha \leq X \leq \beta$에서 모든 실숫값을 가지는 연속확률변수 X에 대하여 $\alpha \leq x \leq \beta$에서 정의된 함수 $f(x)$가 다음 세 가지 성질을 모두 만족시킬 때, 함수 $f(x)$를 연속확률변수 X의 확률밀도함수라 한다.

① $f(x) \geq 0$

② 함수 $y=f(x)$의 그래프와 축 및 두 직선 $x=\alpha$, $x=\beta$로 둘러싸인 부분의 넓이는 1이다.

③ 확률 $P(a \leq X \leq b)$는 함수 $y=f(x)$의 그래프와 축 및 두 직선 $x=a$, $x=b$로 둘러싸인 부분의 넓이와 같다. (단, $\alpha \leq a \leq b \leq \beta$)

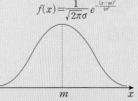

2. 정규분포

(1) 연속확률변수 X가 모든 실숫값을 가지고, 그 확률밀도함수 $f(x)$가 두 상수 m, $\sigma(\sigma>0)$에 대하여

$$f(x)=\frac{1}{\sqrt{2\pi}\sigma}e^{-\frac{(x-m)^2}{2\sigma^2}}$$

(x는 모든 실수)일 때, X의 확률분포를 정규분포라 한다. 이때 확률밀도함수 $f(x)$의 그래프는 오른쪽과 같고, 이 곡선을 정규분포 곡선이라 한다.

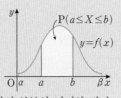

(2) 평균이 m이고 표준편차가 σ인 정규분포를 기호로 $N(m, \sigma^2)$과 같이 나타내고, 이때 확률변수 X는 정규분포 $N(m, \sigma^2)$을 따른다고 한다.

3. 정규분포 곡선의 성질

정규분포 $N(m, \sigma^2)$을 따르는 확률변수 X의 정규분포 곡선의 성질은 다음과 같다.

① 직선 $x=m$에 대하여 대칭이고 종 모양의 곡선이다.

② 곡선과 x축 사이의 넓이는 1이다.

③ x축을 점근선으로 하며, $x=m$일 때 최댓값을 갖는다.

④ m의 값이 일정할 때, σ의 값이 커지면 곡선의 가운데 부분이 낮아지면서 양쪽으로 퍼지고, σ의 값이 작아지면 곡선의 가운데 부분이 높아지면서 뾰족해진다.

⑤ σ의 값이 일정할 때, m의 값에 따라 대칭축의 위치는 바뀌지만 곡선의 모양은 같다.

4. 표준정규분포

(1) 평균이 0이고 분산이 1인 정규분포를 표준정규분포라 하며, 이것을 기호로 $N(0, 1)$과 같이 나타낸다.

(2) 확률변수 Z가 표준정규분포를 따르면 Z의 확률밀도함수는 $f(z)=\frac{1}{\sqrt{2\pi}}e^{-\frac{z^2}{2}}$ (z는 모든 실수)이다. 이때 Z가 0 이상 a 이하의 값을 가질 확률 $P(0 \leq Z \leq a)$는

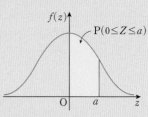

그림에서 색칠한 부분의 넓이와 같고 그 값은 표준정규분포표에 주어져 있다.

5. 정규분포와 표준정규분포의 관계

확률변수 X가 정규분포 $N(m, \sigma^2)$을 따를 때, 확률변수 $Z=\frac{X-m}{\sigma}$은 표준정규분포 $N(0, 1)$을 따른다. 따라서 확률변수 X에 대한 확률은 확률변수 X를 확률변수 Z로 표준화하여 표준정규분포표에서 확률을 구한다.

즉 $P(a \leq X \leq b)=P\left(\frac{a-m}{\sigma} \leq Z \leq \frac{b-m}{\sigma}\right)$이다.

6. 이항분포와 정규분포의 관계

확률변수 X가 이항분포 $B(n, p)$를 따르고 n이 충분히 클 때, X는 근사적으로 정규분포 $N(np, npq)$ (단, $q=1-p$)를 따른다. 따라서 확률변수 X를 확률변수 Z로 표준화하여 표준정규분포표에서 확률을 구한다.

01

[2019학년도 수능]

연속확률변수 X가 갖는 값의 범위는 $0 \leq X \leq 2$이고, X의 확률밀도함수의 그래프가 그림과 같을 때, $P\left(\dfrac{1}{3} \leq X \leq a\right)$의 값은? (단, a는 상수이다.) [3점]

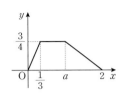

① $\dfrac{11}{16}$ ② $\dfrac{5}{8}$ ③ $\dfrac{9}{16}$

④ $\dfrac{1}{2}$ ⑤ $\dfrac{7}{16}$

04

[2013학년도 수능]

확률변수 X가 정규분포 $N(m, \sigma^2)$을 따르고 다음 조건을 만족시킨다.

(가) $P(X \geq 64) = P(X \leq 56)$ (나) $E(X^2) = 3616$

$P(X \leq 68)$의 값을 오른쪽 표를 이용하여 구한 것은? [3점]

① 0.9104   ② 0.9332

③ 0.9544   ④ 0.9772

⑤ 0.9938

x	$P(m \leq X \leq x)$
$m+1.5\sigma$	0.4332
$m+2\sigma$	0.4772
$m+2.5\sigma$	0.4938

02

[2011학년도 수능 모의평가]

실수 $a(1 < a < 2)$에 대하여 닫힌구간 $[0, 2]$에서 정의된 연속확률변수 X의 확률밀도함수 $f(x)$가

$$f(x) = \begin{cases} \dfrac{x}{a} & (0 \leq x \leq a) \\ \dfrac{x-2}{a-2} & (a < x \leq 2) \end{cases}$$

이다. $P(1 \leq X \leq 2) = \dfrac{3}{5}$일 때, $100a$의 값을 구하시오. [3점]

05

[2015학년도 수능]

어느 연구소에서 토마토 모종을 심은 지 3주가 지났을 때 토마토 줄기의 길이를 조사한 결과 토마토 줄기의 길이는 평균이 $30\,\mathrm{cm}$, 표준편차가 $2\,\mathrm{cm}$인 정규분포를 따른다고 한다. 이 연구소에서 토마토 모종을 심은 지 3주가 지났을 때 토마토 줄기 중 임의로 선택한 줄기의 길이가 $27\,\mathrm{cm}$ 이상이고 $32\,\mathrm{cm}$ 이하일 확률을 오른쪽 표준정규분포표를 이용하여 구한 것은? [3점]

z	$P(0 \leq Z \leq z)$
1.0	0.3413
1.5	0.4332
2.0	0.4772
2.5	0.4938

① 0.6826   ② 0.7745   ③ 0.8185

④ 0.9104   ⑤ 0.9270

03

[2010학년도 교육청]

확률변수 X가 정규분포 $N(m, \sigma^2)$을 따를 때, 실수 a, b에 대하여 $P(X < a-3) = P(X > b+2)$가 성립한다. $Y = \dfrac{1}{3}X + 1$일 때, 확률변수 Y의 평균은 51, 분산은 $\dfrac{4}{9}$이다. 이 때, $a+b+\sigma$의 값은? [3점]

① 299   ② 300   ③ 301

④ 302   ⑤ 303

06

[2009학년도 교육청]

한 개의 동전을 400번 던질 때, 앞면이 나온 횟수를 확률변수 X라 하자. $P(X \leq k) = 0.9772$를 만족시키는 상수 k의 값을 오른쪽 표준정규분포표를 이용하여 구하시오. [3점]

z	$P(0 \leq Z \leq z)$
1	0.3413
2	0.4772
3	0.4987

[2010학년도 수능]

연속확률변수 X가 갖는 값의 범위는 $0 \le X \le 4$이고 X의 확률밀도함수의 그래프는 다음과 같다. $100P(0 \le X \le 2)$의 값을 구하시오. [4점]

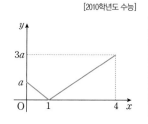

Act ①

확률밀도함수가 정의된 구간에서 그래프와 x축으로 둘러싸인 부분의 넓이는 1임을 이용하여 a의 값을 구한다.

해결의 실마리

연속확률변수 X의 확률밀도함수가 $f(x)$ $(\alpha \le x \le \beta)$일 때 ⇨ $y = f(x)$의 그래프와 x축 및 두 직선 $x = \alpha$, $x = \beta$로 둘러싸인 부분의 넓이는 1이다.

01
[2012학년도 교육청]

연속확률변수 X가 갖는 값의 범위는 $0 \le X \le 10$이고, X의 확률밀도함수의 그래프는 그림과 같다. $P(0 \le X \le a) = \dfrac{2}{5}$일 때, 두 상수 a, b의 합 $a+b$의 값은? [3점]

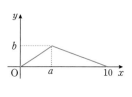

① $\dfrac{21}{5}$ ② $\dfrac{22}{5}$ ③ $\dfrac{23}{5}$ ④ $\dfrac{24}{5}$ ⑤ 5

03
[2008학년도 수능 모의평가]

연속확률변수 X가 갖는 값은 구간 $[0, 4]$의 모든 실수이다. 다음은 확률변수 X에 대하여 $g(x) = P(0 \le X \le x)$를 나타낸 그래프이다. 확률 $P\left(\dfrac{5}{4} \le X \le 4\right)$의 값은? [3점]

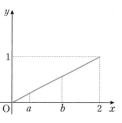

① $\dfrac{1}{4}$ ② $\dfrac{3}{8}$ ③ $\dfrac{1}{2}$ ④ $\dfrac{3}{4}$ ⑤ $\dfrac{7}{8}$

02
[2007학년도 수능 모의평가]

연속확률변수 X가 갖는 값의 범위는 $0 \le X \le 2$이고 확률밀도함수의 그래프는 다음과 같다. 두 양수 a, b에 대하여
$p_1 = P(0 \le X \le a)$,
$p_2 = P(a < X \le b)$,
$p_3 = P(b < X \le 2)$이다. 세 확률 p_1, p_2, p_3이 이 순서로 등차수열을 이루고 $a+b = \dfrac{4}{3}$일 때, b의 값은? (단, $a < b$이다.) [4점]

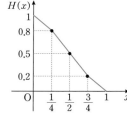

① $\dfrac{11}{12}$ ② 1 ③ $\dfrac{13}{12}$ ④ $\dfrac{7}{6}$ ⑤ $\dfrac{5}{4}$

04
[2008학년도 수능]

두 연속확률변수 X, Y에 대하여 닫힌구간 $[0, 1]$에서 두 함수 $G(x)$, $H(x)$를 각각
$G(x) = P(X > x)$,
$H(x) = P(Y > x)$로 정의할 때, 함수 $G(x)$는 $G(x) = -x+1(0 \le x \le 1)$이고, 함수 $H(x)$의 그래프의 개형은 다음과 같다. $P(X > k) = P\left(\dfrac{1}{4} < Y \le \dfrac{3}{4}\right)$을 만족시키는 k의 값은? [4점]

① $\dfrac{2}{15}$ ② $\dfrac{1}{5}$ ③ $\dfrac{4}{15}$ ④ $\dfrac{1}{3}$ ⑤ $\dfrac{2}{5}$

기출유형 02 확률밀도함수의 식이 주어진 확률의 계산

[2008학년도 수능]

연속확률변수 X가 갖는 값의 범위는 $0 \leq X \leq 3$이고, 확률 $P(X \leq 1)$과 확률 $P(X \leq 2)$의 값이 이차방정식 $6x^2 - 5x + 1 = 0$의 두 근일 때, 확률 $P(1 < X \leq 2)$의 값은? [3점]

① $\dfrac{1}{12}$ ② $\dfrac{1}{6}$ ③ $\dfrac{1}{4}$ ④ $\dfrac{1}{3}$ ⑤ $\dfrac{5}{12}$

Act ①
근과 계수의 관계를 이용하여 $P(X \leq 1)$, $P(X \leq 2)$의 값을 구하고 $P(1 < X \leq 2)$ $= P(0 \leq X \leq 2) - P(0 \leq X \leq 1)$ 임을 이용한다.

해결의 실마리

연속확률변수 X의 확률밀도함수가 $f(x)$ $(\alpha \leq x \leq \beta)$일 때

(1) $P(a \leq X \leq b)$는 $y = f(x)$의 그래프와 x축 및 두 직선 $x = a$, $x = b$로 둘러싸인 부분의 넓이와 같다. (단, $\alpha \leq a \leq b \leq \beta$)

(2) $P(a \leq X \leq b) = P(a \leq X \leq b) - P(a \leq X < a)$ (단, $\alpha \leq a \leq b \leq \beta$)

(3) $f(x) = \begin{cases} g(x) (a \leq x \leq c) \\ h(x) (c \leq x \leq b) \end{cases}$ 꼴로 정의된 확률밀도함수는 구간에 따라 그래프를 그려 본다.

05

확률변수 X의 확률밀도함수 $f(x)$가
$$f(x) = kx \ (0 \leq x \leq 1)$$
일 때, $P\left(\dfrac{1}{2} \leq X \leq 1\right)$의 값은? (단, k는 상수) [3점]

① $\dfrac{1}{2}$ ② $\dfrac{2}{3}$ ③ $\dfrac{3}{4}$

④ $\dfrac{4}{5}$ ⑤ $\dfrac{5}{6}$

06

[2015학년도 수능 모의평가]

구간 $[0, 3]$의 모든 실수값을 가지는 연속확률변수 X에 대하여 $P(x \leq X \leq 3) = a(3 - x)$ $(0 \leq x \leq 3)$이 성립할 때, $P(0 \leq X < a) = \dfrac{q}{p}$이다. $p + q$의 값을 구하시오. (단, a는 상수이고, p와 q는 서로소인 자연수이다.) [4점]

07

[2008학년도 교육청]

연속확률변수 X가 갖는 값은 구간 $[0, 1]$의 모든 실수이다. 구간 $[0, 1]$에서 두 함수 $F(x)$, $G(x)$를
$$F(x) = P(X \geq x), \quad G(x) = P(X \leq x)$$
로 정의할 때, [보기]에서 항상 옳은 것만을 있는 대로 고른 것은? [3점]

보기

ㄱ. $F(0.3) \leq F(0.2)$
ㄴ. $F(0.4) = G(0.6)$
ㄷ. $F(0.2) - F(0.7) = G(0.7) - G(0.2)$

① ㄱ ② ㄴ ③ ㄱ, ㄴ
④ ㄱ, ㄷ ⑤ ㄱ, ㄴ, ㄷ

확률변수 X가 정규분포 $N(10, 2^2)$을 따를 때, $P(t-3 \leq X \leq t+7)$이 최대가 되도록 하는 실수 t의 값은? [3점]

① 6   ② 7   ③ 8   ④ 9   ⑤ 10

> **Act ①**
> 정규분포 $N(10, 2^2)$의 곡선이 직선 $x=10$서 최댓값을 가지므로 $t-3$와 $t+7$의 평균이 10이어야 함을 이용한다.

해결의 실마리

정규분포 곡선에서 대칭축의 방정식은 $x=m$(평균)이고, 표준편차 σ의 값이 클수록 높이는 낮아지고 폭은 넓어진다.

08

확률변수 X가 정규분포 $N(m, 3^2)$을 따를 때, t에 대한 함수 $f(t)=P(t \leq X \leq t+12)$의 최댓값을 주어진 조건을 이용하여 구하면? [3점]

> (가) $P(m-3 \leq X \leq m+3)=0.6826$
> (나) $P(m-6 \leq X \leq m+6)=0.9544$
> (다) $P(m-9 \leq X \leq m+9)=0.9974$

① 0.6826   ② 0.9342   ③ 0.9544

④ 0.9974   ⑤ 0.9987

10

확률변수 X가 정규분포 $N(m, \sigma^2)$을 따를 때, [보기]에서 옳은 것만을 있는 대로 고른 것은? [3점]

> **보기**
> ㄱ. $P(X \leq m)=1-P(X \geq m)$
> ㄴ. $a<b$일 때, $P(a \leq X \leq b)=P(X \leq b)-P(X \leq a)$
> ㄷ. $a<m$일 때, $P(X \geq a)=0.5+(a \leq X \leq m)$

① ㄱ   ② ㄴ   ③ ㄱ, ㄴ

④ ㄴ, ㄷ   ⑤ ㄱ, ㄴ, ㄷ

09

정규분포 $N(a, b^2)$을 따르는 확률변수 X가 다음 두 조건을 모두 만족시킬 때, $a+b$의 값을 구하시오. (단, $b>0$)
[3점]

> (가) $P(X \leq 4)=P(X \geq 16)$
> (나) $V\left(\dfrac{1}{3}X\right)=4$

기출유형 04 정규분포와 표준정규분포의 관계

[2007학년도 교육청]

두 확률변수 X, Y가 각각 정규분포 $N(50, 10^2)$, $N(40, 8^2)$을 따른다고 한다.

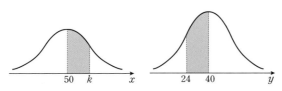

이때 $P(50 \leq X \leq k) = P(24 \leq Y \leq 40)$을 만족시키는 k의 값을 구하시오. [3점]

Act①
두 확률변수 X, Y를 각각 표준화하여 k의 값을 구한다.

해결의 실마리

확률변수 X가 정규분포 $N(m, \sigma^2)$을 따를 때

① 확률변수 $Z = \dfrac{X - m}{\sigma}$은 표준정규분포 $N(0, 1)$을 따른다.

② $P(a \leq X \leq b) = P\left(\dfrac{a - m}{\sigma} \leq Z \leq \dfrac{b - m}{\sigma}\right)$

11

[2003학년도 수능 모의평가]

확률변수 X와 Y는 각각 정규분포 $N(0, 1^2)$과 $N(1, 2^2)$을 따르고, 확률 a, b, c는 다음과 같다.

$a = P(-1 < X < 1)$
$b = P(1 < Y < 5)$
$c = P(-5 < Y < -1)$

이때 a, b, c의 대소 관계는? [3점]

① $a = b = c$ ② $b = c < a$ ③ $a < b < c$
④ $b < a < c$ ⑤ $c < b < a$

12

확률변수 X와 Y가 평균이 0이고 표준편차가 각각 a와 b인 정규분포를 따를 때, [보기]에서 옳은 것을 모두 고른 것은? [4점]

보기

ㄱ. $P(1 \leq X \leq 2) = P(2 \leq X \leq 3)$
ㄴ. $P(-a \leq X \leq 0) = P(0 \leq Y \leq b)$
ㄷ. $P(-1 \leq X \leq 1) = P(-2 \leq Y \leq 2)$이면 $a < b$이다.

① ㄴ   ② ㄱ, ㄴ   ③ ㄱ, ㄷ
④ ㄴ, ㄷ   ⑤ ㄱ, ㄴ, ㄷ

[2020학년도 수능 모의평가]

확률 변수 X가 평균이 m, 표준편차가 $\dfrac{m}{3}$인 정규분포를 따르고

$$P\left(X \le \dfrac{9}{2}\right) = 0.9987$$

일 때, 오른쪽 표준정규분포표를 이용하여 m의 값을 구한 것은? [3점]

① $\dfrac{3}{2}$ ② $\dfrac{7}{4}$ ③ 2

④ $\dfrac{9}{4}$ ⑤ $\dfrac{5}{2}$

z	$P(0 \le Z \le z)$
1.5	0.4332
2.0	0.4772
2.5	0.4938
3.0	0.4987

Act ①

확률변수 X를 $Z = \dfrac{X-m}{\sigma}$으로 표준화하여 주어진 확률을 Z에 대한 확률로 나타낸 후 표에서 이를 만족시키는 값을 찾는다.

해결의 실마리

(1) 확률변수 X가 정규분포 $N(m, \sigma^2)$을 따를 때 확률변수 X를 $Z = \dfrac{X-m}{\sigma}$으로 표준화한다.

(2) 확률변수 Z가 표준정규분포 $N(0, 1)$을 따르는 확률변수임을 이용하여 표준정규분포표로부터 확률을 구한다.

13

[2018학년도 교육청]

두 연속확률변수 X와 Y는 각각 정규분포을 $N(50, \sigma^2)$, $N(65, 4\sigma^2)$ 따른다.

$$P(X \ge k) = P(Y \le k) = 0.1056$$

일 때, $k+\sigma$의 값을 오른쪽 표준정규분포표를 이용하여 구하시오.

[4점]

z	$P(0 \le Z \le z)$
1.25	0.3944
1.50	0.4332
1.75	0.4599
2.00	0.4772

14

[2017학년도 수능]

확률변수 X는 평균이 m, 표준편차가 5인 정규분포를 따르고, 확률변수 X의 확률밀도함수 $f(x)$가 다음 조건을 만족시킨다.

(가) $f(10) > f(20)$
(나) $f(4) < f(22)$

m이 자연수일 때, $P(17 \le X \le 18) = a$이다. $1000a$의 값을 오른쪽 정규분포표를 이용하여 구하시오. [4점]

z	$P(0 \le Z \le z)$
0.6	0.226
0.8	0.288
1.0	0.341
1.2	0.385
1.4	0.419

기출유형 06 정규분포의 실생활에서의 활용

[2019학년도 교육청]

어느 공장에서 생산하는 전기 자동차 배터리 1개의 용량은 평균이 64.2, 표준편차가 0.4인 정규분포를 따른다고 한다. 이 공장에서 생산한 전기 자동차 배터리 중 임의로 1개를 선택할 때, 이 배터리의 용량이 65 이상일 확률을 오른쪽 표준정규분포표를 이용하여 구한 것은? (단, 전기 자동차 배터리 용량의 단위는 kWh이다.) [3점]

z	$P(0 \le Z \le z)$
1.0	0.3413
1.5	0.4332
2.0	0.4772
2.5	0.4938

Act❶

전기 자동차 배터리 1개의 용량을 확률변수 X로 놓고 정규분포를 구한 다음 X를 표준화한다.

① 0.0062   ② 0.0228   ③ 0.0668
④ 0.1587   ⑤ 0.3085

해결의 실마리

정규분포를 따르는 실생활 문제와 표준정규분포표가 제시되었을 때

(1) 문제에 주어진 자료의 값을 확률변수 X라 하고 평균 m, 표준편차 σ를 확인한다.

(2) 확률변수 X가 정규분포 $N(m, \sigma^2)$을 따를 때 확률변수 X를 $Z = \dfrac{X-m}{\sigma}$으로 표준화한다.

(3) 확률변수 Z가 표준정규분포 $N(0, 1)$을 따르는 확률변수임을 이용하여 표준정규분포표로부터 확률을 구한다.

15

[2017학년도 수능 모의평가]

어느 공항에서 처리되는 각 수하물의 무게는 평균이 18 kg, 표준편차가 2 kg인 정규분포를 따른다고 한다. 이 공항에서 처리되는 수하물 중에서 임의로 한 개를 선택할 때, 이 수하물의 무게가 16 kg 이상이고 22 kg 이하일 확률을 오른쪽 표준정규분포표를 이용하여 구한 것은? [4점]

z	$P(0 \le Z \le z)$
0.5	0.1915
1.0	0.3413
1.5	0.4332
2.0	0.4772

① 0.5328   ② 0.6247   ③ 0.7745
④ 0.8185   ⑤ 0.9104

16

[2015학년도 수능]

어느 공장에서 생산되는 과자 1봉지의 무게는 평균이 75 g, 표준편차가 2 g인 정규분포를 따른다고 한다. 이 공장에서 생산된 과자 중 임의로 선택한 과자 1봉지의 무게가 76 g 이상이고 78 g 이하일 확률을 오른쪽 표준정규분포표를 이용하여 구한 것은? [3점]

z	$P(0 \le Z \le z)$
0.5	0.1915
1.0	0.3413
1.5	0.4332
2.0	0.4772

① 0.0440   ② 0.0919   ③ 0.1359
④ 0.1498   ⑤ 0.2417

한 개의 동전을 100번 던질 때, 앞면이 40번 이상 65번 이하로 나올 확률을 오른쪽 표준정규분포표를 이용하여 구한 것은? [3점]

① 0.8413   ② 0.9722   ③ 0.9759

④ 0.9974   ⑤ 0.9987

z	$P(0 \le Z \le z)$
1.0	0.3413
2.0	0.4772
3.0	0.4987

Act ❶

앞면이 나오는 횟수를 확률변수 X로 놓고, X가 따르는 이항분포 $B(n, p)$를 찾은 후 근사적으로 따르는 정규분포 $N(np, np(1-p))$를 구한다.

해결의 실마리

확률변수 X가 이항분포 $B(n, p)$를 따르고 n이 충분히 클 때,

⇨ X는 근사적으로 정규분포 $N(np, npq)$ (단, $q = 1-p$)를 따르므로 X를 표준화하여 확률을 구한다.

17

확률변수 X의 확률질량함수가

$P(X=x) = {}_{100}C_x \left(\dfrac{1}{2} \right)^{100}$ $(x = 0, 1, 2, \cdots, 100)$일 때,

$P(45 \le X \le 60)$의 값은? (단, $P(0 \le Z \le 1) = 0.3413$, $P(0 \le Z \le 2) = 0.4772$) [3점]

① 0.5328   ② 0.6247   ③ 0.7745

④ 0.8185   ⑤ 0.9104

19

[2005학년도 교육청]

어떤 해운회사의 통계자료에 의하면 예약고객 10명 중 8명의 비율로 승선한다고 한다. 정원이 340명인 여객선의 예약고객이 400명일 때, 승선한 고객이 예약고객만으로 정원을 초과하지 않을 확률을 표준정규분포표를 이용하여 구하면?

[3점]

z	$P(0 \le Z \le z)$
2.1	0.4821
2.2	0.4861
2.3	0.4893
2.4	0.4918
2.5	0.4938

① 0.9938   ② 0.9918   ③ 0.9893

④ 0.9861   ⑤ 0.9821

18

어느 렌트카 회사를 방문하는 고객이 실제로 자동차를 빌릴 확률은 50%라고 한다. 어느 연휴 기간에 400명의 고객이 이 렌트카 회사를 방문한다고 할 때, 그 중 렌트를 희망하는 고객에게 자동차를 빌려줄 수 있는 확률이 95% 이상이 되게 하려고 한다. 이때 이 회사는 자동차를 적어도 몇 대 준비해야 하는가? (단, $P(0 \le Z \le 1.65) = 0.45$)

[3점]

① 211대   ② 214대   ③ 217대

④ 220대   ⑤ 223대

Very Important Test

01

연속확률변수 X가 갖는 값의 범위는 $0 \le X \le 5$이고, 확률변수 X의 확률밀도함수의 그래프가 그림과 같을 때, $\mathrm{P}(0 \le X \le 3)$의 값은? [3점]

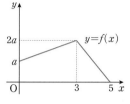

① $\dfrac{7}{13}$ ② $\dfrac{8}{13}$ ③ $\dfrac{9}{13}$ ④ $\dfrac{10}{13}$ ⑤ $\dfrac{11}{13}$

02

연속확률변수 X의 확률밀도함수 $f(x)\,(-2 \le x \le a)$의 그래프가 그림과 같다.

$\mathrm{P}(-2 \le X \le -a) = \dfrac{b}{4}$일 때, 확률 $\mathrm{P}\!\left(0 \le X \le \dfrac{a}{2}\right)$의 값은? (단, a, b는 양수) [3점]

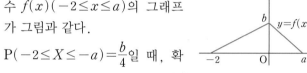

① $\dfrac{1}{4}$ ② $\dfrac{3}{8}$ ③ $\dfrac{1}{2}$ ④ $\dfrac{3}{4}$ ⑤ $\dfrac{7}{8}$

03

두 연속확률변수 X, Y에 대하여 $0 \le x \le 1$에서 두 함수 $G(x)$, $H(x)$를 각각 $G(x) = \mathrm{P}(X \le x)$, $H(x) = \mathrm{P}(Y \ge x)$라 할 때, 함수 $G(x)$는 $G(x) = x\,(0 \le x \le 1)$이고 함수 $y = H(x)$의 그래프는 그림과 같다. 이때 $\mathrm{P}(X \le k) = \mathrm{P}\!\left(\dfrac{1}{2} \le Y \le \dfrac{3}{4}\right)$을 만족시키는 상수 k의 값은? [4점]

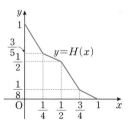

① $\dfrac{1}{4}$ ② $\dfrac{3}{8}$ ③ $\dfrac{1}{2}$ ④ $\dfrac{3}{4}$ ⑤ $\dfrac{7}{8}$

04

연속확률변수 X의 확률밀도함수 $f(x)$가
$$f(x) = a(x+2)\ (a > 0,\ -1 \le x \le 5)$$
이다. $\mathrm{P}(1 \le X \le b) = \dfrac{1}{3}$일 때, 양수 b의 값을 구하시오. (단, $b > 1$) [3점]

05

확률변수 X가 정규분포 $\mathrm{N}(26,\ 2^2)$을 따를 때, $\mathrm{P}(X \le a) = \mathrm{P}(X \ge 20)$을 만족시키는 상수 a의 값은? [3점]

① 32 ② 33 ③ 34
④ 35 ⑤ 36

06

확률변수 X가 정규분포 $\mathrm{N}(m,\ \sigma^2)$을 따른다. $m = 10$, $\sigma = \dfrac{1}{2}$일 때, $\mathrm{P}(10.5 \le X \le 11.5)$의 값을 오른쪽 표를 이용하여 구한 것은? [3점]

x	$\mathrm{P}(m \le X \le x)$
$m+\sigma$	0.3413
$m+2\sigma$	0.4772
$m+3\sigma$	0.4987

① 0.0215 ② 0.1359 ③ 0.1574
④ 0.3413 ⑤ 0.4772

07

확률변수 X가 정규분포 $N(78,\ \sigma^2)$을 따를 때, $P(X\le 90)=0.9772$를 만족시키는 양수 σ의 값을 오른쪽 표준정규분포표를 이용하여 구한 것은? [3점]

z	$P(0\le Z\le z)$
0.5	0.1915
1.0	0.3413
1.5	0.4332
2.0	0.4772

① 5   ② 6
③ 7   ④ 8   ⑤ 9

08

어느 회사에서 생산되는 음료 한 개의 용량은 평균이 $250\,\text{mL}$, 표준편차가 $5\,\text{mL}$인 정규분포를 따른다고 한다. 이 회사에서는 음료의 용량이 $240\,\text{mL}$ 이하이거나 $255\,\text{mL}$

z	$P(0\le Z\le z)$
1.0	0.3413
1.5	0.4332
2.0	0.4772

이상인 경우 불량품으로 판정한다고 한다. 이 회사에서 생산되는 음료 중에서 임의로 한 개를 선택할 때, 그 제품이 불량품으로 판정될 확률을 오른쪽 표준정규분포표를 이용하여 구한 것은? [4점]

① 0.0228   ② 0.0456   ③ 0.0896
④ 0.1336   ⑤ 0.1815

09

어떤 회사에서 만드는 건전지 1개의 수명은 표준편차가 12시간인 정규분포를 따른다고 한다. 이 회사에서 생산된 건전지 중 임의로 선택한 건전지의 수명이 354시간 이상일 확률이 0.0228이다. 이 회사에서 생산된 건전지 중 임의로 선택한 한 건전지의 수명이 312시간 이상 336시간 이하일 확률을 오른쪽 표준정규분포표를 이용하여 구한 것은? [4점]

z	$P(0\le Z\le z)$
0.5	0.1915
1.0	0.3413
1.5	0.4332
2.0	0.4772

① 0.5328   ② 0.6247   ③ 0.7745
④ 0.8185   ⑤ 0.9104

10

두 확률변수 $X,\ Y$가 각각 정규분포 $N(31,\ 3^2)$, $N(49,\ 6^2)$을 따를 때, $P(X\ge 25)+P(Y\le a)=1$을 만족시키는 상수 a의 값은? [4점]

① 34   ② 37   ③ 40
④ 43   ⑤ 46

11

다음 중 ${}_{48}C_0\left(\frac{3}{4}\right)^{48}+{}_{48}C_1\left(\frac{1}{4}\right)\left(\frac{3}{4}\right)^{47}+\cdots+{}_{48}C_{21}\left(\frac{1}{4}\right)^{21}\left(\frac{3}{4}\right)^{27}$ 에 가장 가까운 값은? (단, $P(0\le Z\le 3)=0.4987$) [4점]

① 0.9987   ② 0.8813   ③ 0.8185
④ 0.1587   ⑤ 0.0023

12

확률변수 X가 이항분포 $B\left(n, \dfrac{5}{6}\right)$ 를 따르고, $\sigma(X)=5$일 때, $P(145 \le X \le 160)$의 값을 오른쪽 표준정규분포표를 이용하여 구한 것은? [3점]

z	$P(0 \le Z \le z)$
1.0	0.3413
1.5	0.4332
2.0	0.4772
2.5	0.4938

① 0.5328 ② 0.6247 ③ 0.7745
④ 0.8185 ⑤ 0.9104

13

어느 휴대폰 수리 센터에서 하루에 수리할 수 있는 휴대폰의 수는 348 대이다. 어느 날 휴대폰을 수리하 겠다고 예약한 손님이 400명이었 고, 각각의 손님이 휴대폰 수리 예 약을 취소할 확률은 10%라고 한 다. 이날 예약을 하고 휴대폰을 수리하러 온 손님 모두 휴대폰을 수리할 수 있을 확률을 오른쪽 표준정규분포표 를 이용하여 구한 것은? [4점]

z	$P(0 \le Z \le z)$
0.5	0.1915
1.0	0.3413
1.5	0.4332
2.0	0.4772

① 0.0142 ② 0.0191 ③ 0.0228
④ 0.0341 ⑤ 0.0492

친절한 해설 55쪽

 level up

14

연속확률변수 X가 갖는 값의 범 위는 $0 \le X \le 4a$ $(a>0)$이고 X 의 확률밀도함수의 그래프는 그 림과 같다. $P(a \le X \le 2b)=\dfrac{5}{12}$ 일 때, 두 상수 a, b에 대하여 $4ab^2$의 값을 구하시오. (단, $a<2b<4a$) [4점]

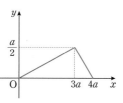

15

어느 회사에서 생산하는 제품 A의 무게는 평균 1000, 표 준편차가 5인 정규분포를 따르고, 제품 B의 무게는 평균 800, 표준편차가 6인 정규분포를 따른다. 이 회사에서 생산하는 제품 A 중에서 임의로 택한 1개의 무게가 1010 이하일 확률과 이 회사에서 생산하는 제품 B 중에서 임의 로 택한 1개의 무게가 k 이상일 확률이 서로 같을 때, 상 수 k의 값을 구하시오. [4점]

10 통계적 추정

참 중요한학습 point

 기출 best

best 1 표본평균의 평균, 분산, 표준편차

best 2 표본평균의 확률

best 3 모평균의 추정

 기출 분석

최근에 거의 매년 출제되는 유형으로 표본평균의 평균, 분산, 표준편차, 모평균과 모표준편차가 주어진 표본평균의 확률, 모평균의 추정, 신뢰구간에 대한 문제가 출제된다. 난이도는 높지만 매년 같은 패턴의 문제가 출제되므로 연습을 충분히 해야 한다.

level up

· 표본평균의 확률
· 모평균의 추정

중요개념

1. 모집단과 표본
(1) 모집단 : 통계 조사에서 조사의 대상이 되는 집단 전체
(2) 표본 : 모집단에서 뽑은 일부분
(3) 임의추출 : 모집단의 각 대상이 표본에 포함될 확률이 모두 같도록 표본을 추출하는 방법
(4) 복원추출과 비복원추출 : 모집단에서 표본을 추출할 때, 한 번 추출된 자료를 다시 되돌려 놓은 후 다음 자료를 추출하는 것을 복원추출, 되돌려 놓지 않고 다음 자료를 추출하는 것을 비복원추출이라 한다.

2. 모평균과 표본평균
(1) 모평균, 모분산, 모표준편차 : 모집단에서 조사하고자 하는 특성을 나타내는 확률변수를 X라 할 때, X의 평균, 분산, 표준편차를 각각 모평균, 모분산, 모표준편차라 하고, 이것을 기호로 각각 m, σ^2, σ와 같이 나타낸다.
(2) 표본평균, 표본분산, 표본표준편차 : 모집단에서 임의추출한 크기가 n인 표본을 X_1, X_2, $\cdots$, X_n이라 할 때, 이들의 평균, 분산, 표준편차를 각각 표본평균, 표본분산, 표본표준편차라 하고, 이것을 기호로 각각 $\overline{X}$, S^2, S와 같이 나타낸다.

① $\overline{X} = \dfrac{1}{n}(X_1 + X_2 + \cdots + X_n)$

② $S^2 = \dfrac{1}{n-1}\{(X_1 - \overline{X})^2 + (X_2 - \overline{X})^2 + \cdots + (X_n - \overline{X})^2\}$

③ $S = \sqrt{S^2}$

참고 표본분산을 정의할 때는 모분산을 정의할 때와는 달리 편차의 제곱의 합을 $n-1$로 나눈다.

3. 표본평균 $\overline{X}$의 분포
(1) 표본평균의 평균, 분산, 표준편차
모평균이 m, 모분산이 σ^2인 모집단에서 크기가 n인 표본을 임의추출할 때, 표본평균 $\overline{X}$에 대하여 다음이 성립한다.

$$\mathrm{E}(\overline{X}) = m, \quad \mathrm{V}(\overline{X}) = \dfrac{\sigma^2}{n}, \quad \sigma(\overline{X}) = \dfrac{\sigma}{\sqrt{n}}$$

(2) 모집단이 정규분포 $\mathrm{N}(m, \sigma^2)$을 따르면 표본평균 $\overline{X}$는 정규분포 $\mathrm{N}\left(m, \dfrac{\sigma^2}{n}\right)$을 따른다.

(3) 모집단의 분포가 정규분포가 아닐 때도 표본의 크기 n이 충분히 크면 $\overline{X}$는 근사적으로 정규분포 $\mathrm{N}\left(m, \dfrac{\sigma^2}{n}\right)$을 따른다.

참고 보통 $n \geq 30$이면 충분히 큰 것으로 보며, 특별한 언급이 없는 한 모집단의 크기는 충분히 큰 것으로 생각한다.

4. 모평균의 추정과 신뢰구간
(1) 추정 : 표본에서 얻은 정보를 이용하여 모집단의 특성을 나타내는 값인 모평균, 모표준편차 등을 추측하는 것을 추정이라 한다.

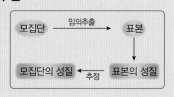

(2) 모평균 m의 신뢰구간
정규분포 $\mathrm{N}(m, \sigma^2)$을 따르는 모집단에서 크기가 n인 표본을 임의추출할 때, 표본평균 $\overline{X}$의 값 $\overline{x}$에 대하여 모평균 m의 신뢰도 α%인 신뢰구간은

$$\overline{x} - k\dfrac{\sigma}{\sqrt{n}} \leq m \leq \overline{x} + k\dfrac{\sigma}{\sqrt{n}} \text{이다.} \left(\text{단, } \mathrm{P}(|Z| \leq k) = \dfrac{\alpha}{100}\right)$$

① 신뢰도 95%인 신뢰구간:
$$\overline{x} - 1.96\dfrac{\sigma}{\sqrt{n}} \leq m \leq \overline{x} + 1.96\dfrac{\sigma}{\sqrt{n}}$$

② 신뢰도 99%인 신뢰구간:
$$\overline{x} - 2.58\dfrac{\sigma}{\sqrt{n}} \leq m \leq \overline{x} + 2.58\dfrac{\sigma}{\sqrt{n}}$$

참고 모평균의 신뢰구간을 구할 때 모표준편차 σ의 값을 알 수 없는 경우 표본의 크기 n이 충분히 크면($n \geq 30$) 모표준편차 대신 표본표준편차를 사용할 수 있다.

중요개념문제

01
[2016학년도 수능]

모표준편차가 14인 모집단에서 크기가 n인 표본을 임의추출하여 구한 표본평균을 $\overline{X}$라 하자. $\sigma(\overline{X})=2$일 때, n의 값은? [3점]

① 9   ② 16   ③ 25

④ 36   ⑤ 49

02
[2011학년도 수능 모의평가]

다음은 어느 모집단의 확률분포표이다.

X	-2	0	1	합계
$P(X=x)$	$\frac{1}{4}$	a	$\frac{1}{2}$	1

이 모집단에서 크기가 16인 표본을 임의추출할 때, 표본평균 $\overline{X}$의 표준편차는? (단, a는 상수이다.) [3점]

① $\frac{\sqrt{6}}{8}$ ② $\frac{\sqrt{6}}{6}$ ③ $\frac{\sqrt{6}}{4}$

④ $\frac{\sqrt{6}}{2}$ ⑤ $\sqrt{6}$

03
[2016학년도 교육청]

어느 항공편 탑승객들의 1인당 수하물 무게는 평균이 15kg, 표준편차가 4kg인 정규분포를 따른다고 한다. 이 항공편 탑승객들을 대상으로 16명을 임의추출하여 조사한 1인당 수하물 무게의 평균이 17kg 이상일 확률을 오른쪽 표준정규분포표를 이용하여 구한 것은? [3점]

z	$P(0 \leq Z \leq z)$
0.5	0.1915
1.0	0.3413
1.5	0.4332
2.0	0.4772

① 0.0228   ② 0.0668   ③ 0.1587

④ 0.3085   ⑤ 0.3413

04
[2014학년도 수능]

어느 약품 회사가 생산하는 약품 1병의 용량은 평균이 m, 표준편차가 10인 정규분포를 따른다고 한다. 이 회사가 생산한 약품 중에서 임의로 추출한 25병의 용량의 표본평균이 2000 이상일 확률이 0.9772일 때, m의 값을 오른쪽 표준정규분포표를 이용하여 구한 것은? (단, 용량의 단위는 mL이다.) [3점]

z	$P(0 \leq Z \leq z)$
1.5	0.4332
2.0	0.4772
2.5	0.4938
3.0	0.4987

① 2003   ② 2004   ③ 2005

④ 2006   ⑤ 2007

05
[2019학년도 수능]

어느 마을에서 수확하는 수박의 무게는 평균이 m kg, 표준편차가 1.4kg인 정규분포를 따른다고 한다. 이 마을에서 수확한 수박 중에서 49개를 임의추출하여 얻은 표본평균을 이용하여, 이 마을에서 수확하는 수박의 무게의 평균 m에 대한 신뢰도 95%의 신뢰구간을 구하면 $a \leq m \leq 7.992$다. a의 값은? (단, Z가 표준정규분포를 따르는 확률변수일 때, $P(|Z| \leq 1.96)=0.95$로 계산한다.) [3점]

① 7.198   ② 7.208   ③ 7.218

④ 7.228   ⑤ 7.238

06
[2016학년도 수능 모의평가]

어느 회사 직원들의 하루 여가 활동 시간은 모평균이 m, 모표준편차가 10인 정규분포를 따른다고 한다. 이 회사 직원 중 n명을 임의추출하여 신뢰도 95%로 추정한 모평균 m에 대한 신뢰구간이 [38.08, 45.92]일 때, n의 값은? (단, 시간의 단위는 분이고, Z가 표준정규분포를 따르는 확률변수일 때 $P(0 \leq Z \leq 1.96)=0.475$로 계산한다.) [3점]

① 25   ② 36   ③ 49

④ 64   ⑤ 81

어느 모집단의 확률분포를 표로 나타내면 다음과 같다. 이 모집단에서 크기가 2인 표본을 복원추출하여 구한 표본평균을 $\overline{X}$라 할 때, $P(\overline{X}=4)$의 값은? [3점]

X	3	4	5	합계
$P(X=x)$	$\dfrac{1}{2}$	$\dfrac{1}{3}$	$\dfrac{1}{6}$	1

① $\dfrac{5}{18}$ ② $\dfrac{11}{36}$ ③ $\dfrac{1}{3}$ ④ $\dfrac{13}{36}$ ⑤ $\dfrac{7}{18}$

Act ①

모집단에서 추출한 크기가 2인 표본을 (X_1, X_2)라 할 때, $\overline{X}=\dfrac{X_1+X_2}{2}=4$를 만족시키는 경우를 찾아 $P(\overline{X}=4)$를 구한다.

해결의 실마리

(1) 모집단에서 임의추출한 크기가 n인 표본을 X_1, X_2, $\cdots$, X_n이라 할 때, 표본평균 $\overline{X}$는 $\Rightarrow \overline{X}=\dfrac{1}{n}(X_1+X_2+\cdots+X_n)$

(2) 모평균이 m, 모분산이 σ^2인 모집단에서 크기가 n인 표본을 임의추출할 때, 표본평균 $\overline{X}$에 대하여

① $E(\overline{X})=m$ ② $V(\overline{X})=\dfrac{\sigma^2}{n}$ ③ $\sigma(\overline{X})=\dfrac{\sigma}{\sqrt{n}}$

01

[2015학년도 교육청]

주머니 속에 1의 숫자가 적혀 있는 공 1개, 3의 숫자가 적혀 있는 공 n개가 들어 있다. 이 주머니에서 임의로 1개의 공을 꺼내어 공에 적혀 있는 수를 확인한 후 다시 넣는다. 이와 같은 시행을 2번 반복하여 얻은 두 수의 평균을 $\overline{X}$라 하자. $P(\overline{X}=1)=\dfrac{1}{49}$일 때, $E(\overline{X})=\dfrac{q}{p}$이다. $p+q$의 값을 구하시오. (단, p와 q는 서로소인 자연수이다.) [4점]

02

어느 모집단의 확률변수 X의 확률분포가 다음 표와 같다.

X	0	2	4	합계
$P(X=x)$	$\dfrac{1}{4}$	a	b	1

$E(X^2)=6$일 때, 이 모집단에서 임의추출한 크기가 16인 표본의 표본평균 $\overline{X}$에 대하여 $V(\overline{X})$의 값은? [3점]

① $\dfrac{1}{30}$ ② $\dfrac{1}{20}$ ③ $\dfrac{1}{15}$

④ $\dfrac{1}{12}$ ⑤ $\dfrac{1}{8}$

03

[2006학년도 수능]

다음은 어떤 모집단의 확률분포표이다.

X	1	2	3	합계
$P(X)$	0.5	0.3	0.2	1

이 모집단에서 크기 2인 표본을 복원추출할 때, 표본평균 $\overline{X}$의 확률분포표는 다음과 같다.

$\overline{X}$	1	1.5	2	2.5	3
도수	1	a	b	2	1
$P(\overline{X})$	0.25	c	d	0.12	0.04

이때 $100(b+c)$의 값을 구하시오. [4점]

기출유형 02 표본평균 $\overline{X}$의 확률

세계핸드볼연맹에서 공인한 여자 일반부용 핸드볼 공을 생산하는 회사가 있다. 이 회사에서 생산된 핸드볼 공의 무게는 평균 350g, 표준편차 16g인 정규분포를 따른다고 한다. 이 회사는 일정한 기간 동안 생산된 핸드볼 공 중에서 임의로 추출된 핸드볼 공 64개의 무게의 평균이 346g 이하이거나 355g 이상이면 생산 공정에 문제가 있다고 판단한다. 이 회사에서 생산 공정에 문제가 있다고 판단할 확률을 오른쪽 표준정규분포 표를 이용하여 구한 것은? [3점]

[2009학년도 수능]

z	$P(0 \le Z \le z)$
2.00	0.4772
2.25	0.4878
2.50	0.4938
2.75	0.4970

Act ①

표본평균 $\overline{X}$가 따르는 정규분포 $N\left(m, \dfrac{\sigma^2}{n}\right)$을 구하고

$Z = \dfrac{\overline{X} - m}{\frac{\sigma}{\sqrt{n}}}$으로 표준화하여

확률을 구한다.

① 0.0290   ② 0.0258   ③ 0.0184   ④ 0.0152   ⑤ 0.0092

해결의 실마리

정규분포 $N(m, \sigma^2)$을 따르는 모집단에서 크기가 n인 표본을 임의추출하면 표본평균 $\overline{X}$는 정규분포 $N\left(m, \dfrac{\sigma^2}{n}\right)$을 따른다.

04

[2016학년도 수능]

정규분포 $N(50, 8^2)$을 따르는 모집단에서 크기가 16인 표본을 임의추출하여 구한 표본평균을 $\overline{X}$, 정규분포 $N(75, \sigma^2)$을 따르는 모집단에서 크기가 25인 표본을 임의추출하여 구한 표본평균을 $\overline{Y}$라 하자. $P(\overline{X} \le 53) + P(\overline{Y} \le 69) = 1$일 때, $P(\overline{Y} \ge 71)$의 값을 오른쪽 표준정규분포표를 이용하여 구한 것은? [4점]

z	$P(0 \le Z \le z)$
1.0	0.3413
1.2	0.3849
1.4	0.4192
1.6	0.4452

① 0.8413   ② 0.8644   ③ 0.8849
④ 0.9192   ⑤ 0.9452

05

[2013학년도 수능 모의평가]

정규분포 $N(10, 2^2)$을 따르는 모집단에서 임의추출한 크기 n인 표본의 표본평균을 $\overline{X}$, 표준정규분포를 따르는 확률변수를 Z라 하자. 옳은 것만을 [보기]에서 있는 대로 고른 것은? (단, a, b는 상수이다.) [4점]

보기

ㄱ. $V(\overline{X}) = \dfrac{4}{n}$

ㄴ. $P(\overline{X} \le 10 - a) = P(\overline{X} \ge 10 + a)$

ㄷ. $P(\overline{X} \ge a) = P(Z \le b)$이면 $a + \dfrac{2}{\sqrt{n}}b = 10$이다.

① ㄱ   ② ㄴ   ③ ㄱ, ㄷ
④ ㄴ, ㄷ   ⑤ ㄱ, ㄴ, ㄷ

어느 농장에서 재배하는 고구마 1개의 무게는 평균이 230g, 표준편차가 30g인 정규분포를 따른다고 한다. 이 농장의 고구마 중에서 임의추출한 100개의 무게의 표본평균을 $\overline{X}$라 할 때, $P(\overline{X}\geq k)=0.02$인 상수 k의 값을 오른쪽 표준정규분포표를 이용하여 구한 것은? [3점]

① 224   ② 230   ③ 236

④ 242   ⑤ 248

z	$P(0\leq Z\leq z)$
1.0	0.34
1.5	0.43
2.0	0.48
2.5	0.49

Act❶
표본평균 $\overline{X}$가 따르는 정규분포 $N\left(m, \dfrac{\sigma^2}{n}\right)$을 구하고 $Z=\dfrac{\overline{X}-m}{\frac{\sigma}{\sqrt{n}}}$으로 표준화하여 주어진 확률을 만족시키는 k의 값을 구한다.

해결의 실마리

표본평균 $\overline{X}$의 확률을 만족시키는 표본의 크기

⇨ 표본평균 $\overline{X}$가 따르는 정규분포 $N\left(m, \dfrac{\sigma^2}{n}\right)$을 구하고 $Z=\dfrac{\overline{X}-m}{\frac{\sigma}{\sqrt{n}}}$으로 표준화하여 주어진 확률을 만족시키는 미지수의 값을 구한다.

06
[2009학년도 교육청]

어느 공장에서 생산되는 농구공 무게는 평균이 600g, 표준편차가 20g인 정규분포를 따른다고 한다. 이 공장에서 생산된 농구공 n개를 임의추출하여 무게를 달아 보았을 때, 평균이 595g이상 610g이하일 확률이 0.8185이다. n의 값은? [3점]

z	$P(0\leq Z\leq z)$
1.0	0.3413
1.5	0.4332
2.0	0.4772

① 16   ② 25   ③ 36

④ 49   ⑤ 64

07
[2006학년도 수능 모의평가]

어느 과자 공장에서 생산하는 과자 A의 무게는 평균 800g, 표준편차 14g인 정규분포를 따른다고 한다. 이 공장에서는 생산 시스템의 이상 여부를 점검하기 위하여 하루에 생산된 과자 A 중에서 크기가 49인 임의표본을 추출하여 과자의 무게에 대한 표본평균 $\overline{X}$를 계산한다. $\overline{X}$가 상수 c보다 작으면 생산 시스템에 이상이 있는 것으로 판단하고 생산시스템을 점검한다. 이 공장에서 생산 시스템에 이상이 있다고 판단될 확률이 0.02라고 할 때, 오른쪽 표준정규분포표를 이용하여 구한 상수 c의 값은? [4점]

z	$P(0\leq Z\leq z)$
1.88	0.47
2.05	0.48
2.33	0.49

① 771.3   ② 784.7   ③ 787.1

④ 791.5   ⑤ 795.9

기출유형 04 모평균의 추정

[2008학년도 수능]

어느 공장에서 생산되는 탁구공을 일정한 높이에서 강철바닥에 떨어뜨렸을 때 탁구공이 튀어 오른 높이는 정규분포를 따른다고 한다. 이 공장에서 생산된 탁구공 중 임의추출한 100개에 대하여 튀어 오른 높이를 측정하였더니 평균이 245, 표준편차가 20이었다. 이 공장에서 생산되는 탁구공 전체의 튀어 오른 높이의 평균에 대한 신뢰도 95%의 신뢰구간에 속하는 정수의 개수는? (단, 높이의 단위는 mm이고, Z가 표준정규분포를 따를 때 $P(0 \leq Z \leq 1.96) = 0.4750$ 이다.) [3점]

① 5   ② 6   ③ 7   ④ 8   ⑤ 9

Act ①

모평균 m의 신뢰도 a%인 신뢰 구간은

$$\overline{x} - k\frac{\sigma}{\sqrt{n}} \leq m \leq \overline{x} + k\frac{\sigma}{\sqrt{n}}$$

$\left(\text{단, } P(|Z| \leq k) = \dfrac{a}{100}\right)$ 임을 이용한다.

해결의 실마리

정규분포 $N(m, \sigma^2)$을 따르는 모집단에서 임의추출한 크기가 n인 표본의 표본평균 $\overline{X}$의 값이 $\overline{x}$일 때, 모평균 m의 신뢰도 a%인 신뢰구간은

$$\Rightarrow \overline{x} - k\frac{\sigma}{\sqrt{n}} \leq m \leq \overline{x} + k\frac{\sigma}{\sqrt{n}} \left(\text{단, } P(|Z| \leq k) = \frac{a}{100}\right)$$

08

[2018학년도 수능 모의평가]

어느 회사에서 생산하는 초콜릿 한 개의 무게는 평균이 m, 표준편차가 σ인 정규분포를 따른다고 한다. 이 회사에서 생산하는 초콜릿 중에서 임의추출한 크기가 49인 표본을 조사하였더니 초콜릿 무게의 표본평균의 값이 $\overline{x}$이었다. 이 결과를 이용하여, 이 회사에서 생산하는 초콜릿 한 개의 무게의 평균 m에 대한 신뢰도 95%의 신뢰구간을 구하면 $1.73 \leq m \leq 1.87$이다. $\dfrac{\sigma}{x} = k$일 때, $180k$의 값을 구하시오. (단, 무게의 단위는 g이고, Z가 표준정규분포를 따르는 확률변수일 때, $P(0 \leq Z \leq 1.96) = 0.475$로 계산한다.) [4점]

09

[2019학년도 수능 모의평가]

어느 고등학교 학생들의 1개월 자율학습실 이용 시간은 평균이 m, 표준편차가 5인 정규분포를 따른다고 한다. 이 고등학교 학생 25명을 임의추출하여 1개월 자율학습실 이용 시간을 조사한 표본평균이 $\overline{x_1}$일 때, 모평균 m에 대한 신뢰도 95%의 신뢰구간이 $80 - a \leq m \leq 80 + a$이었다. 또 이 고등학교 학생 n명을 임의추출하여 1개월 자율학습실 이용 시간을 조사한 표본평균이 $\overline{x_2}$일 때, 모평균 m에 대한 신뢰도 95%의 신뢰구간이 다음과 같다.

$$\frac{15}{16}\overline{x_1} - \frac{5}{7}a \leq m \leq \frac{15}{16}\overline{x_1} + \frac{5}{7}a$$

$n + \overline{x_2}$의 값은? (단, 이용 시간의 단위는 시간이고, Z가 표준정규분포를 따르는 확률변수일 때, $P(0 \leq Z \leq 1.96) = 0.475$로 계산한다.) [4점]

① 121   ② 124   ③ 127

④ 130   ⑤ 133

[2013학년도 수능]

어느 회사에서 생산된 모니터의 수명은 정규분포를 따른다고 한다. 이 회사에서 생산된 모니터 중 임의추출한 100대의 수명의 표본평균이 $\overline{x}$, 표본표준편차가 500이었다. 이 결과를 이용하여 이 회사에서 생산된 모니터의 수명의 평균을 신뢰도 95%로 추정한 신뢰구간이 $[\overline{x}-c,\ \overline{x}+c]$이다. c의 값을 구하시오. (단, Z가 표준정규분포를 따르는 확률변수일 때, $P(0 \le Z \le 1.96)=0.4750$이다.) [3점]

Act ①
모평균 m을 신뢰도 α%로 추정한 신뢰구간의 길이는 $2k\dfrac{\sigma}{\sqrt{n}}$

$\left($단, $P(|Z| \le k)=\dfrac{\alpha}{100}\right)$임을 이용한다.

해결의 실마리

정규분포 $N(m,\ \sigma^2)$을 따르는 모집단에서 크기가 n인 표본을 임의추출할 때, 모평균 m을 신뢰도 α%로 추정한 신뢰구간의 길이는

$\Rightarrow 2k\dfrac{\sigma}{\sqrt{n}}$ $\left($단, $P(|Z| \le k)=\dfrac{\alpha}{100}\right)$

10

[2020학년도 수능 모의평가]

어느 음식점을 방문한 고객의 주문 대기 시간은 평균이 m분, 표준편차가 σ분인 정규분포를 따른다고 한다. 이 음식점을 방문한 고객 중 64명을 임의추출하여 얻은 표본평균을 이용하여, 이 음식점을방문한 고객의 주문 대기 시간의 평균 m에 대한 신뢰도 95%의 신뢰구간을 구하면 $a \le m \le b$이다. $b-a=4.9$일 때, σ의 값을 구하시오. (단, Z가 표준정규분포를 따르는 확률변수일 때, $P(|Z| \le 1.96)=0.95$로 계산한다.) [3점]

11

[2009학년도 수능 모의평가]

모집단 A는 정규분포 $N(m_1,\ \sigma^2)$을 따르고, 모집단 B는 정규분포 $N\left(m_2,\ \left(\dfrac{\sigma}{2}\right)^2\right)$을 따른다. 모집단 A에서 크기 n_1, 모집단 B에서 크기 n_2인 표본을 각각 임의추출할 때의 표본평균을 각각 $\overline{X_A}$, $\overline{X_B}$라 하자. |보기|에서 옳은 것만을 있는 대로 고른 것은? (단, n_1, n_2는 1보다 큰 자연수이다.) [4점]

┤보기├
ㄱ. $m_1=m_2$이면 $E(\overline{X_A})=E(\overline{X_B})$이다.

ㄴ. 표본평균 $\overline{X_B}$는 정규분포 $N\left(m_2,\ \left(\dfrac{\sigma}{2}\right)^2\right)$을 따른다.

ㄷ. $n_1=4n_2$일 때, m_1에 대한 신뢰도 95%의 신뢰구간이 $[a,\ b]$이고, m_2에 대한 신뢰도 95%의 신뢰구간이 $[c,\ d]$이면, $b-a=d-c$이다.

① ㄱ　　　　② ㄷ　　　　③ ㄱ, ㄷ
④ ㄴ, ㄷ　　　⑤ ㄱ, ㄴ, ㄷ

Very Important Test

01

정규분포 $N(12, 4^2)$을 따르는 모집단에서 크기가 4인 표본을 임의추출할 때, 표본평균을 $\overline{X}$라 하자. 이때 $E(\overline{X}^2)$의 값은? [3점]

① 145   ② 146   ③ 147
④ 148   ⑤ 149

02

모집단의 확률변수 X의 확률분포가 다음 표와 같다.

X	-2	0	3	합계
$P(X=x)$	$\dfrac{3}{10}$	$\dfrac{2}{5}$	$\dfrac{3}{10}$	1

이 모집단에서 크기가 2인 표본을 임의추출하여 구한 표본평균 $\overline{X}$에 대하여 $E(20\overline{X}+5)$의 값은? [3점]

① 3   ② 5   ③ 7
④ 9   ⑤ 11

03

1, 1, 1, 3, 3, 5의 숫자가 하나씩 적혀 있는 6개의 공이 들어 있는 주머니가 있다. 이 주머니에서 임의로 공 1개를 꺼내 공에 적힌 수를 확인한 후 다시 주머니에 넣는 시행을 10회 반복하여 꺼낸 공에 적힌 수의 평균을 $\overline{X}$라 할 때, $V(\overline{X})$의 값은? [3점]

① $\dfrac{1}{9}$ ② $\dfrac{2}{9}$ ③ $\dfrac{1}{3}$
④ $\dfrac{4}{9}$ ⑤ $\dfrac{5}{9}$

04

어느 모집단의 확률변수 X의 확률질량함수가
$$P(X=x)={}_{160}C_x\left(\frac{1}{4}\right)^x\left(\frac{3}{4}\right)^{160-x} \text{ (단, } x=0, 1, 2, \cdots, 160)$$
이다. 이 모집단에서 임의추출한 크기가 6인 표본의 표본평균 $\overline{X}$에 대하여 $E(\overline{X}^2)$의 값은? [3점]

① 1605   ② 1610   ③ 1615
④ 1620   ⑤ 1625

05

이항분포 $B\left(360, \dfrac{1}{6}\right)$을 따르는 모집단에서 크기가 50인 표본을 임의추출할 때, 표본평균을 $\overline{X}$라 하자. $P(58 \leq \overline{X} \leq 59)$의 값은? (단, Z가 표준정규분포를 따르는 확률변수일 때, $P(0 \leq Z \leq 1)=0.3413$, $P(0 \leq Z \leq 2)=0.4772$이다.) [3점]

① 0.0228   ② 0.0668   ③ 0.0919
④ 0.1359   ⑤ 0.1587

06

정규분포 $N(120, 8^2)$을 따르는 모집단에서 크기가 16인 표본을 임의추출하여 구한 표본평균 $\overline{X}$에 대하여 $P(|\overline{X}-120| \geq a)=0.32$를 만족시키는 양수 a의 값은? (단, Z가 표준정규분포를 따르는 확률변수일 때, $P(0 \leq Z \leq 1)=0.34$로 계산한다.) [4점]

① 2   ② 5   ③ 8
④ 11   ⑤ 14

07

정규분포 $N(m, 6^2)$을 따르는 모집단에서 임의추출한 크기가 n인 표본의 표본평균을 $\overline{X}$라 하자. $P(m-1 \leq \overline{X} \leq m+3) \leq 0.6247$을 만족시키는 n의 최댓값은? (단, $P(0 \leq Z \leq 0.5)=0.1915$, $P(0 \leq Z \leq 1.5)=0.4332$) [3점]

① 9   ② 16   ③ 25
④ 36   ⑤ 49

08

어느 모집단에서 임의추출한 50개의 표본 X_1, X_2, $\cdots$, X_{50}이 다음 조건을 만족한다. 이 모집단이 정규분포를 따를 때, 모평균 m에 대한 신뢰도 95%의 신뢰구간은? (단, $P(|Z| \leq 2)=0.95$) [3점]

$(\text{가})\ X_1+X_2+\cdots+X_{50}=250$
$(\text{나})\ X_1^2+X_2^2+\cdots+X_{50}^2=3750$

① $1 \leq m \leq 5$ ② $2 \leq m \leq 6$ ③ $3 \leq m \leq 7$
④ $4 \leq m \leq 8$ ⑤ $5 \leq m \leq 9$

09

모표준편차가 10인 모집단에서 크기가 n인 표본을 임의추출하여 구한 모평균 m에 대한 신뢰도 99%의 신뢰구간이 $a \leq m \leq b$이다. $4 \leq b-a \leq 13$을 만족시키는 자연수 n의 개수를 구하시오. (단, Z가 표준정규분포를 따르는 확률변수일 때, $P(0 \leq Z \leq 2.6)=0.495$로 계산한다.) [3점]

10

어느 지역의 고등학생 n명을 임의추출하여 일주일 동안의 휴대폰 사용 시간을 조사하였더니 평균이 16.4시간, 표준편차 2시간인 정규분포를 따른다고 한다. 이 지역 고등학생 전체의 평균 휴대폰 사용 시간 m에 대한 신뢰도 95%의 신뢰구간이 16.008시간 이상 16.792시간 이하일 때, 자연수 n의 값을 구하시오. (단, Z가 표준정규분포를 따르는 확률변수일 때, $P(|Z| \leq 1.96)=0.95$로 계산한다.) [3점]

level up

11

어느 회사에서 생산되는 볼펜 1개의 무게는 평균이 20g, 표준편차가 2g인 정규분포를 따른다고 한다. 이 회사에서 생산된 볼펜 중에서 n개를 임의추출하여 구한 무게의 표본평균을 $\overline{X}$라 할 때, $P(\overline{X} \geq 19) \geq 0.9332$를 만족시키는 자연수 n의 최솟값을 오른쪽 표준정규분포표를 이용하여 구하시오. [4점]

z	$P(0 \leq Z \leq z)$
0.5	0.1915
1.0	0.3413
1.5	0.4332

12

어느 비누 회사에서 생산되는 비누의 무게는 평균이 100g, 표준편차가 2g인 정규분포를 따른다고 한다. 이 회사에서는 96g 미만인 제품을 불량품으로 판정한다고 한다. 이 회사에서 생산된 제품 중 2500개를 임의로 선택할 때, 불량품이 a개 이상일 확률이 2% 이하이기 위한 a의 최솟값을 구하시오. (단, $P(0 \leq Z \leq 2)=0.48$) [4점]

참 중요한 3·4점

정답과 해설

확률과 통계

확률과 통계

정답과 해설

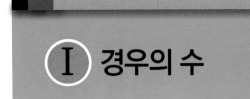

I 경우의 수

01 여러 가지 순열

p. 7

01. ④   **02.** ②   **03.** ③   **04.** ①   **05.** ①
06. ⑤

01 서로 다른 5개의 접시를 원형으로 배열하는 경우의 수는
$$(5-1)!=4!=24$$
답 ④

02 부모는 이웃하므로 한 묶음으로 생각하여 4명이 원탁에 둘러앉는 경우의 수는
$$(4-1)!=6$$
부모가 자리를 바꾸는 경우의 수는 $2!=2$
따라서 구하는 경우의 수는
$$6\times2=12$$
답 ②

03 먼저 기준이 되는 영역을 칠하는 경우의 수를 구하고, 원순열을 이용하여 나머지 영역을 칠하는 경우의 수를 구한다.
주어진 그림에서 가운데 영역을 칠하는 경우의 수는 5이다.
이때 나머지 영역을 칠하는 경우의 수는 가운데 영역에 칠한 색을 제외한 나머지 4가지 색을 원형으로 배열하는 원순열의 수와 같으므로
$$(4-1)!=6$$
따라서 구하는 경우의 수는
$$5\times6=30$$
답 ③

04 서로 다른 종류의 연필 5자루를 4명의 학생 A, B, C, D에게 나누어 주는 경우의 수는 A, B, C, D에서 5개를 택하는 중복순열의 수와 같으므로
$$_4\Pi_5=4^5=1024$$
답 ①

05 양 끝에 흰색이 놓이면, 가운데 5개는 흰색 깃발 3개, 파란색 깃발 5개를 일렬로 나열해야 하므로 구하는 경우의 수는
$$\frac{8!}{3!5!}=\frac{8\times7\times6}{3\times2\times1}=56$$
답 ①

06 A지점에서 P지점까지 최단 거리로 가는 경우의 수는
$$\frac{4!}{2!2!}=6$$
P지점에서 B지점까지 최단 거리로 가는 경우의 수는
$$\frac{4!}{3!1!}=4$$
따라서 구하는 경우의 수는

$$6\times4=24$$
답 ⑤

유형따라잡기
pp. 8~13

기출유형 01 ①	**01.** ②	**02.** ⑤	**03.** ②	**04.** 48
기출유형 02 ②	**05.** ②	**06.** ③	**07.** ②	**08.** 3
기출유형 03 144	**09.** 48	**10.** ⑤	**11.** 180	**12.** 12
기출유형 04 22	**13.** ②	**14.** 33	**15.** ⑤	
기출유형 05 12	**16.** 10	**17.** ①	**18.** 210	**19.** 546
기출유형 06 60	**20.** 24	**21.** 9	**22.** 45	**23.** 42

기출유형 01

Act① 서로 다른 n개를 원형으로 배열하는 원순열의 수는 $(n-1)!$임을 이용한다.
1학년 학생 2명이 이웃하도록 앉아야 하므로 1학년 학생 2명을 한 묶음으로 생각하면 나머지 학생 3명과 함께 원형으로 앉는 경우의 수는
$$(4-1)!=3!=6$$
이때 1학년 학생 2명이 서로 자리를 바꾸는 경우의 수가 $2!=2$이므로
구하는 경우의 수는
$$6\times2=12$$
답 ①

01 **Act①** A, B, C 세 명을 한 묶음으로 생각하여 원순열을 이용한다.
A, B, C 세 명을 묶어 한 사람으로 생각하여 6명이 원탁에 둘러앉는 경우의 수는
$$(6-1)!=5!$$
이때 A, B, C 세 명이 서로 자리를 바꿀 수 있으므로 그 경우의 수는 $3!$
따라서 구하는 방법의 수는
$$5!\times3!=720$$
답 ②

02 **Act①** 이웃하지 않게 배열하는 경우는 이웃해도 되는 것을 원형으로 먼저 배열한 후 그 사이에 이웃하지 않아야 하는 것을 배열한다.
학생 5명이 원탁에 둘러앉는 경우의 수는
$$(5-1)!=24$$
학생 5명 사이의 5개의 자리 중에서 3개의 자리에 교사가 앉는 경우의 수는
$$_5P_3=60$$
따라서 구하는 방법의 수는
$$24\times60=1440$$
답 ⑤

03 **Act①** 여학생 사이 세 곳에 앉는 남학생의 수는 각각 1명, 2명, 3명임을 생각한다.
여학생 3명이 원탁에 둘러앉는 경우의 수는
$$(3-1)!=2!$$

각 경우에 대하여 여학생과 여학생 사이 세 곳에 앉는 남학생의 수는 모두 달라야 하므로 각각 1명, 2명, 3명이고 이를 정하는 경우의 수는 3!

남학생을 일렬로 나열하는 경우의 수는 6!

따라서 구하는 경우의 수는

$2! \times 3! \times 6! = 12 \times 6!$

$\therefore n = 12$ 답 ②

[다른 풀이]

여학생 3명이 원탁에 둘러앉는 경우의 수는 $(3-1)! = 2!$

각각의 여학생 사이에 앉는 남학생의 수는 3명, 2명, 1명이어야 하므로 남학생을 나누는 경우의 수는

$_6C_3 \times _3C_2 \times _1C_1 = \dfrac{6!}{3!3!} \times \dfrac{3!}{2!} \times 1 = \dfrac{6!}{3!2!}$

세 조로 나눈 남학생을 여학생 사이에 배열하는 경우의 수는 3!

각 경우에 대하여 남학생끼리 자리를 바꾸는 경우의 수는

$3! \times 2! \times 1! = 3! \times 2!$

따라서 9명의 학생이 원탁에 모두 앉는 경우의 수는

$2! \times \dfrac{6!}{3!2!} \times 3! \times (3! \times 2!) = 12 \times 6!$

$\therefore n = 12$

04 [Act①] 서로 다른 n개를 p개, q개로 분할하는 방법의 수는

p, q가 다른 수일 때 $_nC_p \times _{n-p}C_q$,

p, q가 같은 수일 때 $_nC_p \times _{n-p}C_q \times \dfrac{1}{2!}$ 임을 이용한다.

2학년 학생을 2명씩 한 조를 만드는 경우의 수는

$_4C_2 \times _2C_2 \times \dfrac{1}{2!} = 3$

서로 다른 두 개의 조 사이에 반드시 한 자리를 비워 두려면 빈자리와 한 조를 같이 묶어서 생각하면 원순열의 수는

$(3-1)! = 2$

한편, 각각의 조에 속한 학생끼리는 자리를 바꿀 수 있으므로 경우의 수는

$2 \times 2 \times 2 = 8$

따라서 구하는 경우의 수는

$3 \times 2 \times 8 = 48$ 답 48

기출유형 02

[Act①] 원형으로 둘러앉는 한 가지 경우에 대하여 정오각형 모양의 탁자에서 서로 다른 경우가 몇 가지씩 생기는지 생각해 본다.

10명의 학생이 원형으로 둘러앉는 경우의 수는

$(10-1)! = 9!$

정오각형 모양의 탁자에 둘러앉는 경우는 원형으로 둘러앉는 한 가지 경우에 대하여 다음 그림과 같이 2가지의 서로 다른 경우가 있다.

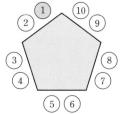
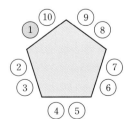

따라서 구하는 경우의 수는

$9! \times 2$ 답 ②

05 [Act①] 원형으로 둘러앉는 한 가지 경우에 대하여 정육각형 모양의 탁자에서 서로 다른 경우가 몇 가지씩 생기는지 생각해 본다.

12명의 학생이 원형으로 둘러앉는 경우의 수는

$(12-1)! = 11!$

정육각형 모양의 탁자에 둘러앉는 경우는 원형으로 둘러앉는 한 가지 경우에 대하여 다음 그림과 같이 2가지의 서로 다른 경우가 있다.

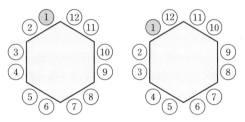

따라서 구하는 경우의 수는

$11! \times 2$ 답 ②

06 [Act①] 원형으로 둘러앉는 한 가지 경우에 대하여 직사각형 모양의 탁자에서 서로 다른 경우가 몇 가지씩 생기는지 생각해 본다.

10명의 가족이 원형으로 둘러앉는 경우의 수는 $(10-1)!$

직사각형 모양의 탁자에 둘러앉는 경우는 원형으로 둘러앉는 한 가지 경우에 대하여 그림과 같이 5가지의 서로 다른 경우가 있다.

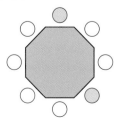

따라서 구하는 경우의 수는

$(10-1)! \times 5 = 9! \times 5$ 답 ③

07 [Act①] 먼저 남학생을 앉힌 다음 여학생을 앉히는 경우를 생각한다.

4명의 남학생이 원형으로 둘러앉는 경우의 수는

$(4-1)! = 3!$ 이고 각 의자마다 2개의 자리가 있으므로 남자 4명을 앉히는 경우의 수는

$(4-1)! \times 2 \times 2 \times 2 \times 2 = 96$

남학생 옆의 4자리에 여학생 4명을 앉히는 경우의 수는

$4! = 24$

따라서 구하는 경우의 수는

$96 \times 24 = 2304$ 답 ②

08 [Act①] A와 B 사이에 2명이 앉는 경우와 3명이 앉는 경우로 나누어 생각한다.

(i) A와 B 사이에 2명의 학생이 앉는 경우

그림과 같이 색칠한 곳에 A와 B가 앉는 방법의 수는 2, 나머지 자리에 6명의 학생이 앉는 방법의 수는 6!이므로

$2 \times 6!$

(ⅱ) A와 B 사이에 3명의 학생이 앉는 경우
그림과 같이 색칠한 곳에 A와 B가 앉는 방법의 수는 1, 나머지 자리에 6명의 학생이 앉는 방법의 수는 6!이므로 6!

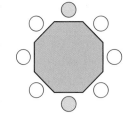

(ⅰ), (ⅱ)에서 A와 B 사이에 2명 또는 3명의 학생이 앉는 방법의 수는
$2 \times 6! + 6! = 3 \times 6!$
$\therefore k = 3$

답 3

기출유형 03

Act ① 먼저 기준이 되는 영역을 칠하는 경우의 수를 구하고, 원순열을 이용하여 나머지 영역을 칠하는 경우의 수를 구한다.
밑면에 색을 칠하는 경우의 수는 6
남은 5가지의 색을 옆면에 칠하는 경우의 수는
$(5-1)! = 4! = 24$
따라서 구하는 경우의 수는
$6 \times 24 = 144$

답 144

09 **Act ①** 정사면체에 네 숫자를 쓰는 경우의 수와 네 면에 색을 칠하는 경우의 수를 곱한다.
(ⅰ) 먼저 정사면체에 네 숫자를 쓰는 경우의 수는 밑면에 1을 고정하고 세 옆면에 2, 3, 4를 쓰는 원순열이므로
$(3-1)! = 2$
(ⅱ) 네 면에 쓰인 수가 모두 다르므로 네 면에 색을 칠하는 경우의 수는
$4! = 24$
(ⅰ), (ⅱ)에서 만들 수 있는 서로 다른 주사위의 개수는
$2 \times 24 = 48$

답 48

10 **Act ①** 중앙 부분에 칠할 색 3개를 선택하여 중앙 부분에 칠하는 경우의 수, 나머지 색으로 바깥쪽 3개의 영역에 칠하는 경우의 수를 곱한다.
(ⅰ) 7가지의 색 중에서 중앙 부분에 칠할 색 3개를 선택하는 경우의 수는 $_7C_3 = 35$
(ⅱ) 중앙 부분에 3개의 색을 칠하는 경우의 수는
$(3-1)! = 2$
(ⅲ) 나머지 색으로 바깥쪽 3개의 영역에 칠하는 경우의 수는
$_4P_3 = 24$
(ⅰ), (ⅱ), (ⅲ)에서 구하는 경우의 수는
$35 \times 2 \times 24 = 1680$

답 ⑤

11 **Act ①** 중앙 부분에 칠할 색 1개를 선택하는 경우의 수, 나머지 색으로 바깥쪽 4개의 영역에 칠하는 경우의 수를 곱한다.
(ⅰ) 6가지 색 중 중앙 부분에 칠할 색 1가지를 선택하는 경우의 수는 6
(ⅱ) 나머지 5개의 색 중에서 바깥쪽에 칠할 4개의 색을 선택하는 경우의 수는 $_5C_4 = 5$
(ⅲ) 바깥쪽에 4개의 색을 칠하는 경우의 수는

$(4-1)! = 6$
(ⅰ), (ⅱ), (ⅲ)에서 구하는 경우의 수는
$6 \times 5 \times 6 = 180$

답 180

12 **Act ①** A, B를 한 묶음으로 생각하여 원순열을 이용한다.
A, B를 하나의 색으로 생각하여 4가지 색을 원형으로 배치하는 경우의 수는
$(4-1)! = 6$
이 각각에 대하여 A와 B를 서로 자리를 바꾸어 칠하는 경우의 수는 $2! = 2$
따라서 구하는 경우의 수는
$6 \times 2 = 12$

답 12

기출유형 04

Act ① 중복을 허용하여 세 개를 택하는 전체 경우의 수를 구한 후 a가 연속되는 경우의 수를 뺀다.
문자 a, b, c에서 중복을 허용하여 세 개를 택하여 나열하는 경우의 수는
$_3\Pi_3 = 3^3 = 27$
a가 연속이 되는 경우의 수는
aaa, aab, aac, baa, caa의 5
따라서 수신 가능한 단어의 개수는
$27 - 5 = 22$

답 22

13 **Act ①** 천의 자리부터 각 자리에 올 수 있는 숫자를 구한 후 중복순열의 수를 이용한다.

천	백	십	일		
2	3	2	1	……	1
2	3	1	△	……	3
2	2	△	△	……	$_3\Pi_2 = 3^2 = 9$
2	1	△	△	……	$_3\Pi_2 = 3^2 = 9$
1	△	△	△	……	$_3\Pi_3 = 3^3 = 27$

따라서 2322보다 작은 자연수의 개수는
$1 + 3 + 9 + 9 + 27 = 49$

답 ②

14 **Act ①** 문자 a가 두 번 이상 나오는 경우의 수이므로 a가 두 번, 세 번, 네 번 나오는 경우로 나누어 생각한다.
(ⅰ) a가 두 번 나오는 경우
네 자리 중 a를 두 자리에 배치하는 경우의 수는 $_4C_2$이고 나머지 두 자리에 b 또는 c에서 중복을 허락하여 2개를 택하여 일렬로 나열하는 중복순열의 수는 $_2\Pi_2$이므로
$_4C_2 \times _2\Pi_2 = \frac{4 \times 3}{2} \times 2^2 = 24$
(ⅱ) a가 세 번 나오는 경우
네 자리 중 a를 세 자리에 배치하는 경우의 수는 $_4C_3$이고 나머지 한 자리에 b 또는 c에서 1개를 택하여 나열하는 경우의 수는 2이므로
$_4C_3 \times 2 = 8$
(ⅲ) a가 네 번 나오는 경우
$aaaa$로 경우의 수는 1

(i), (ii), (iii)에서 구하는 경우의 수는

$24+8+1=33$ 답 33

15 **Act①** 1끼리 이웃하지 않아야 하므로 1은 세 번 이하로 사용되어야 한다.

(i) 1이 사용되지 않는 경우만의 자리의 수는 2이어야 하고, 나머지 자리의 수를 택하는 방법의 수는 숫자 0, 2 중에서 4개를 택하는 중복순열의 수와 같으므로

$_2\Pi_4=2^4=16$

(ii) 1이 한 번 사용되는 경우

1로 시작되는 경우의 수는 $2^4=16$

2로 시작되는 경우의 수는 $4\times2^3=32$

(iii) 1이 두 번 사용되는 경우

1로 시작되는 경우의 수는 $3\times2^3=24$

2로 시작되는 경우의 수는 $3\times2^2=12$

(iv) 1이 세 번 사용되는 경우

만의 자리, 백의 자리, 일의 자리의 수는 반드시 1이고 나머지 자리의 수를 택하는 방법의 수는 숫자 0, 2 중에서 2개를 택하는 중복순열의 수와 같으므로

$_2\Pi_2=2^2=4$

(i)~(iv)에서 조건을 만족시키는 자연수의 개수는

$16+16+32+24+12+4=104$ 답 ⑤

기출유형 05

Act① n개 중에서 같은 것이 각각 p개, q개, r개씩 있을 때, n개를 모두 일렬로 나열하는 순열의 수는 $\dfrac{n!}{p!q!r!}$ (단, $p+q+r=n$)임을 이용한다.

흰 공 2개, 검은 공 2개, 노란 공 1개를 일렬로 나열하는 경우의 수는 $\dfrac{5!}{2!2!1!}$

같은 색의 공을 이웃하게 나열하는 경우의 수는 다음과 같다.

(i) 흰 공 2개가 이웃하는 경우의 수는 $\dfrac{4!}{1!2!1!}$

(ii) 검은 공 2개가 이웃하는 경우의 수는 $\dfrac{4!}{2!1!1!}$

(iii) 흰 공 2개와 검은 공 2개가 모두 이웃하는 경우의 수는 $3!$

따라서 구하는 경우의 수는

$\dfrac{5!}{2!2!1!}-\left(\dfrac{4!}{1!2!1!}+\dfrac{4!}{2!1!1!}-3!\right)=12$ 답 12

16 **Act①** 순서가 정해져 있는 숫자 또는 문자는 모두 같은 것으로 생각한다.

1, 3, 5를 크기가 작은 것부터 나열한다는 것은 1, 3, 5를 같은 숫자로 생각하여 나열하는 경우와 같다.

따라서 구하는 경우의 수는 1, 3, 5를 모두 a로 바꾸어 a, 2, 2, a, a를 일렬로 나열하는 경우의 수와 같으므로

$\dfrac{5!}{2!3!}=10$ 답 10

17 **Act①** 현수막 B의 개수에 따라 경우를 분류한다.

A는 반드시 설치하므로 B의 개수에 따라 분류하면

(i) B를 2곳, C를 2곳에 설치하는 경우

A, B, B, C, C에서 $\dfrac{5!}{1!2!2!}=30$

(ii) B를 3곳, C를 1곳에 설치하는 경우

A, B, B, B, C에서 $\dfrac{5!}{1!3!1!}=20$

(iii) B를 4곳에 설치하는 경우

A, B, B, B, B에서 $\dfrac{5!}{1!4!}=5$

(i), (ii), (iii)에서 구하는 경우의 수는

$30+20+5=55$ 답 ①

18 **Act①** 일의 자리 숫자가 0일 때와 2일 때로 나누어 생각한다.

(i) 일의 자리 숫자가 0일 때

6개의 숫자 1, 1, 2, 2, 2, 3을 나열하는 방법의 수이므로 $\dfrac{6!}{2!3!1!}=60$

(ii) 일의 자리 숫자가 2일 때

6개의 숫자 0, 1, 1, 2, 2, 3을 나열하는 방법의 수에서 0이 맨 앞에 오는 방법의 수를 뺀 것이므로

$\dfrac{6!}{1!2!2!1!}-\dfrac{5!}{2!2!1!}=150$

따라서 구하는 방법의 수는

$60+150=210$ 답 210

19 **Act①** 선택한 A, B, C의 개수를 홀수 a, b, c라 하고 세 홀수의 합이 7이 되는 경우를 생각한다.

선택한 7개의 문자 중 A, B, C의 개수를 차례로 a, b, c라 하면 세 수 a, b, c는 모두 홀수이고 그 합이 7이어야 하므로 (a, b, c)는

$(1, 1, 5), (1, 5, 1), (5, 1, 1), (1, 3, 3), (3, 1, 3),$

$(3, 3, 1)$

인 경우이다.

(i) $(a, b, c)=(1, 1, 5)$인 경우

7개의 문자 A, B, C, C, C, C, C를 일렬로 나열하는 순열의 수이므로

$\dfrac{7!}{5!}=7\times6=42$

$(a, b, c)=(1, 5, 1)$ 또는 $(5, 1, 1)$인 경우의 수도 모두 42이다.

(ii) $(a, b, c)=(1, 3, 3)$인 경우

7개의 문자 A, B, B, B, C, C, C를 일렬로 나열하는 순열의 수이므로

$\dfrac{7!}{3!3!}=\dfrac{7\times6\times5\times4}{3\times2\times1}=140$

$(a, b, c)=(3, 1, 3)$ 또는 $(3, 3, 1)$인 경우의 수도 모두 140이다.

(i), (ii)에서 구하는 경우의 수는

$3\times42+3\times140=546$ 답 546

Act① 반드시 지나야 하는 지점을 경계로 나누어 생각한다.

A지점에서 B지점까지 최단 거리로 가는 방법은 다음 그림에서와 같이 P 또는 Q 또는 R지점을 거쳐 가는 방법이 있으므로

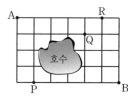

(i) A→P→B로 가는 경우의 수는

$$\frac{5!}{4!1!}=5$$

(ii) A→Q→B로 가는 경우의 수는

$$\frac{5!}{4!1!}\times\frac{5!}{3!2!}=50$$

(iii) A→R→B로 가는 경우의 수는

$$\frac{5!}{1!4!}=5$$

(i), (ii), (iii)에서 구하는 경우의 수는

$$5+50+5=60$$

답 60

20 **Act①** 반드시 지나야 하는 지점을 경계로 나누어 생각한다.

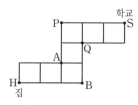

그림과 같이 집과 학교를 각각 H, S라 하고 네 지점을 A, B, P, Q하자.

(i) H→A→P→S로 가는 경우의 수는

$$\frac{3!}{2!}=3$$

(ii) H→A→Q→S로 가는 경우의 수는

$$\frac{3!}{2!}\times2\times\frac{3!}{2!}=18$$

(iii) H→B→Q→S로 가는 경우의 수는

$$\frac{3!}{2!}=3$$

(i), (ii), (iii)에서 구하는 경우의 수는

$$3+18+3=24$$

답 24

21 **Act①** A지점에서 P지점을 지나지 않고 B지점까지 가기 위해 반드시 지나야 하는 지점을 찾는다.

A→Q→B로 가는 경우의 수는

$$\frac{3!}{2!}\times\frac{3!}{2!}=9$$

답 9

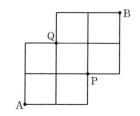

[다른 풀이]

(A→B로 가는 경우 수)−
(A→P→B로 가는 경우의 수)

$$\left(\frac{6!}{3!3!}-2\right)-\left(\frac{3!}{2!}\times\frac{3!}{2!}\right)=9$$

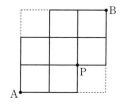

22 **Act①** 반드시 지나야 하는 지점 P를 경계로 나누어 생각한다.

A→P→B로 가는 경우의 수는

$$\frac{6!}{4!2!}\times\frac{3!}{2!}=45$$

답 45

23 **Act①** 끊어져 있는 부분을 연결하여 경우의 수를 구한 다음 연결한 부분을 거쳐서 가는 경우의 수를 뺀다.

그림에서 A에서 B로 가는 경우의 수는

$$\frac{8!}{5!3!}=56$$

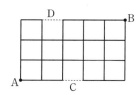

A에서 C를 거쳐서 B로 가는 최단 경로의 수는

$$\frac{5!}{2!3!}=10$$

A에서 D를 거쳐서 B로 가는 최단 경로의 수는 $\frac{4!}{3!}=4$

따라서 구하는 경우의 수는

$$56-(10+4)=42$$

답 42

VIT	**V**ery **I**mportant **T**est			pp. 14~15
01. ⑤	02. ④	03. ④	04. ④	05. 37
06. ③	07. ①	08. ②	09. ④	10. 23
11. ③	12. 12			

01

3명의 여학생을 하나로 묶어서 생각하면 원형으로 배열하는 경우의 수는 $(4-1)!=6$

3명의 여학생을 일렬로 나열하는 경우의 수는

$$3!=6$$

따라서 구하는 경우의 수는

$$6\times6=36$$

답 ⑤

02

어린이 5명을 원형으로 배열하는 경우의 수는

$$(5-1)!=4!=24$$

이 각각에 대하여 어린이 사이사이의 5곳 중 3곳에 어른 세 명을 배열하면 된다.

이러한 경우의 수는 서로 다른 5개에서 3개를 택하는 순열의 수이므로

$$_5P_3=5\times4\times3=60$$

따라서 구하는 경우의 수는

$24 \times 60 = 1440$ 답 ④

03

(i) A팀의 팀원이 앉을 의자의 색을 정하는 경우의 수는 2이고, 이 각각에 대하여 A팀 3명이 같은 색의 의자에 원형으로 앉는 경우의 수는 2!이므로 그 경우의 수는
$2 \times 2!$
(ii) B팀 3명이 남은 의자에 앉는 경우의 수는
$3!$
따라서 구하는 경우의 수는
$2 \times 2! \times 3! = 24$ 답 ④

04

(i) 3, 4, 5가 모두 들어 있는 경우
$_5P_3 \times _2\Pi_2 = 240$
(ii) 3, 4, 5 중 2개만 들어 있는 경우
$3 \times _5P_2 \times _2\Pi_3 = 480$
따라서 구하는 모든 자연수의 개수는
$240 + 480 = 720$ 답 ④

05

집합 X에서 집합 Y로의 함수 f의 개수는
$_4\Pi_3 = 4^3 = 64$
이때 $f(1)f(2)f(3) = 0$이 되려면 $f(1)$, $f(2)$, $f(3)$의 값 중에서 적어도 하나는 0이 되어야 한다. 즉 집합 X에서 집합 Y로의 함수 f의 개수에서 $f(1)$, $f(2)$, $f(3)$의 값이 모두 0이 아닌 함수의 개수를 빼면 된다.
$f(1)$, $f(2)$, $f(3)$의 값이 모두 0이 아닌 함수의 개수는 집합 $X = \{1, 2, 3\}$에서 집합 $Y = \{2, 4, 8\}$로의 함수의 개수와 같으므로
$_3\Pi_3 = 3^3 = 27$
따라서 $f(1)f(2)f(3) = 0$을 만족시키는 함수 f의 개수는
$64 - 27 = 37$ 답 37

06

개의 숫자 1, 1, 2, 2, 3 중에서 4개의 숫자를 택하는 방법은 1, 1, 2, 2 또는 1, 1, 2, 3 또는 1, 2, 2, 3의 3가지이다.
(i) 1, 1, 2, 2를 나열하는 경우의 수는 $\dfrac{4!}{2!2!} = 6$
(ii) 1, 1, 2, 3 또는 1, 2, 2, 3을 나열하는 경우의 수는 각각
$\dfrac{4!}{2!} = 12$
(i), (ii)에서 구하는 경우의 수는
$6 + 12 \times 2 = 30$ 답 ③

07

b, d, e를 같은 문자 x로 생각하여 a, x, c, x, x, f를 일렬로 나열하는 경우의 수는
$\dfrac{6!}{3!} = 120$
이 각각에 대하여 x, x, x의 가운데에 e를 나열하고, 맨 앞과

맨 뒤의 x에 b, d를 나열하는 경우의 수는
$2! = 2$
따라서 구하는 경우의 수는
$120 \times 2 = 240$ 답 ①

08

1단을 올라가는 횟수를 x, 2단을 올라가는 횟수를 y라 하면
$x + y = 6$ ⋯⋯ ㉠
$x + 2y = 10$ ⋯⋯ ㉡
㉠, ㉡을 연립하여 풀면 $x = 2$, $y = 4$
따라서 구하는 방법의 수는 x, x, y, y, y, y의 배열과 같으므로
$\dfrac{6!}{2!4!} = 15$ 답 ②

09

A지점에서 B지점까지 최단 거리로 가는 전체 경우의 수는
$\dfrac{9!}{6!3!} = 84$
A지점에서 $\overline{PQ}$를 거쳐 B지점까지 최단 거리로 가는 경우의 수는
$\dfrac{5!}{4!1!} \times 1 \times \dfrac{3!}{2!1!} = 15$
따라서 구하는 경우의 수는
$84 - 15 = 69$ 답 ④

10

A지점을 출발하여 B지점까지 최단 거리로 갈 때, P지점은 지나지 않고 Q 지점은 지나는 경우의 수는 A → Q → B로 가는 경로의 수에서 A → P → Q → B로 가는 경로의 수를 뺀 것과 같다.
(i) A → Q → B로 가는 경로의 수는
$\dfrac{7!}{4!3!} \times 1 = 35$
(ii) A → P → Q → B로 가는 경로의 수는
$\dfrac{3!}{2!} \times \dfrac{4!}{3!} \times 1 = 12$
따라서 구하는 경우의 수는
$35 - 12 = 23$ 답 23

11

알파벳 A를 포함하지 않는 경우와 알파벳 A를 포함하는 경우로 나누면 다음과 같다.
(i) 알파벳 A를 포함하지 않는 경우
서로 다른 알파벳 B, C, D, E, F에서 중복을 허락하여 3개를 택하는 경우의 수는
$_5\Pi_3 = 5^3 = 125$
(ii) 알파벳 A를 포함하는 경우
서로 다른 알파벳 B, C, D, E, F에서 중복을 허락하여 2개를 택하는 경우의 수는
$_5\Pi_2 = 5^2 = 25$
이고, 이 각각에 대하여 다음과 같이 ∨로 표시된 세 곳 중 한 곳에 A를 넣으면 된다.
∨□∨□∨

즉 알파벳 A를 포함하는 경우의 수는
$25 \times 3 = 75$
(i), (ii)에서 구하는 경우의 수는
$125 + 75 = 200$ 답 ③

12

C와 D를 같은 문자 X로 생각하여 A, X, X를 일렬로 나열하는 경우의 수는
$$\frac{3!}{2!} = 3$$
이고, 이 각각에 대하여 B끼리 서로 이웃하지 않도록 나열하는 경우의 수는
$_4C_3 = 4$
따라서 구하는 경우의 수는
$3 \times 4 = 12$ 답 12

02 중복조합

p. 17

| 01. 126 | 02. ⑤ | 03. ② | 04. 35 | 05. ③ |
| 06. 12 | | | | |

01 $_3H_r = {}_{3+r-1}C_r = {}_{r+2}C_r = {}_7C_2$
$\therefore r = 5$
$_3H_5 = {}_{5+5-1}C_5 = {}_9C_5 = {}_9C_4 = \frac{9 \times 8 \times 7 \times 6}{4 \times 3 \times 2 \times 1} = 126$ 답 126

02 (i) 같은 종류의 주스 4병을 3명에게 남김없이 나누어 주는 경우의 수는 서로 다른 3개에서 4개를 택하는 중복조합의 수와 같으므로
$_3H_4 = {}_{3+4-1}C_4 = {}_6C_4 = {}_6C_2 = \frac{6 \times 5}{2 \times 1} = 15$

(ii) 같은 종류의 생수 2병을 3명에게 남김없이 나누어 주는 경우의 수는 서로 다른 3개에서 2개를 택하는 중복조합의 수와 같으므로
$_3H_2 = {}_{3+2-1}C_2 = {}_4C_2 = \frac{4 \times 3}{2 \times 1} = 6$

(iii) 우유 1병을 3명에게 남김없이 나누어 주는 경우의 수는
$_3C_1 = 3$

(i), (ii), (iii)에서 구하는 경우의 수는
$15 \times 6 \times 3 = 270$ 답 ⑤

03 고구마피자, 새우피자, 불고기피자 중에서 m개를 주문하는 경우의 수는 고구마피자, 새우피자, 불고기피자 중에서 m개를 택하는 중복조합의 수와 같으므로
$_3H_m = {}_{3+m-1}C_m = {}_{m+2}C_m = {}_{m+2}C_2 = \frac{(m+2)(m+1)}{2 \times 1}$
즉, $\frac{(m+2)(m+1)}{2 \times 1} = 36$이므로
$m^2 + 3m + 2 = 72$, $m^2 + 3m - 70 = 0$
$(m+10)(m-7) = 0$

$\therefore m = 7$ ($\because m$은 자연수)
이때 고구마피자, 새우피자, 불고기피자를 적어도 하나씩 포함하여 7개를 주문하는 경우의 수는 서로 다른 세 종류에서 4개를 택하는 중복조합의 수와 같으므로
$_3H_4 = {}_{3+4-1}C_4 = {}_6C_4 = {}_6C_2 = \frac{6 \times 5}{2 \times 1} = 15$ 답 ②

04 순서쌍 (x, y, z, w)의 개수는 서로 다른 4문자 x, y, z, w 중에서 중복을 허락하여 4개를 택하는 중복조합의 수와 같으므로
$_4H_4 = {}_{4+4-1}C_7 = {}_7C_4 = {}_7C_3 = \frac{7 \times 6 \times 5}{3 \times 2 \times 1} = 35$ 답 35

05 $w = 1$일 때 $x + y + z = 9$ (x, y, z는 자연수)이므로
$_3H_6 = {}_{3+6-1}C_6 = {}_8C_6 = {}_8C_2 = 28$
$w = 2$일 때 $x + y + z = 4$ (x, y, z는 자연수)이므로
$_3H_1 = {}_3C_1 = 3$
따라서 구하는 순서쌍의 개수는 $28 + 3 = 31$ 답 ③

06 주어진 조건에 의하여
$f(1) \leq f(2) = 5 \leq f(3) \leq f(4)$
이므로 $f(1)$의 값은 Y의 원소 4, 5 중에서 하나를 택하고 $f(3)$, $f(4)$의 값은 Y의 원소 5, 6, 7 중에서 중복을 허용하여 2개를 택하여 크기순으로 대응시키면 된다.
따라서 구하는 함수 f의 개수는
$2 \times {}_3H_2 = 2 \times {}_4C_2 = 12$ 답 12

유형따라잡기

pp. 18~21

기출유형 01 ⑤	01. ③	02. ⑤	03. 49	
기출유형 02 28	04. ②	05. ③	06. 6	07. ⑤
기출유형 03 ④	08. ④	09. ①	10. ③	11. 84
기출유형 04 6	12. 21	13. 70	14. 89	

기출유형 01

Act① 먼저 서로 다른 종류의 사탕 3개를 각 주머니에 1개씩 넣으면 각 주머니는 서로 다른 주머니가 됨을 이용한다.

먼저 서로 다른 종류의 사탕 3개를 각 주머니에 1개씩 넣으면 주머니는 구별이 가능하게 된다.
각 주머니에 구슬을 1개씩 넣은 후 나머지 4개의 구슬을 각 주머니에 나누어 넣으면 된다.
따라서 서로 다른 개의 주머니에 서로 같은 4개의 구슬을 나누어 넣는 중복조합이므로
구하는 경우의 수는 $_3H_4 = {}_6C_4 = {}_6C_2 = 15$ 답 ⑤

01 **Act①** 중복을 허락하여 세 수를 선택하는 경우의 수를 구하고 세 수의 곱이 100 초과가 되는 경우를 제외한다.

네 개의 자연수 중에서 중복을 허락하여 세 수를 선택하는 경우의 수는

$$_4H_3 = {}_{4+3-1}C_3 = {}_6C_3 = \frac{6 \times 5 \times 4}{3 \times 2 \times 1} = 20$$

이때, 네 개의 자연수 1, 2, 4, 8은 각각 2^0, 2^1, 2^2, 2^3으로 나타낼 수 있고, $2^6 = 64$, $2^7 = 128$이므로 $(2^3, 2^3, 2^3)$, $(2^3, 2^3, 2^2)$, $(2^3, 2^3, 2)$, $(2^3, 2^2, 2^2)$인 경우는 제외해야 한다. 따라서 구하는 경우의 수는
$$20 - 4 = 16$$
답 ③

02 **Act①** 사탕을 나누어 준 경우에 따라 초콜릿을 나누어 주는 경우의 수를 구한다.

3명의 아이에게 사탕을 나누어 주는 경우는 다음과 같다.
(i) $(1, 1, 3)$, $(1, 3, 1)$, $(3, 1, 1)$의 경우
    1개의 사탕을 받은 2명에게만 초콜릿 1개씩을 주고, 남은 초콜릿 3개를 그 2명에게 중복을 허락하여 나누어 주면 된다.
    $$_2H_3 = {}_{2+3-1}C_3 = {}_4C_3 = {}_4C_1 = 4$$
    따라서 그 경우의 수는 $3 \times 4 = 12$
(ii) $(1, 2, 2)$, $(2, 1, 2)$, $(2, 2, 1)$의 경우
    사탕을 1개 받은 아이에게만 초콜릿을 줄 수 있으므로 그 경우의 수는 $3 \times 1 = 3$
(i), (ii)에서 구하는 경우의 수는
$$12 + 3 = 15$$
답 ⑤

03 **Act①** 여학생에게 연필을 1개씩 또는 2개씩 똑같이 주고, 남학생에게 볼펜을 1개씩 또는 2개씩 똑같이 준 후 남는 연필과 볼펜을 중복을 허락하여 나누어 주는 경우의 수를 구한다.

연필을 여학생에게, 볼펜을 남학생에게 같은 개수만큼 나누어 주는 경우는 다음과 같다.
(i) 여학생에게 연필 1자루씩, 남학생에게 볼펜 1자루씩 주는 경우
    남학생 2명에게 나머지 연필 4자루를, 여학생 3명에게 나머지 볼펜 2자루를 중복을 허락하여 나누어 주면 되므로 그 경우의 수는 $_2H_4 \times {}_3H_2 = 5 \times 6 = 30$
(ii) 여학생에게 연필 1자루씩, 남학생에게 볼펜 2자루씩 주는 경우
    남학생 2명에게 나머지 연필 4자루를 중복을 허락하여 나누어 주면 되므로 그 경우의 수는 $_2H_4 = 5$
(iii) 여학생에게 연필 2자루씩, 남학생에게 볼펜 1자루씩 주는 경우
    남학생 2명에게 나머지 연필 1자루를, 여학생 3명에게 나머지 볼펜 2자루를 중복을 허락하여 나누어 주면 되므로 그 경우의 수는 $_2H_1 \times {}_3H_2 = 2 \times 6 = 12$
(iv) 여학생에게 연필 2자루씩, 남학생에게 볼펜 2자루씩 주는 경우
    남학생 2명 중 한 명에게 나머지 연필 1자루를 주면 되므로 그 경우의 수는 2
(i)~(iv)에서 구하는 모든 경우의 수는
$$30 + 5 + 12 + 2 = 49$$
답 49

Act① 중복조합에서 '적어도 a개씩 갖도록 하는 경우'는 미리 a개씩 나누어 준 후 나머지를 나누어 주는 경우를 생각한다.

세 명의 학생에게 볼펜 3개씩을 나누어 준 후 서로 다른 3명에게 남은 볼펜 6개를 나누어 주는 중복조합의 수와 같으므로 구하는 방법의 수는
$$_3H_6 = {}_{3+6-1}C_6 = {}_8C_6 = {}_8C_2 = 28$$
답 28

04 **Act①** 중복조합에서 '적어도 a개씩 갖도록 하는 경우'는 미리 a개씩 나누어 준 후 나머지를 나누어 주는 경우를 생각한다.

4명의 학생에게 음료수 1개씩 나누어 준 후 서로 다른 4명에게 남은 음료수 3개를 나누어 주는 중복조합의 수와 같으므로 구하는 경우의 수는
$$_4H_3 = {}_{4+3-1}C_3 = {}_6C_3 = 20$$
답 ②

05 **Act①** 중복조합에서 '적어도 a개씩 포함하도록 선택하는 경우'는 미리 a개씩 선택한 후 나머지를 선택하는 경우를 생각한다.

사과 주스, 포도 주스, 감귤 주스를 1병씩 선택한 후 서로 다른 세 종류의 주스에서 5개를 선택하는 중복조합의 수와 같으므로 구하는 경우의 수는
$$_3H_5 = {}_{3+5-1}C_5 = {}_7C_5 = {}_7C_2 = \frac{7 \times 6}{2} = 21$$
답 ③

06 **Act①** 중복조합에서 '적어도 a개씩 포함되도록 꺼내는 경우'는 미리 a개씩 꺼낸 후 나머지를 꺼내는 경우를 생각한다.

빨간색, 노란색, 파란색의 공을 미리 한 개씩 꺼낸 후 세 가지 색의 공에서 2개를 꺼내는 중복조합의 수와 같으므로 구하는 경우의 수는
$$_3H_2 = {}_{3+2-1}C_2 = {}_4C_2 = 6$$
답 6

07 **Act①** 중복조합에서 '적어도 a개씩 갖도록 하는 경우'는 미리 a개씩 나누어 준 후 나머지를 나누어 주는 경우를 생각한다.

우선 3명의 학생에게 흰색 탁구공과 주황색 탁구공을 1개씩 나누어 주고, 남은 흰색 탁구공 5개, 주황색 탁구공 4개를 나누어 주는 경우와 같다.
(i) 3명의 학생에게 흰색 탁구공을 1개씩 나누어 준 후 나머지 5개를 나누어 주는 중복조합의 수는
    $$_3H_5 = {}_{3+5-1}C_5 = {}_7C_5 = {}_7C_2 = 21$$
(ii) 3명의 학생에게 주황색 탁구공을 1개씩 나누어 준 후 나머지 4개를 나누어 주는 중복조합의 수는
    $$_3H_4 = {}_{3+4-1}C_4 = {}_6C_4 = {}_6C_2 = 15$$
(i), (ii)에서 구하는 경우의 수는
$$21 \times 15 = 315$$
답 ⑤

Act① $x_1 + x_2 + \cdots + x_n = r$ (r는 자연수)의 음이 아닌 정수해의 개수는 $_nH_r$임을 이용한다.
(i) $x + y + z = 10$을 만족시키는 순서쌍 (x, y, z)의 개수는
    $$_3H_{10} = {}_{3+10-1}C_{10} = {}_{12}C_{10} = {}_{12}C_2 = 66$$
(ii) $y + z = 0$인 순서쌍 (x, y, z)의 개수는 $(10, 0, 0)$의 1

$y+z=10$인 순서쌍 (x, y, z)의 개수는
$$_2H_{10}=_{2+10-1}C_{10}=_{11}C_{10}=_{11}C_1=11$$
(i), (ii)에서 구하는 순서쌍 (x, y, z)의 개수는
$$66-(1+11)=54 \qquad \text{답 ④}$$

08 **Act①** 주어진 조건에서 a, b, c, d, e 중에서 2개는 0이고 3개는 자연수임을 이용한다.

a, b, c, d, e 중에서 0인 것 2개 뽑는 경우의 수는
$$_5C_2=10$$
a, b, c, d, e 중에서 0이 아닌 세 자연수를 x, y, z라 하면 $x+y+z=10$ (단, x, y, z는 자연수)을 만족시키는 순서쌍 (x, y, z)의 개수는
$$_3H_7=_{3+7-1}C_7=_9C_7=_9C_2=36$$
따라서 구하는 순서쌍 (a, b, c, d, e)의 개수는
$$10\times36=360 \qquad \text{답 ④}$$

09 **Act①** 조건 (나)에 의해 조건 (가)를 만족시키는 자연수 d의 값은 2 또는 3임을 이용한다.

조건 (나)에서 $a+b+c\le5$이므로 조건 (가)를 만족시키는 자연수 d의 값은 2 또는 3이다.
(i) $d=2$일 때, $a+b+c=4$
$$\therefore _3H_4=_6C_4=_6C_2=15$$
(ii) $d=3$일 때, $a+b+c=1$
$$\therefore _3H_1=_3C_1=3$$
(i), (ii)에서 구하는 순서쌍 (a, b, c, d)의 개수는
$$15+3=18 \qquad \text{답 ①}$$

10 **Act①** $c\ge d$이므로 $c-d=c'$이라 하면 $a+b+c'=9$임을 생각한다.

$a+b+c-d=9$에서 $a+b+c=9+d$
$c\ge d$이므로 $c-d=c'$이라 하면 $a+b+c'=9$를 만족시키는 음이 아닌 정수해의 개수는
$$_3H_9=_{11}C_9=_{11}C_2=55$$
이고 $d\le4$이므로 $d=0$, 1, 2, 3, 4 각각의 경우에 위의 수만큼 순서쌍이 존재하므로
구하는 순서쌍의 개수는
$$55\times5=275 \qquad \text{답 ③}$$

11 **Act①** $x_2-x_1\ge2$, $x_3-x_2\ge2$에서 $x_1\le x_2-2\le(x_3-2)-2$임을 이용한다.

조건 (가)에서
$n=1$일 때, $x_2-x_1\ge2$이므로 $x_1\le x_2-2$
$n=2$일 때, $x_3-x_2\ge2$이므로 $x_2\le x_3-2$
$$\therefore x_1\le x_2-2\le(x_3-2)-2$$
x_1, x_2, x_3는 음이 아닌 정수이고 조건 (나)에서 $x_3\le10$이므로
$$0\le x_1\le x_2-2\le x_3-4\le6$$
이때 $x_2-2=x_2'$, $x_3-4=x_3'$이라 하면
$$0\le x_1\le x_2'\le x_3'\le6 \qquad \cdots\cdots \text{㉠}$$
이고, 주어진 조건을 만족시키는 음이 아닌 정수 x_1, x_2, x_3

의 모든 순서쌍 (x_1, x_2, x_3)의 개수는 ㉠을 만족시키는 음이 아닌 정수 x_1, x_2', x_3'의 모든 순서쌍 (x_1, x_2', x_3')의 개수와 같다.
따라서 구하는 순서쌍의 개수는 0, 1, 2, $\cdots$, 6의 7개에서 중복을 허락하여 3개를 택하는 중복조합의 수와 같으므로
$$_7H_3=_{7+3-1}C_3=_9C_3=\frac{9\times8\times7}{3\times2\times1}=84 \qquad \text{답 84}$$

기출유형 04

Act① $n(X)=m$, $n(Y)=n$일 때 $i<j$이면 $f(i)\le f(j)$인 함수의 개수는 $_nH_m$임을 이용한다. (단, $i\in X$, $j\in X$)

집합 A의 임의의 두 원소 x, y에 대하여 $x<y$이면 $f(x)\le f(y)$이고, $f(n-2)=3$이므로 $f(1)$, $f(2)$, $f(3)$, $\cdots$, $f(n-3)$의 값이 될 수 있는 자연수는 1, 2, 3이고, 이 중에서 중복을 허용하여 $(n-3)$개를 뽑은 후 크기 순서대로 $f(1)$, $f(2)$, $f(3)$, $\cdots$, $f(n-3)$의 값으로 정하면 된다.
또한, $f(n-1)$, $f(n)$의 값이 될 수 있는 자연수는 3, 4, 5, 6, 7, 8이고, 이 중에서 중복을 허용하여 2개를 뽑은 후 크기 순서대로 $f(n-1)$, $f(n)$의 값으로 정하면 된다.
따라서 주어진 조건을 만족시키는 함수 f의 개수는
$$\begin{aligned}
_3H_{n-3}\times_6H_2&=_{3+(n-3)-1}C_{n-3}\times_{6+2-1}C_2\\
&=_{n-1}C_{n-3}\times_7C_2\\
&=_{n-1}C_2\times_7C_2\\
&=\frac{(n-1)(n-2)}{2\times1}\times\frac{7\times6}{2\times1}\\
&=\frac{21}{2}(n-1)(n-2)
\end{aligned}$$
그런데 조건을 만족시키는 함수 f의 개수가 210이므로
$$\frac{21}{2}(n-1)(n-2)=210$$
$$(n-1)(n-2)=20, \ n^2-3n-18=0$$
$$(n-6)(n+3)=0$$
$$\therefore n=6 \ (\because n\ge4) \qquad \text{답 6}$$

12 **Act①** 정의역의 원소의 개수가 m이고 치역의 원소의 개수가 n일 때, $i<j$이면 $f(i)\le f(j)$인 함수의 개수는 $_nH_m$임을 이용한다. (단, $i\in X$, $j\in X$)

$x_1<x_2$이면 $2\le f(x_1)\le f(x_2)\le4$를 만족시키는 함수 f는 3개의 원소 2, 3, 4에서 중복을 허용하여 5개를 택하여 정의역의 원소 1, 2, 3, 4, 5에 작은 수부터 같거나 큰 수의 순서로 차례로 대응시키면 된다.
따라서 함수 f의 개수는 서로 다른 3개에서 중복을 허용하여 5개를 택하는 중복조합의 수와 같으므로
$$_3H_5=_{3+5-1}C_5=_7C_5=_7C_2=\frac{7\times6}{2\times1}=21 \qquad \text{답 21}$$

13 **Act①** $f(1)\le f(2)<f(3)\le f(4)$를 만족시키는 함수 f의 개수는 $f(1)\le f(2)\le f(3)\le f(4)$를 만족시키는 함수의 개수에서 $f(1)\le f(2)=f(3)\le f(4)$를 만족시키는 함수의 개수를 뺀다.

$f(1)\le f(2)\le f(3)\le f(4)$를 만족시키는 함수 f의 개수는 서로 다른 6개에서 중복을 허용하여 4개를 택하는 중복조합의

수와 같으므로 $_6H_4$

$f(1) \leq f(2) = f(3) \leq f(4)$를 만족시키는 함수 f의 개수는 서로 다른 6개에서 중복을 허용하여 3개를 택하는 중복조합의 수와 같으므로 $_6H_3$

따라서 조건을 만족시키는 함수 f의 개수는

$$_6H_4 - _6H_3 = _{6+4-1}C_4 - _{6+3-1}C_3$$
$$= _9C_4 - _8C_3$$
$$= \frac{9 \times 8 \times 7 \times 6}{4 \times 3 \times 2 \times 1} - \frac{8 \times 7 \times 6}{3 \times 2 \times 1}$$
$$= 126 - 56 = 70$$

답 70

14 **Act①** 두 조건을 만족시키는 함수 f의 개수는 $f(a) \neq a$인 함수의 개수에서 $f(3)f(4)f(5)$가 3의 배수가 아닌 함수의 개수를 뺀다.

정의역의 원소 a에 대하여 $f(a) \neq a$인 함수 f의 개수는 $f(a)$가 치역의 원소 중에서 a가 아닌 나머지 5개의 수이면 되므로 $5 \times 5 \times 5 \times 5 \times 5 \times 5 = 5^6$

$f(3)f(4)f(5)$가 3의 배수가 아니려면 $f(3)$은 1, 2, 4, 5 중 하나, $f(4)$는 1, 2, 5 중 하나, $f(5)$는 1, 2, 4 중 하나이어야 하고, $f(1)$, $f(2)$, $f(6)$은 각각 1, 2, 6이 아닌 수이면 되므로 $f(3)f(4)f(5)$가 3의 배수가 아닌 함수 f의 개수는

$4 \times 3 \times 3 \times 5 \times 5 \times 5 = 3^2 \times 4 \times 5^3$

따라서 구하는 함수 f의 개수는

$$5^6 - 3^2 \times 4 \times 5^3 = 5^3 \times (5^3 - 3^2 \times 4)$$
$$= 5^3 \times (125 - 36)$$
$$= 5^3 \times 89$$

$\therefore k = 89$

답 89

VIT Very Important Test   pp. 22~23

01. ②	02. ①	03. ②	04. ①	05. 20
06. ④	07. 109	08. ①	09. 24	10. 495
11. ③	12. 200			

01

세 종류의 음료수 중에서 4개를 선택하는 중복조합의 수와 같으므로

$$_3H_4 = _{3+4-1}C_4 = _6C_4 = _6C_2 = \frac{6 \times 5}{2 \times 1} = 15$$

답 ②

02

3명의 학생들에게 먼저 빵을 1개씩 주고 나서 나머지 8개를 나누어 주는 방법의 수를 구하면 된다.

즉 3명 중에서 8번을 택하는 중복조합의 수와 같으므로

$_3H_8 = _{3+8-1}C_8 = _{10}C_2 = 45$

답 ①

03

사과, 배, 오렌지, 바나나 중에서 중복을 허용하여 5개를 뽑는 경우의 수는

$$_4H_5 = _{4+5-1}C_5 = _8C_5 = _8C_3 = \frac{8 \times 7 \times 6}{3 \times 2 \times 1} = 56$$

배, 오렌지, 바나나 중에서 중복을 허용하여 5개를 뽑는 경우의 수는

$$_3H_5 = _{3+5-1}C_5 = _7C_5 = _7C_2 = \frac{7 \times 6}{2 \times 1} = 21$$

따라서 구하는 경우의 수는 $56 - 21 = 35$

답 ②

04

세 사람이 각각 적어도 아이스크림 1개, 쿠키 1개를 받아야 하므로 먼저 세 사람에게 각각 아이스크림 1개, 쿠키 1개를 나누어 준 후 나머지 아이스크림 2개와 쿠키 5개를 나누어 주는 경우를 생각하면 된다.

(i) 아이스크림 2개를 세 사람에게 나누어 주는 경우

세 사람 중에서 중복을 허락하여 두 번을 택한 후 아이스크림을 주는 경우와 같으므로 그 경우의 수는

$$_3H_2 = _{3+2-1}C_2 = _4C_2 = \frac{4 \times 3}{2 \times 1} = 6$$

(ii) 쿠키 5개를 세 사람에게 나누어 주는 경우

세 사람 중에서 중복을 허락하여 다섯 번을 택한 후 쿠키를 주는 경우와 같으므로 그 경우의 수는

$$_3H_5 = _{3+5-1}C_5 = _7C_5 = _7C_2 = \frac{7 \times 6}{2 \times 1} = 21$$

(i), (ii)에서 구하는 경우의 수는

$6 \times 21 = 126$

답 ①

05

중복을 허용하여 다섯 개를 주문하는 경우의 수는

$$_4H_5 = _8C_5 = _8C_3 = \frac{8 \times 7 \times 6}{3 \times 2 \times 1} = 56$$

a를 포함하지 않고 주문하는 경우의 수는

$$_3H_5 = _7C_5 = _7C_2 = \frac{7 \times 6}{2 \times 1} = 21$$

a를 1개 포함하여 주문하는 경우의 수는

$$_3H_4 = _6C_4 = _6C_2 = \frac{6 \times 5}{2 \times 1} = 15$$

따라서 구하는 경우의 수는

$56 - (21 + 15) = 20$

답 20

06

$x = x'+1$, $y = y'+1$, $z = z'+1$ (x', y', z'은 음이 아닌 정수)이라 하면 주어진 방정식은

$(x'+1) + (y'+1) + (z'+1) = 11$

즉 $x' + y' + z' = 8$

이때 방정식 $x' + y' + z' = 8$을 만족시키는 음이 아닌 정수 x', y', z'의 개수는 서로 다른 3개에서 중복을 허락하여 8개를 택하는 중복조합의 수와 같으므로

$$_3H_8 = _{3+8-1}C_8 = _{10}C_8 = _{10}C_2 = \frac{10 \times 9}{2 \times 1} = 45$$

답 ④

07

(i) $x = 0$인 경우

방정식 $y + z + w = 11$을 만족시키는 음이 아닌 정수 y, z, w의 순서쌍 (y, z, w)의 개수는 세 문자 y, z, w에서 중복을

허용하여 11개를 택하는 중복조합의 수와 같으므로

$$_3H_{11}={}_{13}C_{11}={}_{13}C_2=\frac{13\times12}{2\times1}=78$$

(ii) $x=1$인 경우

　방정식 $y+z+w=6$을 만족시키는 음이 아닌 정수 y, z, w의 순서쌍 $(y,\ z,\ w)$의 개수는 세 문자 y, z, w에서 중복을 허용하여 6개를 택하는 중복조합의 수와 같으므로

$$_3H_6={}_8C_6={}_8C_2=\frac{8\times7}{2\times1}=28$$

(iii) $x=2$인 경우

　방정식 $y+z+w=11$을 만족시키는 음이 아닌 정수 y, z, w의 순서쌍 $(y,\ z,\ w)$의 개수는 세 문자 y, z, w에서 중복을 허용하여 1개를 택하는 중복조합의 수와 같으므로

$$_3H_1={}_3C_1=3$$

　따라서 구하는 순서쌍의 개수는

$$78+28+3=109$$

답 109

08

x, y, z가 양의 정수해이므로

$x+y+z\geq3$

이때 주어진 부등식을 만족시키려면 방정식 $x+y+z=3$, $x+y+z=4$, $x+y+z=5$에 대하여 양의 정수해의 개수를 구하면 된다.

따라서 구하는 양의 정수해의 개수는

$$_3H_0+{}_3H_1+{}_3H_2={}_2C_0+{}_3C_1+{}_4C_2$$
$$=1+3+6=10$$

답 ①

09

세 자리 자연수이고 a는 4의 배수이므로 a는 4 또는 8이다.

(i) a가 4인 경우

　$4\leq b\leq c$이므로 4부터 9까지의 자연수에서 중복을 허락하여 2개를 택한 후 크기순으로 b, c를 정하면 된다.

$$_6H_2={}_{6+2-1}C_2={}_7C_2=\frac{7\times6}{2\times1}=21$$

(ii) a가 8인 경우

　$8\leq b\leq c$이므로 8부터 9까지의 자연수에서 중복을 허락하여 2개를 택한 후 크기순으로 b, c를 정하면 된다.

$$_2H_2={}_{2+2-1}C_2={}_3C_1=3$$

(i), (ii)에서 구하는 경우의 수는

$$21+3=24$$

답 24

10

$f(1)\leq f(2)\leq f(3)=f(4)\leq f(5)$를 만족시키는 함수의 개수는 서로 다른 10개에서 4개를 택하는 중복조합의 수와 같으므로

$$_{10}H_4={}_{10+4-1}C_4={}_{13}C_4=\frac{13\times12\times11\times10}{4\times3\times2\times1}=715$$

또한, $f(1)\leq f(2)=f(3)=f(4)\leq f(5)$를 만족시키는 함수의 개수는 서로 다른 10개에서 3개를 택하는 중복조합의 수와 같으므로

$$_{10}H_3={}_{10+3-1}C_3={}_{12}C_3=\frac{12\times11\times10}{3\times2\times1}=220$$

따라서 구하는 함수의 개수는

$$715-220=495$$

답 495

11

조건 (가)에서 세 수 x, y, z는 모두 홀수이고 적어도 하나는 1보다 커야 한다.

조건 (나)에서 16보다 작은 홀수는

1, 3, 5, 7, 9, 11, 13, 15이고

$x\leq y\leq z\leq16$을 만족시키려면

8개의 홀수 중에서 중복을 허용하여 3개를 택하여 작은 수부터 차례로 x, y, z에 각각 대응시키면 된다. 이때 세 수가 모두 1인 경우는 제외해야 하므로 구하는 순서쌍 $(x,\ y,\ z)$의 개수는

$$_8H_3-1={}_{10}C_3-1=\frac{10\times9\times8}{3\times2\times1}-1=119$$

답 ③

12

조건 (가)에서 함수 f의 치역의 원소의 개수는 3이므로 6개의 원소 1, 2, 3, 4, 5, 6 중에서 3개를 택하는 경우의 수는

$$_6C_3=\frac{6\times5\times4}{3\times2\times1}=20$$

이 20가지의 경우 중에서 치역이 $\{1,\ 2,\ 3\}$인 경우는 1, 2, 3 중에서 중복을 허용하여 6개를 뽑되 적어도 한 개 이상씩 뽑는 경우이므로 방정식 $a+b+c=3$을 만족시키는 음이 아닌 정수해의 순서쌍 $(a,\ b,\ c)$의 개수를 구하는 것과 같다.

$$_3H_3={}_5C_3={}_5C_2=\frac{5\times4}{2\times1}=10$$

따라서 치역의 원소의 개수가 3인 20가지의 각각의 경우에 대하여 (나)를 만족시키는 경우가 10가지씩이므로 구하는 함수의 개수는

$$20\times10=200$$

답 200

03 이항정리

p. 25

01. ②	02. ⑤	03. ⑤	04. 25	05. ⑤
06. 32				

01

$(1+x)^7$의 전개식의 일반항은 $_7C_r1^{7-r}x^r$

　$(1+x)^7$의 전개식에서 x^4항은 $r=4$일 때이므로 x^4의 계수는

$$_7C_4={}_7C_3=\frac{7\times6\times5}{3\times2\times1}=35$$

답 ②

02

$\left(x+\dfrac{2}{x}\right)^8$의 전개식의 일반항은

$$_8C_rx^{8-r}\left(\frac{2}{x}\right)^r={}_8C_r2^rx^{8-2r}$$

$\left(x+\dfrac{2}{x}\right)^8$의 전개식에서 x^4항은 $8-2r=4$에서 $r=2$일 때이므로 x^4의 계수는

$$_8C_2\times2^2=28\times4=112$$

답 ⑤

03

$(x+a)^5$의 전개식의 일반항은 $_5C_rx^{5-r}a^r$

$(x+a)^5$의 전개식에서 x^3항은 $r=2$일 때이므로 x^3의 계수는 $_5\mathrm{C}_2a^2$

$_5\mathrm{C}_2a^2=40$이므로 $10a^2=40$, $a^2=4$

x의 계수는 $r=4$일 때이므로 $_5\mathrm{C}_4a^4=5\times4^2=80$ 답 ⑤

04 $(1+2x)(1+x)^5=(1+x)^5+2x(1+x)^5$이므로

$(1+2x)(1+x)^5$의 전개식에서 x^4의 계수는 $(1+x)^5$의 전개식에서 x^4의 계수와 $2x(1+x)^5$의 전개식에서 x^4의 계수를 각각 구해서 합한 것이다.

(i) $(1+x)^5$의 전개식의 일반항은 $_5\mathrm{C}_rx^r$

 $(1+x)^5$의 전개식에서 x^4항은 $r=4$일 때이므로 x^4의 계수는 $_5\mathrm{C}_4=5$

(ii) $2x(1+x)^5$의 전개식의 일반항은

 $2x\times_5\mathrm{C}_rx^r=2_5\mathrm{C}_rx^{r+1}$

 $2x(1+x)^5$의 전개식에서 x^4항은 $r=3$일 때이므로 x^4의 계수는 $2_5\mathrm{C}_3=2_5\mathrm{C}_2=20$

(i), (ii)에서 구하는 x^4의 계수는 $5+20=25$ 답 25

05 $_{n-1}\mathrm{C}_2+_{n-1}\mathrm{C}_3=_{n-1}\mathrm{C}_8+_{n-1}\mathrm{C}_9$에서 $_n\mathrm{C}_3=_n\mathrm{C}_9$

이때 $_n\mathrm{C}_9=_n\mathrm{C}_{n-9}$이므로 $_n\mathrm{C}_3=_n\mathrm{C}_{n-9}$

$3=n-9$ $\therefore n=12$ 답 ⑤

06 이항계수의 성질에 의하여

$_5\mathrm{C}_0+_5\mathrm{C}_1+_5\mathrm{C}_2+_5\mathrm{C}_3+_5\mathrm{C}_4+_5\mathrm{C}_5$

$=(1+1)^5=2^5=32$ 답 32

유형따라잡기				pp. 26~29
기출유형 01 ②	01. ①	02. ⑤	03. ①	04. ②
기출유형 02 ②	05. ③	06. ②	07. 2	08. ①
기출유형 03 ④	09. ②	10. 11	11. 455	
기출유형 04 ①	12. 682	13. 32	14. 495	15. ⑤

기출유형 01

Act ① $(a+b)^n$의 전개식의 일반항은 $_n\mathrm{C}_ra^{n-r}b^r$임을 이용한다.

$(x+a)^6$, 즉 $(a+x)^6$의 전개식의 일반항은 $_6\mathrm{C}_ra^{6-r}x^r$

x^4의 계수는 $r=4$일 때이므로 $_6\mathrm{C}_4a^2$

이때 $_6\mathrm{C}_4a^2=60$이므로

$_6\mathrm{C}_2a^2=60$, $15a^2=60$

$\therefore a=2\ (\because a>0)$ 답 ②

01 **Act ①** $(a+b)^n$의 전개식의 일반항은 $_n\mathrm{C}_ra^{n-r}b^r$임을 이용한다.

$(x+a)^7$, 즉 $(a+x)^7$의 전개식의 일반항은 $_7\mathrm{C}_ra^{7-r}x^r$

x^4의 계수는 $r=4$일 때이므로 $_7\mathrm{C}_4a^3$

이때 $_7\mathrm{C}_4a^3=280$이므로

$_7\mathrm{C}_4a^3=280$, $35a^3=280$, $a^3=8$

$\therefore a=2$

따라서 x^5의 계수는 $_7\mathrm{C}_5a^2=_7\mathrm{C}_2\times2^2=84$ 답 ①

02 **Act ①** $(a+b)^n$의 전개식의 일반항은 $_n\mathrm{C}_ra^{n-r}b^r$임을 이용한다.

$\left(2x+\dfrac{1}{x^2}\right)^4$의 전개식의 일반항은

$_4\mathrm{C}_r(2x)^{4-r}\left(\dfrac{1}{x^2}\right)^r=_4\mathrm{C}_r2^{4-r}x^{4-3r}$

x의 계수는 $4-3r=1$, 즉 $r=1$일 때이므로

$_4\mathrm{C}_1\times2^3=32$ 답 ⑤

03 **Act ①** $(a+b)^n$의 전개식의 일반항은 $_n\mathrm{C}_ra^{n-r}b^r$임을 이용한다.

$\left(\dfrac{x}{2}+\dfrac{a}{x}\right)^6$의 전개식의 일반항은

$_6\mathrm{C}_r\left(\dfrac{x}{2}\right)^r\left(\dfrac{a}{x}\right)^{6-r}=_6\mathrm{C}_r\left(\dfrac{1}{2}\right)^ra^{6-r}x^{2r-6}$

x^2의 계수는 $r=4$일 때이므로 $_6\mathrm{C}_4\left(\dfrac{1}{2}\right)^4a^2$

이때 $_6\mathrm{C}_4\left(\dfrac{1}{2}\right)^4a^2=15$이므로

$_6\mathrm{C}_2\times\dfrac{1}{16}a^2=15$, $15\times\dfrac{1}{16}a^2=15$, $a^2=16$

$\therefore a=4\ (\because a>0)$ 답 ①

04 **Act ①** $(a+b)^n$의 전개식의 일반항은 $_n\mathrm{C}_ra^{n-r}b^r$임을 이용한다.

(i) $\left(x+\dfrac{a}{x}\right)^6$의 전개식의 일반항은

 $_6\mathrm{C}_rx^{6-r}\left(\dfrac{a}{x}\right)^r=_6\mathrm{C}_ra^rx^{6-2r}$

 $6-2r=1$을 만족시키는 정수 r는 없으므로 x항은 나오지 않는다.

 x^2의 계수는 $r=2$일 때이므로 $_6\mathrm{C}_2\times a^2=15a^2$

(ii) $\left(x-\dfrac{2a}{x}\right)^6$의 전개식의 일반항은

 $_6\mathrm{C}_sx^{6-s}\left(\dfrac{-2a}{x}\right)^s=_6\mathrm{C}_s(-2a)^sx^{6-2s}$

 $6-2s=1$을 만족시키는 정수 s는 없으므로 x항은 나오지 않는다.

 x^2의 계수는 $s=2$일 때이므로 $_6\mathrm{C}_2\times(-2a)^2=60a^2$

(i), (ii)에서 x의 계수와 x^2의 계수의 합은

$15a^2+60a^2=150$, $75a^2=150$

$\therefore a^2=2$ 답 ②

기출유형 02

Act ① $(2+x)^4(1+3x)^3$의 전개식의 일반항은 $(2+x)^4$과 $(1+3x)^3$의 전개식의 일반항을 각각 구하여 곱한다.

$(2+x)^4$의 전개식의 일반항은 $_4\mathrm{C}_r2^{4-r}x^r$

$(1+3x)^3$의 전개식의 일반항은 $_3\mathrm{C}_s3^sx^s$

따라서 $(2+x)^4(1+3x)^3$의 전개식의 일반항은

$_4\mathrm{C}_r2^{4-r}x^r\times_3\mathrm{C}_s3^sx^s=_4\mathrm{C}_r\times_3\mathrm{C}_s\times2^{4-r}\times3^s\times x^{r+s}$ ……㉠

㉠에서 x의 계수는 $r+s=1$일 때이고 $0\le r\le4$, $0\le s\le3$이므로

(i) $r=0$, $s=1$일 때

 $_4\mathrm{C}_0\times_3\mathrm{C}_1\times2^4\times3^1=144$

(ii) $r=1$, $s=0$일 때

 $_4\mathrm{C}_1\times_3\mathrm{C}_0\times2^3\times3^0=32$

(i), (ii)에서 x의 계수는

$144+32=176$ 답 ②

05 Act① 상수항은 x^2-1의 x^2과 $\left(2x+\dfrac{1}{x}\right)^6$의 $\dfrac{1}{x^2}$항의 곱 또는

x^2-1의 -1과 $\left(2x+\dfrac{1}{x}\right)^6$의 상수항의 곱으로 나타남을 이용한다.

$\left(2x+\dfrac{1}{x}\right)^6$의 전개식의 일반항은

$_6\mathrm{C}_r(2x)^{6-r}\left(\dfrac{1}{x}\right)^r=_6\mathrm{C}_r2^{6-r}x^{6-2r}$

$\dfrac{1}{x^2}$항은 $6-2r=-2$, 즉 $r=4$일 때이므로

$\dfrac{1}{x^2}$의 계수는 $_6\mathrm{C}_42^{6-4}=_6\mathrm{C}_22^2=60$

상수항은 $6-2r=0$, 즉 $r=3$일 때이므로

$_6\mathrm{C}_32^{6-3}=160$

따라서 $(x^2-1)\left(2x+\dfrac{1}{x}\right)^6$의 전개식에서 상수항은

$1\times60+(-1)\times160=-100$ 답 ③

06 Act① x^3항은 $\left(x^2-\dfrac{1}{x}\right)$의 x^2과 $\left(x+\dfrac{a}{x^2}\right)^4$의 전개식의 x항의 곱 또는 $\left(x^2-\dfrac{1}{x}\right)$의 $-\dfrac{1}{x}$과 $\left(x+\dfrac{a}{x^2}\right)^4$의 전개식의 x^4항의 곱으로 나타남을 이용한다.

$\left(x+\dfrac{a}{x^2}\right)^4$의 전개식에서 일반항은

$_4\mathrm{C}_rx^{4-r}\left(\dfrac{a}{x^2}\right)^r=_4\mathrm{C}_ra^rx^{4-r-2r}=_4\mathrm{C}_ra^rx^{4-3r}$

x항은 $4-3r=1$, 즉 $r=1$일 때이므로

x의 계수는 $_4\mathrm{C}_1a^1=4a$

x^4항은 $4-3r=4$, 즉 $r=0$일 때이므로

x^4의 계수는 $_4\mathrm{C}_0a^0=1$

따라서 $\left(x^2-\dfrac{1}{x}\right)\left(x+\dfrac{a}{x^2}\right)^4$의 전개식에서 x^3의 계수는

$1\times4a+(-1)\times1=7$

$\therefore a=2$ 답 ②

07 Act① $(x+k)^2(x+1)^5$의 전개식의 일반항은 $(x+k)^2$과 $(x+1)^5$의 전개식의 일반항을 각각 구하여 곱한다.

$(x+k)^2$의 전개식의 일반항은 $_2\mathrm{C}_rk^{2-r}x^r$

$(x+1)^5$의 전개식의 일반항은 $_5\mathrm{C}_sx^s$

따라서 $(x+k)^2(x+1)^5$의 전개식의 일반항은

$_2\mathrm{C}_rk^{2-r}x^r\times_5\mathrm{C}_sx^s=_2\mathrm{C}_r\times_5\mathrm{C}_s\times k^{2-r}\times x^{r+s}$ ……㉠

㉠에서 x의 계수는 $r+s=1$일 때이고 $0\le r\le2$, $0\le s\le5$이므로

(i) $r=0$, $s=1$일 때

     $_2\mathrm{C}_0\times_5\mathrm{C}_1\times k^2=5k^2$

(ii) $r=1$, $s=0$일 때

     $_2\mathrm{C}_1\times_5\mathrm{C}_0\times k=2k$

(i), (ii)에서 x의 계수는 $5k^2+2k$

$5k^2+2k=24$, $5k^2+2k-24=0$

$(k-2)(5k+12)=0$

$\therefore k=2$ ($\because k>0$)   답 2

08 Act① $(1+x)^m(1+x^2)^n$의 전개식의 일반항은 $(1+x)^m$과 $(1+x^2)^n$의 전개식의 일반항을 각각 구하여 곱한다.

$(1+x)^m$의 전개식의 일반항은 $_m\mathrm{C}_rx^r$

$(1+x^2)^n$의 전개식의 일반항은 $_n\mathrm{C}_s(x^2)^s$

따라서 $(1+x)^m(1+x^2)^n$의 전개식의 일반항은

$_m\mathrm{C}_rx^r\times_n\mathrm{C}_s(x^2)^s=_m\mathrm{C}_r\times_n\mathrm{C}_sx^{r+2s}$ ……㉠

㉠에서 x^2의 계수는 $r+2s=2$일 때이므로

$r=0$, $s=1$ 또는 $r=2$, $s=0$

따라서 x^2의 계수는

$_m\mathrm{C}_0\times_n\mathrm{C}_1+_m\mathrm{C}_2\times_n\mathrm{C}_0=1\times n+\dfrac{m(m-1)}{2\times1}\times1$

$=n+\dfrac{m(m-1)}{2}$

이때 $n+\dfrac{m(m-1)}{2}=12$이므로

$2n+m(m-1)=24$

m, n은 자연수이므로 $2n\ge2$

즉 $0\le m(m-1)\le22$에서 $1\le m\le5$

방정식 $2n+m(m-1)=24$를 만족시키는 순서쌍 (m, n)은 $(1, 12)$, $(2, 11)$, $(3, 9)$, $(4, 6)$, $(5, 2)$ ……㉡

x^3의 계수는 $r+2s=3$일 때이므로

$r=1$, $s=1$ 또는 $r=3$, $s=0$

따라서 x^3의 계수는

$_m\mathrm{C}_1\times_n\mathrm{C}_1+_m\mathrm{C}_3\times_n\mathrm{C}_0=m\times n+\dfrac{m(m-1)(m-2)}{3\times2\times1}\times1$

$=mn+\dfrac{m(m-1)(m-2)}{6}$

㉡에서 구한 순서쌍 (m, n)을 위 식에 대입하면 x^3의 계수는 12, 22, 28, 28, 20이므로 구하는 x^3의 계수의 최댓값은 28이다.   답 ①

기출유형 **03**

Act① $_{n-1}\mathrm{C}_{r-1}+_{n-1}\mathrm{C}_r=_n\mathrm{C}_r$, $_n\mathrm{C}_r=_n\mathrm{C}_{n-r}$임을 이용하여 주어진 식을 간단히 한다.

$_2\mathrm{C}_0+_2\mathrm{C}_1+_3\mathrm{C}_2+_4\mathrm{C}_3+\cdots+_{18}\mathrm{C}_{17}$

$=_3\mathrm{C}_1+_3\mathrm{C}_2+_4\mathrm{C}_3+_5\mathrm{C}_4+\cdots+_{18}\mathrm{C}_{17}$

$=_4\mathrm{C}_2+_4\mathrm{C}_3+_5\mathrm{C}_4+_6\mathrm{C}_5+\cdots+_{18}\mathrm{C}_{17}$

            $\vdots$

$=_{18}\mathrm{C}_{16}+_{18}\mathrm{C}_{17}$

$=_{19}\mathrm{C}_{17}$

$=_{19}\mathrm{C}_2=171$ 답 ④

09 Act① 증명 과정의 원리를 생각하며 빈칸의 앞뒤를 살펴본다.

$2\cdot_k\mathrm{C}_2=2\cdot\dfrac{k(k-1)}{2}=k^2-k$에서

$k^2=k+2\cdot_k\mathrm{C}_2=\boxed{_k\mathrm{C}_1}+2\cdot_k\mathrm{C}_2$로 나타낼 수 있으므로

$1^2+2^2+3^2+\cdots+n^2$

$=_1\mathrm{C}_1+(_2\mathrm{C}_1+2\cdot_2\mathrm{C}_2)+\cdots+(_n\mathrm{C}_1+2\cdot\boxed{_n\mathrm{C}_2})$

$$= ({}_1C_1 + {}_2C_1 + {}_3C_1 + \cdots + {}_nC_1) + 2({}_2C_2 + {}_3C_2 + \cdots + \boxed{{}_nC_2})$$
$$= ({}_2C_2 + {}_2C_1 + {}_3C_1 + \cdots + {}_nC_1) + 2({}_3C_3 + {}_3C_2 + {}_4C_2 + \cdots + {}_nC_2)$$
$$= ({}_3C_2 + {}_3C_1 + \cdots + {}_nC_1) + 2({}_4C_3 + {}_4C_2 + \cdots + {}_nC_2)$$
$$\vdots$$
$$= ({}_nC_2 + {}_nC_1) + 2({}_nC_3 + {}_nC_2)$$
$$= {}_{n+1}C_2 + 2 \cdot \boxed{{}_{n+1}C_3}$$
$$= \frac{n(n+1)(2n+1)}{6}$$

답 ②

10 <kbd>Act①</kbd> $_{n-1}C_{r-1} + {}_{n-1}C_r = {}_nC_r$, $_nC_r = {}_nC_{n-r}$임을 이용하여 방정식을 푼다.

$_{n-1}C_3 + {}_{n-1}C_4 = {}_{n-1}C_6 + {}_{n-1}C_7$에서 $_nC_4 = {}_nC_7$

이때 $_nC_7 = {}_nC_{n-7}$이므로 $_nC_4 = {}_nC_{n-7}$

$4 = n - 7$ $\therefore n = 11$

답 11

11 <kbd>Act①</kbd> 미리 3종류의 색연필을 1개씩 선택한 후 12개 이하의 색연필을 선택하는 중복조합임을 이용한다.

3종류의 색연필 중 각 종류의 색연필을 적어도 1개씩 포함하여 15개 이하의 색연필을 선택하는 경우의 수는 서로 다른 3개 중에서 중복을 허락하여 12개 이하의 색연필을 택하는 중복조합의 수와 같으므로

$_3H_r$ (단, $r = 0, 1, 2, \cdots, 12$)

따라서 구하는 경우의 수는

$$_3H_0 + {}_3H_1 + {}_3H_2 + \cdots + {}_3H_{12}$$
$$= {}_2C_0 + {}_3C_1 + {}_4C_2 + \cdots + {}_{14}C_{12}$$
$$= {}_3C_0 + {}_3C_1 + {}_4C_2 + \cdots + {}_{14}C_{12}$$
$$= {}_4C_1 + {}_4C_2 + \cdots + {}_{14}C_{12}$$
$$= {}_5C_2 + {}_5C_3 + \cdots + {}_{14}C_{12}$$
$$\vdots$$
$$= {}_{14}C_{11} + {}_{14}C_{12}$$
$$= {}_{15}C_{12}$$
$$= {}_{15}C_3 = 455$$

답 455

기출유형 04

<kbd>Act①</kbd> $_nC_1 + {}_nC_3 + {}_nC_5 + \cdots + {}_nC_{n-1} = 2^{n-1}$ (단, n은 짝수)임을 이용한다.

$_{2n}C_1 + {}_{2n}C_3 + {}_{2n}C_5 + \cdots + {}_{2n}C_{2n-1} = 2^{2n-1}$이므로

$2^{2n-1} = 512 = 2^9$

따라서 $2n - 1 = 9$이므로 $n = 5$

답 ①

12 <kbd>Act①</kbd> $_nC_1 + {}_nC_3 + {}_nC_5 + \cdots + {}_nC_{n-1} = 2^{n-1}$ (단, n은 짝수)임을 이용한다.

$_{2k}C_1 + {}_{2k}C_3 + {}_{2k}C_5 + \cdots + {}_{2k}C_{2k-1} = 2^{2k-1}$이므로

$$\therefore f(5) = \sum_{k=1}^{5} 2^{2k-1} = 2 + 2^3 + 2^5 + 2^7 + 2^9$$
$$= \frac{2(4^5 - 1)}{4 - 1} = 682$$

답 682

13 <kbd>Act①</kbd> 사탕을 k개 주면 박하사탕은 5-k개 주어야 함을 이용한다.

서로 다른 알사탕 5개에서 k개를 택하는 방법의 수는 $_5C_k$이고, 박하사탕 $(5-k)$개를 택하는 방법의 수는 1이다.

따라서 구하는 방법의 수는

$_5C_0 + {}_5C_1 + {}_5C_2 + {}_5C_3 + {}_5C_4 + {}_5C_5 = 2^5 = 32$

답 32

14 <kbd>Act①</kbd> 원소의 개수가 n인 집합에서 원소의 개수가 k인 부분집합의 개수는 $_nC_k$임을 이용한다.

집합 A의 원소의 개수를 n이라 하면 원소의 개수가 홀수인 부분집합의 개수가 2048이므로

$$_nC_1 + {}_nC_3 + \cdots = \frac{2^n}{2} = 2^{n-1} = 2048$$

$2^{n-1} = 2^{11}$에서 $n = 12$

따라서 원소의 개수가 12인 집합 A의 부분집합 중 원소의 개수가 8인 부분집합의 개수는

$$_{12}C_8 = {}_{12}C_4 = \frac{12 \times 11 \times 10 \times 9}{4 \times 3 \times 2 \times 1} = 495$$

답 495

15 <kbd>Act①</kbd> 특정한 원소를 포함하거나 포함하지 않는 부분집합의 개수는 해당 원소를 빼놓고 구한 부분집합의 개수와 같음을 이용한다.

집합 A의 부분집합 중 두 원소 1, 2를 모두 포함하고 원소의 개수가 홀수인 부분집합의 개수는 집합 $\{3, 4, 5, \cdots, 25\}$의 부분집합 중 원소의 개수가 홀수인 부분집합의 개수와 같으므로

$$_{23}C_1 + {}_{23}C_3 + {}_{23}C_5 + \cdots + {}_{23}C_{21} + {}_{23}C_{23}$$
$$= \frac{2^{23}}{2} = 2^{23-1} = 2^{22}$$

답 ⑤

VIT Very Important Test pp. 30~31

01. ⑤	02. ④	03. 2	04. ②	05. ④
06. ②	07. ①	08. ③	09. ①	10. ⑤
11. 1	12. 11			

01

$(2x+1)^6$의 전개식의 일반항은

$_6C_r(2x)^{6-r}1^r = {}_6C_r 2^{6-r} x^{6-r}$

$6 - r = 4$에서 $r = 2$

따라서 x^4의 계수는

$_6C_2 \times 2^4 = 240$

답 ⑤

02

$\left(x^2 - \dfrac{2}{x}\right)^5$의 전개식의 일반항은

$_5C_r(x^2)^{5-r}\left(-\dfrac{2}{x}\right)^r = {}_5C_r(-2)^r x^{10-3r}$

$10 - 3r = 4$에서 $r = 2$

따라서 x^4의 계수는

$_5C_2(-2)^2 = {}_5C_2 \times 4 = 40$

답 ④

03

$(a + x^2)^{10}$의 전개식의 일반항은

$_{10}C_r a^{10-r}(x^2)^r = {}_{10}C_r a^{10-r} x^{2r}$

$2r=8$에서 $r=4$
따라서 x^8의 계수는
$_{10}C_4 \times a^{10-4}=210a^6$
이때 x^8의 계수가 420이므로
$210a^6=420$ ∴ $a^6=2$ 답 2

04

$\left(ax^3-\dfrac{2}{x^2}\right)^4$의 전개식의 일반항은

$_4C_r(ax^3)^{4-r}\left(-\dfrac{2}{x^2}\right)^r=_4C_r a^{4-r}(-2)^r x^{12-5r}$

$12-5r=2$에서 $r=2$
이때 x^2의 계수가 6이므로
$_4C_2 \times a^{4-2} \times (-2)^2=24a^2=6$

$a^2=\dfrac{1}{4}$ ∴ $a=\dfrac{1}{2}$ $(\because a>0)$ 답 ②

05

$(x+2)^3$의 전개식의 일반항은
$_3C_r x^r 2^{3-r}$
$(x^2+3)^4$의 전개식의 일반항은
$_4C_s(x^2)^s 3^{4-s}=_4C_s 3^{4-s}x^{2s}$
따라서 $(x+2)^3(x^2+3)^4$의 전개식의 일반항은
$_3C_r \times _4C_s \times 2^{3-r} \times 3^{4-s} \times x^{r+2s}$
x^7항은 $r+2s=7$일 때이므로
$r=1$, $s=3$ 또는 $r=3$, $s=2$
(i) $r=1$, $s=3$일 때 x^7의 계수는
  $_3C_1 \times _4C_3 \times 2^2 \times 3=144$
(ii) $r=3$, $s=2$일 때 x^7의 계수는
  $_3C_3 \times _4C_2 \times 2^0 \times 3^2=54$
(i), (ii)에서 x^7의 계수는
$144+54=198$ 답 ④

06

$(x-2)^3$의 전개식의 일반항은
$_3C_r x^{3-r}(-2)^r$
$(2x+1)^4$의 전개식의 일반항은
$_4C_s(2x)^{4-s} \times 1^s$
따라서 $(x-2)^3(2x+1)^4$의 전개식의 일반항은
$_3C_r x^{3-r} \times (-2)^r \times _4C_s(2x)^{4-s} \times 1^s$
$=_3C_r \times _4C_s \times (-2)^r \times 2^{4-s} \times x^{7-r-s}$
x항은 $7-r-s=1$, 즉 $r+s=6$일 때이므로
$r=2$, $s=4$ 또는 $r=3$, $s=3$
(i) $r=2$, $s=4$일 때 x의 계수는
  $_3C_2 \times _4C_4 \times 4 \times 1=12$
(ii) $r=3$, $s=3$일 때 x의 계수는
  $_3C_3 \times _4C_3 \times (-8) \times 2=-64$
(i), (ii)에서 x의 계수는
$12-64=-52$ 답 ②

07

$(1+x)^n$의 전개식의 일반항은 $_nC_r x^r$이다.
$(1+x)+(1+x)^2+(1+x)^3+\cdots+(1+x)^{20}$의 전개식에서 x^2의
계수는
$_2C_2+_3C_2+_4C_2+\cdots+_{20}C_2$
$=_3C_3+_3C_2+_4C_2+\cdots+_{20}C_2$ $(\because _2C_2=_3C_3)$
  ⋮
$=_{20}C_3+_{20}C_2$
$=_{21}C_3=\dfrac{21 \times 20 \times 19}{3 \times 2 \times 1}=1330$ 답 ①

08

$_7C_1-_6C_2+_7C_3-_6C_4+_7C_5-_6C_6+_7C_7$
$=(_7C_1+_7C_3+_7C_5+_7C_7)-(_6C_2+_6C_4+_6C_6)$
$=2^{7-1}-(2^{6-1}-1)=33$ 답 ③

09

$_{2n}C_1+_{2n}C_3+_{2n}C_5+\cdots+_{2n}C_{2n-1}=2^{2n-1}$이고
$128=2^7$이므로 $2^{2n-1}=2^7$에서
$2n-1=7$
∴ $n=4$ 답 ①

10

9명 중에서 5명 이상을 뽑는 경우는 9명 중에서 5명, 6명, 7명,
8명, 9명을 뽑는 경우이다.
각각의 경우의 수는
$_9C_5$, $_9C_6$, $_9C_7$, $_9C_8$, $_9C_9$
이고, 이항계수의 성질에 의하여
$_9C_5+_9C_6+_9C_7+_9C_8+_9C_9$
$=_9C_5+_9C_3+_9C_7+_9C_1+_9C_9$
$=_9C_1+_9C_3+_9C_5+_9C_7+_9C_9$
$=2^{9-1}=2^8=256$ 답 ⑤

11

$\left(x+\dfrac{a}{x}\right)^{10}$의 전개식의 일반항은

$_{10}C_r x^{10-r}\left(\dfrac{a}{x}\right)^r=_{10}C_r a^r x^{10-2r}$

x^2은 $10-2r=2$, 즉 $r=4$일 때이므로 x^2의 계수는
$_{10}C_4 a^4=210a^4$

또, $\dfrac{1}{x^2}$항은 $10-2r=-2$, 즉 $r=6$일 때이므로 $\dfrac{1}{x^2}$의 계수는

$_{10}C_6 a^6=_{10}C_4 a^6=210a^6$

이때 x^2의 계수와 $\dfrac{1}{x^2}$의 계수의 합이 $420a^4$이므로

$210a^4+210a^6=420a^4$에서
$210a^6-210a^4=0$, $210a^4(a^2-1)=0$
∴ $a=1$ $(\because a>0)$ 답 1

12

$n(B)=k(1 \leq k \leq 8)$일 때, 집합 B의 개수는 $_8C_k$이고 그 각각에
대하여 $A \subset B$를 만족시키는 집합 A의 개수는 2^k-1이다.
따라서 두 부분집합 A, B의 경우의 수는

$_8C_1(2^1-1)+_8C_2(2^2-1)+\cdots+_8C_8(2^8-1)$
이다.
이때 $_8C_0(2^0-1)=1\times0=0$이므로
$_8C_1(2^1-1)+_8C_2(2^2-1)+\cdots+_8C_8(2^8-1)$
$=_8C_0(2^0-1)+_8C_1(2^1-1)+_8C_2(2^2-1)+\cdots+_8C_8(2^8-1)$
$=(_8C_0\times2^0+_8C_1\times2^1+_8C_2\times2^2+\cdots+_8C_8\times2^8)$
$\quad-(_8C_0+_8C_1+_8C_2+\cdots+_8C_8)$
$=(1+2)^8-(1+1)^8$
$=3^8-2^8$
$\therefore a+m=3+8=11$ 답 11

04 확률의 뜻과 활용

p. 33

01. ② **02.** 16 **03.** ③ **04.** ② **05.** ②
06. ⑤

01 6장의 카드 A, A, A, B, B, C를 일렬로 나열하는 경우의 수는
$$\frac{6!}{3!2!1!}=60$$
양 끝에 A가 적힌 카드를 놓고 남은 4장의 카드 A, B, B, C를 가운데에 일렬로 나열하는 경우의 수는
$$\frac{4!}{1!2!1!}=12$$
따라서 구하는 확률은
$$\frac{12}{60}=\frac{1}{5}$$
답 ②

02 6개의 공에서 2개의 공을 꺼내는 경우의 수는
$$_6C_2=\frac{6\times5}{2\times1}=15$$
꺼낸 2개의 공이 모두 흰 공인 경우의 수는
$$_2C_2=1$$
따라서 구하는 확률은 $\frac{1}{15}$이므로 $p=15$, $q=1$
$$\therefore p+q=16$$
답 16

03 두 사건 A, B가 서로 배반사건이므로
$$\mathrm{P}(A\cup B)=\mathrm{P}(A)+\mathrm{P}(B)$$
$$\frac{1}{2}=\frac{1}{6}+\mathrm{P}(B)$$
$$\therefore \mathrm{P}(B)=\frac{1}{2}-\frac{1}{6}=\frac{1}{3}$$
답 ③

04 꺼낸 4개의 공 중 흰 공의 개수가 3 이상일 경우는 흰 공의 개수가 3 또는 4인 경우이다.
흰 공의 개수가 3인 사건을 A, 흰 공의 개수가 4인 사건을 B라 하면
$$\mathrm{P}(A)=\frac{_6C_3\times _4C_1}{_{10}C_4}=\frac{20\times4}{210}=\frac{8}{21}$$
$$\mathrm{P}(B)=\frac{_6C_4}{_{10}C_4}=\frac{15}{210}=\frac{1}{14}$$
두 사건 A, B는 서로 배반사건이므로 구하는 확률은
$$\frac{8}{21}+\frac{1}{14}=\frac{19}{42}$$
답 ②

05 $P(A^C \cap B) = 1 - P((A^C \cap B)^C) = 1 - P(A \cup B^C) = \frac{1}{6}$ 이므로

$P(A \cup B^C) = 1 - \frac{1}{6} = \frac{5}{6}$

두 사건 A, B^C은 서로 배반사건이므로

$P(A \cup B^C) = P(A) + P(B^C)$

$\frac{5}{6} = \frac{1}{3} + P(B^C)$, $P(B^C) = \frac{1}{2}$

$\therefore P(B) = 1 - P(B^C) = 1 - \frac{1}{2} = \frac{1}{2}$　　　　답 ②

06 A 또는 B가 뽑히는 사건의 여사건은 A, B가 모두 뽑히지 않는 사건이다.

A, B가 모두 뽑히지 않을 확률은 $\frac{_6C_5}{_8C_5}$이므로

A 또는 B가 뽑힐 확률은 $1 - \frac{6}{56} = \frac{50}{56} = \frac{25}{28}$　　答 ⑤

유형따라잡기　　　　　　　　　　pp. 34~43

기출유형 01 ③	01. ③	02. ②	03. ④	04. ④
기출유형 02 8	05. ②	06. ②	07. ①	08. 33
기출유형 03 ①	09. ②	10. ③	11. ②	12. ①
기출유형 04 37	13. ③	14. 8	15. ①	16. 103
기출유형 05 ②	17. ③	18. ②	19. ①	20. 22
기출유형 06 ①	21. 7	22. ③	23. ③	24. ③
기출유형 07 ⑤	25. ③	26. ①	27. ①	28. ⑤
기출유형 08 ③	29. ⑤	30. ③	31. ⑤	32. ①
기출유형 09 ④	33. ②	34. ①	35. ②	36. ④
기출유형 10 ⑤	37. ⑤	38. ⑤	39. 89	40. ⑤

기출유형 01

Act 1 일어날 수 있는 모든 경우가 n가지이고 사건 A가 일어날 경우가 r가지이면 사건 A가 일어날 확률은 $P(A) = \frac{r}{n}$임을 이용한다.

한 개의 주사위를 두 번 던질 때 나오는 두 수 a, b를 순서쌍으로 나타내면 두 수 a, b의 곱이 6의 배수인 경우는

(i) $ab = 6$인 경우
　$(1, 6), (2, 3), (3, 2), (6, 1)$
(ii) $ab = 12$인 경우
　$(2, 6), (3, 4), (4, 3), (6, 2)$
(iii) $ab = 18$인 경우
　$(3, 6), (6, 3)$
(iv) $ab = 24$인 경우
　$(4, 6), (6, 4)$
(v) $ab = 30$인 경우
　$(5, 6), (6, 5)$
(vi) $ab = 36$인 경우
　$(6, 6)$

(i)~(vi)에서 두 수 a, b의 곱이 6의 배수인 경우의 수는 15이다.

이때 두 수의 합 $a+b$가 7인 경우는
$(1, 6), (3, 4), (4, 3), (6, 1)$
의 4가지이므로 구하는 확률은 $\frac{4}{15}$　　답 ③

01 **Act 1** 이차방정식 $ax^2 + bx + c = 0$이 실근을 가지려면 판별식 $D = b^2 - 4ac \geq 0$이어야 함을 이용한다.

$-5 \leq p \leq 5$인 정수 p 중에서 임의로 하나를 뽑는 경우의 수는 11

이차방정식 $x^2 + px + \frac{p}{4} + \frac{1}{2} = 0$이 실근을 가지려면 이 이차방정식의 판별식을 D라 할 때 $D \geq 0$이어야 하므로
$D = p^2 - p - 2 \geq 0$, $(p+1)(p-2) \geq 0$
$\therefore p \leq -1$ 또는 $p \geq 2$

주어진 이차방정식이 실근을 갖도록 하는 정수 p를 뽑는 경우의 수는 9

따라서 구하는 확률은 $\frac{9}{11}$　　答 ③

02 **Act 1** $a > b$, $a > c$를 만족하는 경우를 찾아 그 확률을 계산한다.

한 개의 주사위를 세 번 던질 때 나오는 경우의 수는
$6^3 = 216$

$a > b$, $a > c$를 만족하는 경우는 다음 표와 같다.

a	b	c
2	1	1
3	1, 2	1, 2
4	1, 2, 3	1, 2, 3
5	1, 2, 3, 4	1, 2, 3, 4
6	1, 2, 3, 4, 5	1, 2, 3, 4, 5

주어진 조건을 만족시키는 경우의 수는
$1 \times 1 + 2 \times 2 + 3 \times 3 + 4 \times 4 + 5 \times 5$
$= 1 + 4 + 9 + 16 + 25$
$= 55$

따라서 구하는 확률은 $\frac{55}{216}$　　答 ②

03 **Act 1** $a < b - 2 \leq c$를 만족하는 경우를 찾아 그 확률을 계산한다.

한 개의 주사위를 세 번 던질 때 나오는 경우의 수는
$6^3 = 216$

$a < b - 2 \leq c$에서 $a \geq 1$이므로 $1 < b - 2$
$\therefore 3 < b \leq 6$
(i) $b = 4$일 때 $a < 2 \leq c$이므로
　순서쌍 (a, b, c)의 개수는 $1 \times 5 = 5$
(ii) $b = 5$일 때 $a < 3 \leq c$이므로
　순서쌍 (a, b, c)의 개수는 $2 \times 4 = 8$
(iii) $b = 6$일 때 $a < 4 \leq c$이므로
　순서쌍 (a, b, c)의 개수는 $3 \times 3 = 9$

(i), (ii), (iii)에서 $a<b-2\le c$를 만족시키는 경우의 수는
$5+8+9=22$

따라서 구하는 확률은 $\dfrac{22}{216}=\dfrac{11}{108}$ 답 ④

04 Act❶ $f(a)f(b)<0$이려면 함숫값 $f(a)$, $f(b)$의 부호가 달라야 함을 이용한다.

$f(x)=x^2-7x+10=(x-2)(x-5)$이므로 $x=2$, $x=5$에서 x축과 만나고 그래프는 아래로 볼록하다.

즉 x의 값이 1 또는 6일 때, $f(x)>0$이고 x의 값이 3 또는 4일 때 $f(x)<0$이다.

$f(a)f(b)<0$이 성립하는 경우는 다음과 같다.

(i) a는 1 또는 6의 눈이 나오고 b는 3 또는 4의 눈이 나올 때, 그 경우의 수는 $2\times2=4$

(ii) a는 3 또는 4의 눈이 나오고 b는 1 또는 6의 눈이 나올 때, 그 경우의 수는 $2\times2=4$

(i), (ii)에서 $f(a)f(b)<0$이 성립하는 경우의 수는 $4+4=8$이고 한 개의 주사위를 두 번 던질 때 나오는 경우의 수는 $6^2=36$이므로 구하는 확률은 $\dfrac{8}{36}=\dfrac{2}{9}$ 답 ④

기출유형 **02**

Act❶ 일렬로 세울 확률은 순열의 수를 이용하여 확률을 구한다.

7명의 사람을 한 줄로 세우는 경우의 수는 $7!=5040$

특정한 세 사람을 한 명으로 생각하여 5명을 한 줄로 세우는 경우의 수는 $5!$이고, 특정한 세 사람이 자리를 바꾸는 경우의 수는 $3!$이므로 특정한 세 사람을 이웃하게 세우는 경우의 수는
$5!\times3!=120\times6=720$

따라서 구하는 확률은 $\dfrac{720}{5040}=\dfrac{1}{7}$이므로

$p+q=8$ 답 8

05 Act❶ 일렬로 세울 확률은 순열의 수를 이용하여 확률을 구한다.

A, B, C, D, E, F의 6개의 문자를 일렬로 나열하는 경우의 수는 $6!=720$

(i) A□□D를 한 문자로 생각하여 3개의 문자를 일렬로 나열하는 경우의 수는 $3!=6$

(ii) A와 D 사이에 2개의 문자를 일렬로 나열하는 경우의 수는 $_4P_2=12$

(iii) A와 D가 자리를 바꾸는 경우의 수는 $2!=2$

(i), (ii), (iii)에서 A와 D 사이에 2개의 문자가 오는 경우의 수는 $6\times12\times2=144$

따라서 구하는 확률은 $\dfrac{144}{720}=\dfrac{1}{5}$ 답 ②

06 Act❶ 대소에 대한 확률은 순열의 수를 이용하여 확률을 구한다.

1, 2, 3, 4, 5의 5개의 숫자를 한 번씩 사용하여 만들 수 있는 다섯 자리 자연수의 개수는 $5!=120$

이때 45000보다 큰 자연수는 45□□□ 또는 5□□□□ 꼴이다.

(i) 45□□□ 꼴인 자연수의 개수는 $3!=6$

(ii) 5□□□□ 꼴인 자연수의 개수는 $4!=24$

(i), (ii)에서 45000보다 큰 자연수의 개수는 $6+24=30$

따라서 구하는 확률은 $\dfrac{30}{120}=\dfrac{1}{4}$ 답 ②

07 Act❶ 대소에 대한 확률은 순열의 수를 이용하여 확률을 구한다.

네 사람을 키가 작은 사람부터 순서대로 1, 2, 3, 4라 하면 네 사람을 일렬로 나열하는 방법의 수는
$4!=24$(가지)

이때 세 번째 사람이 이웃한 사람보다 키가 작을 경우는 다음 두 가지가 있다.

(i) 1이 세 번째에 있는 경우
나머지 세 명을 나열하는 방법의 수와 같으므로
$3!=6$(가지)

(ii) 2가 세 번째에 있는 경우
1, 3, 2, 4 또는 1, 4, 2, 3으로 2가지

따라서 구하는 확률은 $\dfrac{6+2}{24}=\dfrac{1}{3}$ 답 ①

08 Act❶ 자동차 B에 탔던 2명을 기준으로 경우를 나누어 생각한다.

5명이 5개의 좌석에 앉는 경우의 수는 $5!=120$

(i) 자동차 B에 탔던 2명끼리 자리를 바꾸어 앉고 나머지 3개의 좌석에 자동차 A에서 온 3명이 자리에 앉는 경우의 수는 $3!=6$

(ii) 자동차 B에 탔던 2명이 자신들이 앉지 않았던 3개의 좌석에 앉는 경우의 수는 $_3P_2$, 그 각각의 경우에 대하여 자동차 A에서 온 사람이 앉는 경우의 수는 $3!=6$(가지)이므로 $_3P_2\times3!=36$

(iii) 자동차 B에 탔던 2명 중 1명은 다른 1명 자리로 가고 나머지 1명은 비었던 자리에 앉는 경우의 수는
$(4!-3!)\times2=36$

(i), (ii), (iii)에서 구하는 경우의 수는
$6+36+36=78$

따라서 구하는 확률은

$\dfrac{78}{120}=\dfrac{13}{20}$ ∴ $p+q=33$ 답 33

기출유형 **03**

Act❶ 부모를 한 사람으로 생각하여 원순열의 수를 구하고 부모끼리 바꾸어 앉는 경우의 수를 곱한다.

6명의 가족이 원탁에 둘러앉는 모든 경우의 수는
$(6-1)!=5!=120$

부모를 한 사람으로 생각하여 5명이 원탁에 둘러앉는 경우의 수는 $(5-1)!=4!=24$이고, 부모가 서로 자리를 바꾸어 앉는 경우의 수는 $2!$이므로 부모가 서로 이웃하여 앉는 경우의 수는
$4!\times2!=24\times2=48$

따라서 구하는 확률은 $\dfrac{48}{120}=\dfrac{2}{5}$ 답 ①

09 [Act①] 여학생을 원형으로 배열한 다음 그 사이에 남학생을 배열한다.

7명이 원탁에 둘러앉는 경우의 수는

$(7-1)!=6!=720$

여학생 4명이 원탁에 둘러앉는 경우의 수는 $(4-1)!=3!$이고, 여학생 4명 사이사이에 남학생을 앉히는 경우의 수는 $_4\mathrm{P}_3$이므로 남학생끼리는 서로 이웃하지 않게 앉는 경우의 수는

$3!\times{}_4\mathrm{P}_3=6\times24=144$

따라서 구하는 확률은 $\dfrac{144}{720}=\dfrac{1}{5}$

답 ②

10 [Act①] A, B, C 세 명을 한 사람으로 생각하여 원순열의 수를 구하고 이들 세 명이 바꾸어 앉는 경우의 수를 곱한다.

5명이 원탁에 둘러앉는 경우의 수는

$(5-1)!=4!=24$

A, B, C 세 명을 묶어 한 사람으로 생각하여 3명이 원탁에 둘러앉는 경우의 수는 $(3-1)!=2!$이고, 세 명이 서로 자리를 바꾸는 경우의 수는 $3!$이므로 A, B, C 세 명이 이웃하여 앉는 경우의 수는

$2!\times3!=12$

따라서 구하는 확률은 $\dfrac{12}{24}=\dfrac{1}{2}$

답 ③

11 [Act①] 남학생을 원형으로 배열한 다음 그 사이에 여학생을 배열한다.

6명의 학생이 원탁에 둘러앉는 경우의 수는

$(6-1)!=5!=120$

남학생 3명이 원탁에 둘러앉는 경우의 수는 $(3-1)!=2!$이고 여학생 3명이 남학생과 남학생 사이의 3개의 자리에 앉는 경우의 수는 $3!$이므로 남학생과 여학생이 교대로 앉는 경우의 수는

$2!\times3!=12$

따라서 구하는 확률은 $\dfrac{12}{120}=\dfrac{1}{10}$

답 ②

12 [Act①] 빨간색을 칠할 영역이 결정되면 파란색을 칠할 영역도 결정된다.

8가지 색을 모두 칠하는 경우의 수는

$(8-1)!=7!=5040$

빨간색의 맞은편에 파란색을 칠하는 경우의 수는 한 영역에 빨간색을 칠하면 맞은편에 파란색을 칠하면 되므로 서로 다른 7개를 원형으로 배열하는 원순열의 수와 같다.

$(7-1)!=6!=720$

따라서 구하는 확률은 $\dfrac{720}{5040}=\dfrac{1}{7}$

답 ①

[Act①] 서로 다른 n개에서 r개를 택하는 중복순열의 수 $_n\Pi_r=n^r$임을 이용한다.

3개의 공을 A, B, C, D, E의 다섯 종류의 상자에 넣는 모든 경우의 수는

$_5\Pi_3=5^3=125$

이때 서로 다른 상자에 공을 넣는 경우의 수는

$_5\mathrm{P}_3=60$

따라서 구하는 확률은 $\dfrac{60}{120}=\dfrac{12}{25}$이므로

$p+q=37$

답 37

13 [Act①] 2211보다 작은 자연수는 21□□ 또는 1□□□ 꼴임을 이용한다.

1, 2, 3, 4의 4개의 숫자에서 중복을 허용하여 만들 수 있는 네 자리 자연수의 개수는 $_4\Pi_4=4^4=256$

이때 2211보다 작은 자연수는 21□□ 또는 1□□□ 꼴이다.

(i) 21□□ 꼴인 자연수의 개수는 $_4\Pi_2=4^2=16$

(ii) 1□□□ 꼴인 자연수의 개수는 $_4\Pi_3=4^3=64$

(i), (ii)에서 2211보다 작은 네 자리 자연수의 개수는

$16+64=80$

따라서 구하는 확률은 $\dfrac{80}{256}=\dfrac{5}{16}$

답 ③

14 [Act①] 홀수이려면 일의 자리의 숫자가 홀수이어야 한다.

5개의 숫자 1, 2, 3, 4, 5로 중복을 허용하여 만들 수 있는 네 자리 자연수의 개수는

$_5\Pi_4=5^4$

홀수이려면 일의 자리에는 1, 3, 5의 3개의 숫자가 올 수 있고, 천의 자리, 백의 자리, 십의 자리에는 각각 1, 2, 3, 4, 5의 5개의 숫자가 중복하여 올 수 있으므로 짝수의 개수는

$3\times{}_5\Pi_3=3\times5^3$

따라서 구하는 확률은 $\dfrac{3\times5^3}{5^4}=\dfrac{3}{5}$이므로

$p+q=8$

답 8

15 [Act①] 정의역의 원소의 개수가 a, 공역의 원소의 개수가 b일 때, 함수의 개수는 $_b\Pi_a$, 정의역과 공역의 원소의 개수가 모두 n개인 일대일대응의 개수는 $n!$임을 이용한다.

X에서 Y로의 함수 f의 개수는

$_3\Pi_3=3^3=27$

이때 일대일대응의 개수는

$_3\mathrm{P}_3=6$

따라서 구하는 확률은 $\dfrac{6}{27}=\dfrac{2}{9}$

답 ①

16 [Act①] $a_1<a_2<a_3$이므로 a_3은 3 또는 4인 경우로 나누어 생각한다.

중복을 허락하여 만들 수 있는 네 자리 자연수의 개수는

$_5\Pi_4-{}_5\Pi_3=625-125=500$

$a_1<a_2<a_3$이므로 a_3은 3 또는 4이다.

(i) $a_3=3$일 때

$a_1<a_2<a_3$이므로, $a_1=1$, $a_2=2$이고 a_4는 0, 1, 2 중 한 가지이므로 3가지

(ii) $a_3=4$일 때

a_1, a_2는 1, 2, 3 중 2개의 수를 선택하여 큰 수가 a_2,

작은 수가 a_1 $(a_1 \neq 0)$이다. 따라서 a_1, a_2가 될 수 있는 경우는 $_3C_2 = 3$가지, a_4는 0, 1, 2, 3 중 한 가지이므로 4가지이다.

(i), (ii)에서 조건에 맞는 경우의 수는 $_3C_2 \times 4 = 12$

따라서 구하는 확률은 $\dfrac{3+12}{500} = \dfrac{3}{100}$이므로

$p+q = 103$

답 103

기출유형 05

Act① n개 중에서 같은 것이 각각 p개, q개, $\cdots$, r개씩 있을 때, 이 n개를 모두 일렬로 나열하는 순열의 수는 $\dfrac{n!}{p!q!\cdots r!}$ (단, $p+q+\cdots+r = n$)임을 이용한다.

8개의 숫자 1, 1, 1, 2, 3, 3, 3, 3을 일렬로 나열하는 경우의 수는 $\dfrac{8!}{3!4!} = 280$

(i) 양 끝에 숫자 1이 오는 경우
양 끝에 숫자 1을 놓고 그 사이에 1, 2, 3, 3, 3, 3을 나열하면 되므로 그 경우의 수는 $\dfrac{6!}{4!} = 30$

(ii) 양 끝에 숫자 3이 오는 경우
양 끝에 숫자 3을 놓고 그 사이에 1, 1, 1, 2, 3, 3을 나열하면 되므로 그 경우의 수는 $\dfrac{6!}{3!2!} = 60$

(i), (ii)에서 양 끝에 같은 숫자가 오는 경우의 수는
$30 + 60 = 90$

따라서 구하는 확률은 $\dfrac{90}{280} = \dfrac{9}{28}$

답 ②

17 **Act①** n개 중에서 같은 것이 각각 p개, q개, $\cdots$, r개씩 있을 때, 이 n개를 모두 일렬로 나열하는 순열의 수는 $\dfrac{n!}{p!q!\cdots r!}$ (단, $p+q+\cdots+r = n$)임을 이용한다.

a, a, a, a, a, b, b, c, d, r, r의 11개의 문자를 일렬로 나열하는 경우의 수는

$\dfrac{11!}{5! \times 2! \times 2!}$

양 끝에 모음 a가 오는 경우의 수는

$\dfrac{9!}{3! \times 2! \times 2!}$

따라서 구하는 확률은

$\dfrac{\dfrac{9!}{3! \times 2! \times 2!}}{\dfrac{11!}{5! \times 2! \times 2!}} = \dfrac{2}{11}$

답 ③

18 **Act①** 아랫줄에 1이 두 개, 2가 두 개 나열되어야 함을 생각한다.

1, 1, 2, 2, 2, 3, 3, 3의 숫자가 적힌 8개의 공을 나열하는 방법의 수는

$\dfrac{8!}{2! \times 3! \times 3!} = 560$

조건에 맞도록 공이 나열되려면 아랫줄에 1이 두 개, 2가 두 개 나열되어야 하며, 이들을 일렬로 나열하는 방법의 수는

$\dfrac{4!}{2! \times 2!} = 6$

또, 2 위에는 반드시 3을 배치해야 하고, 1 위에는 2 또는 3을 배치하면 되므로 윗줄에 나열하는 방법은 2가지이다.

따라서 구하는 확률은

$\dfrac{6 \times 2}{560} = \dfrac{3}{140}$

답 ②

19 **Act①** $12 = 2^2 \times 3$이므로 주사위를 던질 때 나오는 눈의 수가 1, 2, 3, 4, 6의 꼴이어야 함을 생각한다.

$a \times b \times c \times d = 12$에서 $a \times b \times c \times d = 2^2 \times 3$이므로 a, b, c, d는 6, 2, 1, 1 또는 4, 3, 1, 1 또는 3, 2, 2, 1이다.

따라서 구하는 확률은

$\dfrac{\dfrac{4!}{2!} + \dfrac{4!}{2!} + \dfrac{4!}{2!}}{6^4} = \dfrac{12+12+12}{6^4} = \dfrac{1}{36}$

답 ①

20 **Act①** $m > n$이므로 $a_1 > a_4$ 또는 $a_1 = a_4$, $a_2 > a_5$인 경우로 나누어 생각한다.

a_k $(1 \leq k \leq 6)$를 순서쌍 $(a_1, a_2, a_3, a_4, a_5, a_6)$으로 나타내면 순서쌍의 개수는

$\dfrac{6!}{2!2!2!} = 90$

이때 $m > n$이기 위해서는 $a_1 > a_4$ 또는 $a_1 = a_4$, $a_2 > a_5$이어야 한다.

(i) $a_1 > a_4$인 순서쌍은
$(2, a_2, a_3, 1, a_5, a_6)$ 또는 $(3, a_2, a_3, 1, a_5, a_6)$ 또는 $(3, a_2, a_3, 2, a_5, a_6)$이므로 그 개수는
$3 \times \dfrac{4!}{2!} = 36$

(ii) $a_1 = a_4$, $a_2 > a_5$인 순서쌍은
$(1, 3, a_3, 1, 2, a_6)$ 또는 $(2, 3, a_3, 2, 1, a_6)$ 또는 $(3, 2, a_3, 3, 1, a_6)$이므로 그 개수는
$3 \times 2! = 6$

(i), (ii)에서 구하는 확률은

$\dfrac{36+6}{90} = \dfrac{7}{15}$

따라서 $p = 15$, $q = 7$이므로 $p+q = 22$

답 22

기출유형 06

Act① 순서를 생각하지 않고 택하는 경우의 확률을 구할 때는 먼저 조합을 이용하여 경우의 수를 구한다.

10개 중에서 3개를 꺼내는 경우의 수는 $_{10}C_3$

꺼낸 3개가 붉은 공 2개, 흰 공 1개인 경우의 수는 $_7C_2 \times _3C_1$

따라서 구하는 확률은

$\dfrac{_7C_2 \times _3C_1}{_{10}C_3} = \dfrac{21}{40}$

답 ①

21 **Act①** 순서를 생각하지 않고 택하는 경우의 확률을 구할 때는 먼저 조합을 이용하여 경우의 수를 구한다.

15개의 공 중에서 붉은 공의 개수를 x라 하면 15개에서 2개를 꺼낼 때 2개 모두 붉은 공일 확률은

$$\frac{{}_x\mathrm{C}_2}{{}_{15}\mathrm{C}_2}$$

이때 $\dfrac{{}_x\mathrm{C}_2}{{}_{15}\mathrm{C}_2}=\dfrac{1}{2}$ 이므로 $x(x-1)=42$

$x^2-x-42=0$, $(x-7)(x+6)=0$

$\therefore\ x=7\ (\because\ 2\le x\le15)$ 답 7

22 **Act①** 을이 뽑은 카드에 적힌 숫자가 3 또는 4인 경우로 나누어 생각한다.

4장에서 2장을 뽑고 남은 2장에서 1장을 뽑는 경우의 수는

${}_4\mathrm{C}_2\times{}_2\mathrm{C}_1=12$

을이 뽑은 1장의 카드에 적힌 수를 a, 갑이 뽑은 2장의 카드에 적힌 두 수의 곱을 b라 하면, 조건을 만족시키는 순서쌍 (a,b)는 $(3,2)$, $(4,2)$, $(4,3)$이다.

따라서 구하는 확률은

$\dfrac{3}{12}=\dfrac{1}{4}$ 답 ③

23 **Act①** 선택한 두 집합 중 한 집합이 다른 집합의 진부분집합이면 됨을 생각한다.

집합 $A=\{1,2,3,4\}$의 부분집합의 개수는 $2^4=16$이므로 이 부분집합 중에서 임의로 서로 다른 두 집합을 택하는 모든 경우의 수는

${}_{16}\mathrm{C}_2=120$

집합 A의 부분집합 중에서 원소의 개수가 k인 집합을 Y라 하면 그 개수는 ${}_4\mathrm{C}_k$이고, 이 각각의 경우에 대하여 $X\subset Y$이고 $X\ne Y$를 만족하는 집합 A의 부분집합 X, 즉 Y의 진부분집합의 개수는 (2^k-1)이다. 이때 한 집합이 다른 집합의 부분집합이 되는 경우의 수는

${}_4\mathrm{C}_k\times(2^k-1)$ (단, $k=1,2,3,4$)

이므로 구하는 경우의 수는

${}_4\mathrm{C}_2{}_1\times1+{}_4\mathrm{C}_2\times3+{}_4\mathrm{C}_3\times7+{}_4\mathrm{C}_4\times15$

$=4+18+28+5$

$=65$

따라서 구하는 확률은 $\dfrac{65}{120}=\dfrac{13}{24}$ 답 ③

24 **Act①** 2주 이상 연속으로 야간근무를 하지 않으려면 주간근무 하는 주 사이사이와 양 끝에 야간근무 하는 주를 배치하면 된다.

9주 동안 야간근무 3주와 주간근무 6주를 임의로 배정하는 경우의 수는

${}_9\mathrm{C}_3\times{}_6\mathrm{C}_6=\dfrac{9\times8\times7}{3\times2\times1}\times1=84$

이때 간호사가 2주 이상 연속으로 야간근무를 하지 않으려면

○주간○주간○주간○주간○주간○주간○

와 같이 주간근무 6주 사이사이와 양 끝의 7개 중에서 3주를 선택하여 배치하면 되므로

$\quad{}_7\mathrm{C}_3=\dfrac{7\times6\times5}{3\times2\times1}=35$

따라서 구하는 확률은 $\dfrac{35}{84}=\dfrac{5}{12}$ 답 ③

Act① 두 사건 A, B가 서로 배반사건이면 $\mathrm{P}(A\cup B)=\mathrm{P}(A)+\mathrm{P}(B)$임을 이용한다.

$\mathrm{P}(A)=\mathrm{P}(B)$, $\mathrm{P}(A)\mathrm{P}(B)=\dfrac{4}{25}$이므로

$\{\mathrm{P}(A)\}^2=\dfrac{4}{25}$

$0<\mathrm{P}(A)<1$이므로 $\mathrm{P}(A)=\mathrm{P}(B)=\dfrac{2}{5}$

두 사건 A, B가 서로 배반이므로

$\mathrm{P}(A\cup B)=\mathrm{P}(A)+\mathrm{P}(B)=\dfrac{2}{5}+\dfrac{2}{5}=\dfrac{4}{5}$ 답 ⑤

25 **Act①** 두 사건 A, B가 서로 배반사건이면 $\mathrm{P}(A\cup B)=\mathrm{P}(A)+\mathrm{P}(B)$임을 이용한다.

$\mathrm{P}(A)=\mathrm{P}(B)$, $\mathrm{P}(A)\mathrm{P}(B)=\dfrac{1}{16}$이므로

$\{\mathrm{P}(A)\}^2=\dfrac{1}{16}$

$0<\mathrm{P}(A)<1$이므로 $\mathrm{P}(A)=\mathrm{P}(B)=\dfrac{1}{4}$

두 사건 A, B는 서로 배반이므로

$\mathrm{P}(A\cup B)=\mathrm{P}(A)+\mathrm{P}(B)=\dfrac{1}{4}+\dfrac{1}{4}=\dfrac{1}{2}$ 답 ③

26 **Act①** 두 사건 A, B가 서로 배반사건이 아니면 $\mathrm{P}(A\cup B)=\mathrm{P}(A)+\mathrm{P}(B)-\mathrm{P}(A\cap B)$임을 이용한다.

$\dfrac{\mathrm{P}(A\cup B)}{\mathrm{P}(A\cap B)}$

$=\dfrac{\mathrm{P}(A)+\mathrm{P}(B)-\mathrm{P}(A\cap B)}{\mathrm{P}(A\cap B)}$

$=\dfrac{\dfrac{3}{2}\mathrm{P}(A\cap B)+\dfrac{5}{2}\mathrm{P}(A\cap B)-\mathrm{P}(A\cap B)}{\mathrm{P}(A\cap B)}$

$=3$ 답 ①

27 **Act①** $\mathrm{P}(A\cup B)=\mathrm{P}(S)=1$이고 A, B가 서로 배반사건이므로 $\mathrm{P}(A)+\mathrm{P}(B)=1$임을 이용한다.

$A\cup B=S$이므로 $\mathrm{P}(A\cup B)=\mathrm{P}(S)=1$

두 사건 A, B는 서로 배반사건이므로

$\mathrm{P}(A\cup B)=\mathrm{P}(A)+\mathrm{P}(B)$

$\qquad\qquad=2\mathrm{P}(B)+\mathrm{P}(B)$

$\qquad\qquad=3\mathrm{P}(B)=1$

따라서 $\mathrm{P}(B)=\dfrac{1}{3}$이므로

$\mathrm{P}(A)=2\mathrm{P}(B)=\dfrac{2}{3}$ 답 ①

28 **Act①** 두 사건 A, B가 서로 배반사건이므로 $\mathrm{P}(A\cup B)=\mathrm{P}(A)+\mathrm{P}(B)\le1$임을 이용하여 $\mathrm{P}(A)$의 **최솟값**을 구한다.

두 사건 A, B가 서로 배반이므로

$\mathrm{P}(A\cup B)=\mathrm{P}(A)+\mathrm{P}(B)\le1$

이때 $2\mathrm{P}(A)+\mathrm{P}(B)=\dfrac{7}{4}$에서 $\mathrm{P}(B)=\dfrac{7}{4}-2\mathrm{P}(A)$이므로

$$P(A)+\frac{7}{4}-2P(A)\leq 1 \qquad \therefore P(A)\geq\frac{3}{4}$$

따라서 $P(A)$의 최솟값은 $\frac{3}{4}$이다. 답 ⑤

기출유형 08

Act1 두 사건 A, B가 서로 배반사건이면
$P(A\cup B)=P(A)+P(B)$임을 이용한다.
2명 모두 남학생인 사건을 A, 2명 모두 여학생인 사건을 B라 하면

$$P(A)=\frac{_6C_2}{_{10}C_2}=\frac{1}{3}$$

$$P(B)=\frac{_4C_2}{_{10}C_2}=\frac{2}{15}$$

두 사건 A, B가 서로 배반이므로
$$P(A\cup B)=P(A)+P(B)$$
$$=\frac{1}{3}+\frac{2}{15}=\frac{7}{15}$$ 답 ③

29 **Act1** 세 사건 A, B, C가 서로 배반사건이면
$P(A\cup B\cup C)=P(A)+P(B)+P(C)$임을 이용한다.
6개의 공 중에서 임의로 2개의 공을 꺼내는 모든 경우의 수는 $_6C_2$
빨간 공과 노란 공을 1개씩 꺼내는 사건을 A, 빨간 공과 파란 공을 1개씩 꺼내는 사건을 B, 노란 공과 파란 공을 1개씩 꺼내는 사건을 C라 하면

$$P(A)=\frac{_3C_1\times _2C_1}{_6C_2}=\frac{6}{15}$$

$$P(B)=\frac{_3C_1\times _1C_1}{_6C_2}=\frac{3}{15}$$

$$P(C)=\frac{_2C_1\times _1C_1}{_6C_2}=\frac{2}{15}$$

이때 세 사건 A, B, C는 서로 배반사건이므로
$$P(A\cup B\cup C)=P(A)+P(B)+P(C)$$
$$=\frac{6}{15}+\frac{3}{15}+\frac{2}{15}=\frac{11}{15}$$ 답 ⑤

30 **Act1** 첫 번째 나오는 눈의 수가 6의 약수일 때와 아닐 때로 나누어 생각한다.
주사위 1개를 던져서 나오는 눈의 수가 6의 약수 1, 2, 3, 6이 나오고 동전을 3개 던져서 앞면이 1개 나오는 사건을 A, 주사위 1개를 던져서 나오는 눈의 수가 6의 약수가 아닌 4, 5가 나오고 동전을 2개 던져서 앞면이 나오는 1개 나오는 사건을 B라 하면

$$P(A)=\frac{4}{6}\times\frac{3}{8}=\frac{1}{4}$$

$$P(B)=\frac{2}{6}\times\frac{2}{4}=\frac{1}{6}$$

두 사건 A, B는 서로 배반사건이므로 구하는 확률은
$$\frac{1}{4}+\frac{1}{6}=\frac{5}{12}$$ 답 ③

31 **Act1** 같은 숫자가 적혀 있는 카드가 2장일 때와 3장일 때로 나누어 생각한다.

12장의 카드 중에서 3장의 카드를 꺼내는 경우의 수는 $_{12}C_3$
(i) 같은 숫자가 적혀 있는 카드가 2장인 사건을 A라 할 때
같은 숫자가 적힌 카드를 택하는 경우의 수는 $_4C_1$
이 각각에 대하여 이 숫자가 적힌 카드 3장 중 2장의 카드를 택하는 경우의 수는 $_3C_2$
이 각각에 대하여 나머지 다른 숫자가 적힌 카드를 택하는 경우의 수는 $_9C_1$
따라서 사건 A가 일어날 확률은
$$P(A)=\frac{_4C_1\times _3C_2\times _9C_1}{_{12}C_3}=\frac{27}{55}$$
(ii) 같은 숫자가 적혀 있는 카드가 3장인 사건을 B라 할 때
같은 숫자가 적힌 카드를 택하는 경우의 수는 $_4C_1$
따라서 사건 B가 일어날 확률은
$$P(B)=\frac{_4C_1}{_{12}C_3}=\frac{1}{55}$$
(i), (ii)에서 구하는 확률은
$$P(A)+P(B)=\frac{27}{55}+\frac{1}{55}=\frac{28}{55}$$ 답 ⑤

32 **Act1** 동전 A를 세 번 던져 나온 3개의 수의 합은 3, 4, 5, 6 중 하나이고, 동전 B를 네 번 던져 나온 4개의 수의 합은 12, 13, 14, 15, 16 중 하나이다.
(i) 7개의 수의 합이 19인 경우
두 동전을 각각 던졌을 때 나온 눈의 수의 합을 각각 a, b라 하고, 7개의 수의 합이 19인 경우를 순서쌍 (a,b)로 나타내면
$(3, 16)$, $(4, 15)$, $(5, 14)$, $(6, 13)$
의 4가지이다. 이때의 확률은
$$_3C_3\left(\frac{1}{2}\right)^3\times _4C_0\left(\frac{1}{2}\right)^4+_3C_2\left(\frac{1}{2}\right)^3\times _4C_1\left(\frac{1}{2}\right)^4$$
$$+_3C_1\left(\frac{1}{2}\right)^3\times _4C_2\left(\frac{1}{2}\right)^4+_3C_0\left(\frac{1}{2}\right)^3\times _4C_3\left(\frac{1}{2}\right)^4$$
$$=\left(\frac{1}{2}\right)^7+12\times\left(\frac{1}{2}\right)^7+18\times\left(\frac{1}{2}\right)^7+4\times\left(\frac{1}{2}\right)^7$$
$$=\frac{35}{128}$$
(ii) 7개의 수의 합이 20인 경우
두 동전을 각각 던졌을 때 나온 눈의 수의 합을 각각 a, b라 하고, 7개의 수의 합이 20인 경우를 순서쌍 (a,b)로 나타내면
$(4, 16)$, $(5, 15)$, $(6, 14)$
의 3가지이다. 이때의 확률은
$$_3C_2\left(\frac{1}{2}\right)^3\times _4C_0\left(\frac{1}{2}\right)^4+_3C_1\left(\frac{1}{2}\right)^3\times _4C_1\left(\frac{1}{2}\right)^4$$
$$+_3C_0\left(\frac{1}{2}\right)^3\times _4C_2\left(\frac{1}{2}\right)^4$$
$$=3\times\left(\frac{1}{2}\right)^7+12\times\left(\frac{1}{2}\right)^7+6\times\left(\frac{1}{2}\right)^7$$
$$=\frac{21}{128}$$
(i), (ii)에서 구하는 확률은
$$\frac{35}{128}+\frac{21}{128}=\frac{7}{16}$$ 답 ①

Act① $P(A^C \cup B^C) = P((A \cap B)^C) = 1 - P(A \cap B)$임을 이용한다.

$P(A \cap B^C) = P(A) - P(A \cap B)$이므로

$\frac{1}{5} = \frac{1}{2} - P(A \cap B)$

$P(A \cap B) = \frac{3}{10}$

$P(A^C \cup B^C) = P((A \cap B)^C)$
$= 1 - P(A \cap B)$
$= 1 - \frac{3}{10} = \frac{7}{10}$ 답 ④

33 **Act①** $P(A \cap B^C) = P(A) - P(A \cap B)$임을 이용한다.

$P(A) = \frac{2}{3}$, $P(A \cap B) = \frac{1}{4}$이므로

$P(A \cap B^C) = P(A) - P(A \cap B)$
$= \frac{2}{3} - \frac{1}{4} = \frac{5}{12}$ 답 ②

34 **Act①** $P(A \cap B^C) = P(A) - P(A \cap B)$임을 이용한다.

$P(A \cap B^C) = P(A) - P(A \cap B)$이므로

$\frac{2}{3} = \frac{3}{4} - P(A \cap B)$

$P(A \cap B) = \frac{3}{4} - \frac{2}{3} = \frac{1}{12}$ 답 ①

35 **Act①** $P(A^C \cup B^C) = P((A \cap B)^C) = 1 - P(A \cap B)$,
$P(A \cap B^C) = P(A) - P(A \cap B)$임을 이용한다.

$P(A^C \cup B^C) = P((A \cap B)^C)$
$= 1 - P(A \cap B) = \frac{4}{5}$

$\therefore P(A \cap B) = \frac{1}{5}$

$P(A \cap B^C) = P(A) - P(A \cap B)$
$= P(A) - \frac{4}{5} = \frac{1}{4}$

$\therefore P(A^C) = 1 - \frac{9}{20} = \frac{11}{20}$ 답 ②

36 **Act①** $P(A \cap B^C) = P(A) - P(A \cap B)$임을 이용한다.

$P(A \cap B^C) = P(A^C \cap B) = \frac{1}{6}$에서

$P(A) - P(A \cap B) = P(B) - P(A \cap B) = \frac{1}{6}$이므로

$P(A) = P(B)$, $P(A) = P(A \cap B) + \frac{1}{6}$

한편, $P(A \cup B) = \frac{2}{3}$에서

$P(A) + P(B) - P(A \cap B) = \frac{2}{3}$

$2P(A) - P(A \cap B) = \frac{2}{3}$

$2\left\{ P(A \cap B) + \frac{1}{6} \right\} - P(A \cap B) = \frac{2}{3}$

$P(A \cap B) + \frac{1}{3} = \frac{2}{3}$

$\therefore P(A \cap B) = \frac{1}{3}$ 답 ④

Act① '적어도 ~일' 경우의 확률은 여사건의 확률
$P(A^C) = 1 - P(A)$를 이용한다.

꺼낸 3개의 공 중에서 적어도 한 개가 검은 공인 사건을 A라 하면 A^C은 모두 흰 공인 사건이다.

따라서 구하는 확률은

$P(A) = 1 - P(A^C)$
$= 1 - \frac{_4C_3}{_7C_3} = 1 - \frac{4}{35} = \frac{31}{35}$ 답 ⑤

37 **Act①** 주어진 사건의 확률을 계산하는 것이 복잡할 때에는 여사건의 확률을 이용한다.

주사위를 5번 던져서 나온 다섯 눈의 수의 곱이 짝수인 사건을 A라 하면, 주사위를 5번 던져서 나온 다섯 눈의 수의 곱이 홀수인 사건은 A^C이므로

$P(A^C) = \left(\frac{1}{2} \right)^5 = \frac{1}{32}$

$\therefore P(A) = 1 - P(A^C) = 1 - \frac{1}{32} = \frac{31}{32}$ 답 ⑤

38 **Act①** 주어진 사건의 확률을 계산하는 것이 복잡할 때에는 여사건의 확률을 이용한다.

1부터 7까지 자연수 중 3개의 수를 선택하는 모든 경우의 수는 $_7C_3 = 35a$, b 중 하나가 홀수인 경우를 선택하여 전체 경우에서 제외하면 된다.

홀수 중 3개를 선택하는 경우의 수는 $_4C_3 = 4$

홀수 중 4개를 선택하는 경우의 수는 1

$1 - \frac{1 + 4}{35} = \frac{6}{7}$ 답 ⑤

39 **Act①** 주어진 사건의 여사건 '$a \geq 2$이고 $b \geq 2$'의 확률을 이용한다.

$a + b + c = 9$ (단, a, b, c는 음이 아닌 정수)를 만족시키는 순서쌍 (a, b, c)의 개수는

$_3H_9 = _{3+9-1}C_9 = _{11}C_9 = _{11}C_2 = 55$

사건 A를 $a < 2$ 또는 $b < 2$라 하면 A^C은 $a \geq 2$이고 $b \geq 2$이다.

$a' + b' + c = 5$ (단, a', b', c는 음이 아닌 정수)를 만족시키는 순서쌍 (a', b', c)의 개수는

$_3H_5 = _{3+5-1}C_5 = _7C_5 = _7C_2 = 21$

이므로 $P(A^C) = \frac{21}{55}$

$\therefore P(A) = 1 - P(A^C) = 1 - \frac{21}{55} = \frac{34}{55}$

따라서 $p = 55$, $q = 34$이므로

$p + q = 89$ 답 89

40 [Act①] 주어진 사건의 여사건인 두 점 사이의 거리가 1보다 작거나 같은 사건, 즉 두 점 사이의 거리가 1인 사건의 **확률**을 이용한다.

12개의 점 중에서 2개를 선택하는 경우의 수는 $_{12}C_2=66$

선택된 두 점 사이의 거리가 1인 경우는 인접한 두 점을 선택하는 경우이다. 즉 길이가 1인 선분이 가로로 9개, 세로로 8개 모두 17개가 있으므로, 두 점 사이의 거리가 1인 사건의 확률은 $\dfrac{17}{66}$

따라서 구하는 확률은

$1-\dfrac{17}{66}=\dfrac{49}{66}$ 답 ⑤

VIT Very Important Test pp. 44~45

01. ②	**02.** ②	**03.** ⑤	**04.** ④	**05.** 16
06. ④	**07.** ①	**08.** 44	**09.** ④	**10.** 76
11. ③	**12.** ①			

01

1부터 5까지의 수를 이용하여 만들 수 있는 다섯 자리의 자연수의 개수는 $5!=120$이다.

(i) 십의 자리와 일의 자리의 수가 모두 짝수인 경우

십의 자리와 일의 자리에 2, 4를 일렬로 나열하는 경우의 수는 $2!$이고, 나머지 세 자리의 수가 정해지는 경우의 수는 $3!$이므로

$2! \times 3! = 12$

(ii) 십의 자리와 일의 자리의 수가 모두 홀수인 경우

십의 자리와 일의 자리에 1, 3, 5 중에서 2개를 택하여 나열하는 경우의 수는 $_3P_2=6$이고, 나머지 세 자리의 수가 정해지는 경우의 수는 $3!$이므로

$_3P_2 \times 3! = 36$

(i), (ii)에서 구하는 확률은

$\dfrac{12+36}{120}=\dfrac{2}{5}$ 답 ②

02

7명이 원탁에 앉는 방법의 수는 $(7-1)!=6!$

남학생끼리 이웃하게 앉는 방법은 남학생 2명을 1명으로 생각하여 6명을 원탁에 앉힌 후 남학생끼리 자리를 바꾸는 방법이다.

6명이 원탁에 앉는 방법의 수는 $(6-1)!=5!$이고 이 각각에 대하여 남학생끼리 자리를 바꾸는 방법의 수는 $2!$이므로 남학생끼리 이웃하게 앉는 방법의 수는 $5! \times 2!$

따라서 구하는 확률은

$\dfrac{5! \times 2!}{6!}=\dfrac{1}{3}$ 답 ②

03

흰 공 5개, 검은 공 3개를 일렬로 나열하는 경우의 수는

$\dfrac{8!}{5!3!}=56$

검은 공 3개를 이웃하지 않도록 나열하는 방법은 흰 공 5개를 나열한 후 흰 공 사이사이와 양쪽 끝 중 3개를 고르는 방법의 수와 같으므로 그 경우의 수는

$_6C_3=\dfrac{6 \times 5 \times 4}{3 \times 2 \times 1}=20$

따라서 구하는 확률은

$\dfrac{20}{56}=\dfrac{5}{14}$ 답 ⑤

04

주머니에서 임의로 2개의 공을 동시에 꺼내는 경우의 수는

$_5C_2=10$

공의 색깔이 모두 다른 경우의 수는

$_2C_1 \times _3C_1=6$

따라서 구하는 확률은

$\dfrac{6}{10}=\dfrac{3}{5}$ 답 ④

05

5개의 공 중에서 4개를 뽑아 일렬로 나열하는 경우의 수는

$_5C_4 \times 4!=120$

구하는 경우를 순서쌍으로 표시하면 다음과 같다.

$(1, 1, 2, 3), (1, 1, 2, 4), (1, 1, 3, 4), (1, 2, 3, 4)$

이때 1이 적힌 공이 두 개 있으므로 각각의 경우는 두 가지씩이므로 조건을 만족시키는 경우의 수는 8이다.

즉 구하는 확률은

$\dfrac{8}{120}=\dfrac{1}{15}$

따라서 $p=15$, $q=1$이므로

$p+q=16$ 답 16

06

1, 2, 3, 4, 6, 12의 6장의 카드가 들어 있는 상자에서 임의로 2장의 카드를 동시에 꺼낼 때, 모든 경우의 수는

$_6C_2=\dfrac{6 \times 5}{2 \times 1}=15$

임의로 2장의 카드를 동시에 꺼낼 때, 작은 수가 4의 약수가 되는 경우는

(i) 약수가 1인 경우: $(1, 2), (1, 3), (1, 4), (1, 6), (1, 12)$로 5가지

(ii) 약수가 2인 경우: $(2, 3), (2, 4), (2, 6), (2, 12)$로 4가지

(iii) 약수가 4인 경우: $(4, 6), (4, 12)$로 2가지

따라서 카드에 적혀 있는 두 수 중 작은 수가 4의 약수가 되는 경우의 수는 11이므로 구하는 확률은 $\dfrac{11}{15}$이다. 답 ④

07

A와 B^C은 서로 배반사건이므로

$P(A \cap B^C)=0$, $P(A \cup B^C)=P(A)+P(B^C)$

한편 $P(B^C)=1-P(B)$에서

$P(A \cup B^C)=P(A)+1-P(B)$

$\qquad \qquad = \dfrac{3}{10}+1-\dfrac{3}{5}=\dfrac{7}{10}$

$$\therefore \mathrm{P}(A^C \cap B) = 1 - \mathrm{P}(A \cup B^C) = \frac{7}{10}$$

답 ①

08

8개의 공 중에서 4개를 뽑는 경우의 수는
$$_8\mathrm{C}_4 = 70$$

(i) 흰 공이 3개, 검은 공이 1개 나오는 경우의 수는
$$_4\mathrm{C}_3 \times {}_4\mathrm{C}_1 = 16$$

(ii) 흰 공이 4개 나오는 경우와 검은 공이 4개 나오는 경우는 각각 한 가지씩이다.

따라서 구하는 확률은
$$\frac{16+1+1}{70} = \frac{9}{35}$$
$$\therefore p + q = 35 + 9 = 44$$

답 44

09

$12x^2 - 7ax + a^2 = 0$에서
$$(3x-a)(4x-a) = 0$$
$$\therefore x = \frac{a}{3} \ \text{또는} \ x = \frac{a}{4}$$

x가 정수이므로 a는 3의 배수이거나 또는 4의 배수이어야 한다.

따라서 a가 3의 배수일 사건을 A, 4의 배수일 사건을 B라 하면
$$\mathrm{P}(A \cup B) = \mathrm{P}(A) + \mathrm{P}(B) - \mathrm{P}(A \cap B)$$
$$= \frac{33}{100} + \frac{25}{100} - \frac{8}{100} = \frac{1}{2}$$

답 ④

10

10명의 학생 중에서 임의로 2명을 뽑는 경우의 수는
$$_{10}\mathrm{C}_2 = 45$$

(i) 뽑힌 학생의 혈액형이 모두 A형인 경우의 수는
$$_2\mathrm{C}_2 = 1$$

(ii) 뽑힌 학생의 혈액형이 모두 B형인 경우의 수는
$$_3\mathrm{C}_2 = 3$$

(iii) 뽑힌 학생의 혈액형이 모두 O형인 경우의 수는
$$_5\mathrm{C}_2 = 10$$

즉 혈액형이 같은 경우의 수는
$$1 + 3 + 10 = 14$$

따라서 구하는 확률은
$$1 - \frac{14}{45} = \frac{31}{45}$$

따라서 $p = 45$, $q = 31$이므로
$$p + q = 76$$

답 76

11

두 집합 $A = \{1,\ 2,\ 3\}$, $B = \{1,\ 3,\ 5,\ 7,\ 9\}$에 대하여 A에서 B로의 함수 중 임의로 택한 함수 f의 개수는 서로 다른 5개에서 3개를 택하는 중복순열의 수 $_5\Pi_3 = 5^3 = 125$와 같다.

$\{f(1) - f(2)\}\{f(2) - f(3)\} > 0$에서
$f(1) > f(2) > f(3)$ 또는 $f(1) < f(2) < f(3)$이다.

이때 함수 f가 $f(1) > f(2) > f(3)$을 만족시키는 경우의 수는 $_5\mathrm{C}_3$

함수 f가 $f(1) < f(2) < f(3)$을 만족시키는 경우의 수는 $_5\mathrm{C}_3$

따라서 구하는 확률은

$$\frac{_5\mathrm{C}_3 + {}_5\mathrm{C}_3}{125} = \frac{20}{125} = \frac{4}{25}$$

답 ③

12

일어날 수 있는 모든 경우는 수는
$$_6\Pi_3 = 6^3 = 216$$

$(x-y)(y-z)(z-x) = 0$인 사건을 A라 하면

$(x-y)(y-z)(z-x) \neq 0$인 사건은 A^C이다.

$(x-y)(y-z)(z-x) \neq 0$이려면 $x \neq y$이고 $y \neq z$이고 $z \neq x$이어야 한다.

$x \neq y$이고 $y \neq z$이고 $z \neq x$일 때는 1부터 6까지의 6개의 자연수 중에서 서로 다른 3개의 수를 택하여 일렬로 나열하는 경우의 수와 같으므로
$$_6\mathrm{P}_3 = 6 \times 5 \times 4 = 2120$$

따라서 $\mathrm{P}(A^C) = \frac{120}{216} = \frac{5}{9}$이므로 구하는 확률은

$$\mathrm{P}(A) = 1 - \mathrm{P}(A^C) = 1 - \frac{5}{9} = \frac{4}{9}$$

답 ①

05 조건부확률

p. 47

01. ④	02. ⑤	03. ⑤	04. ③	05. ①
06. ⑤				

01 $\mathrm{P}(B|A) = \dfrac{\mathrm{P}(A \cap B)}{\mathrm{P}(A)} = \dfrac{\frac{2}{5}}{\frac{2}{3}} = \dfrac{3}{5}$

답 ④

02 $\mathrm{P}(A \cap B) = \mathrm{P}(A) - \mathrm{P}(A \cap B^C)$
$$= \frac{13}{16} - \frac{1}{4} = \frac{9}{16}$$

$$\mathrm{P}(B|A) = \frac{\mathrm{P}(A \cap B)}{\mathrm{P}(A)} = \frac{\frac{9}{16}}{\frac{13}{16}} = \frac{9}{13}$$

답 ⑤

03 임의로 선택한 한 개의 공이 검은색인 사건을 A, 공에 적혀 있는 수가 짝수인 사건을 B라 하면

$$\mathrm{P}(B|A) = \frac{\mathrm{P}(A \cap B)}{\mathrm{P}(A)} = \frac{\frac{4}{14}}{\frac{9}{14}} = \frac{4}{9}$$

답 ⑤

04 체험 학습 B를 선택한 학생 중 남학생의 수를 a, 여학생의 수를 b라 하고 주어진 조건을 표로 나타내면 다음과 같다.

	남자	여자	합계
체험 학습 A	90	70	160
체험 학습 B	(a)	(b)	$(a+b)$
합계			360

체험 학습 B를 선택한 사건을 B, 남학생인 사건을 M이라 하면

$$\mathrm{P}(M|B)=\frac{n(B\cap M)}{n(B)}=\frac{a}{a+b}=\frac{2}{5}$$

이때 $a+b=360-160=200$ ······ ㉠이므로

$$\frac{a}{200}=\frac{2}{5} \quad \therefore a=80$$

이 값을 ㉠에 대입하면 $b=120$

따라서 이 학교의 여학생의 수는

$$70+b=70+120=190 \qquad\qquad 답 ③$$

05 $\mathrm{P}(A\cap B)=\mathrm{P}(A)\mathrm{P}(B|A)$

$$=\frac{2}{5}\times\frac{5}{6}=\frac{1}{3} \qquad\qquad 답 ①$$

06 버스로 등교하는 사건을 A, 걸어서 등교하는 사건을 B, 지각하는 사건을 E라 하면 구하는 확률은

$$\mathrm{P}(A|E)=\frac{\mathrm{P}(A\cap E)}{\mathrm{P}(A\cap E)+\mathrm{P}(B\cap E)}$$이다.

(i) 버스로 등교한 학생이 지각할 확률은

$$\mathrm{P}(A\cap E)=\mathrm{P}(A)\mathrm{P}(E|A)=\frac{6}{10}\times\frac{1}{20}=\frac{3}{100}$$

(ii) 걸어서 등교한 학생이 지각할 확률은

$$\mathrm{P}(B\cap E)=\mathrm{P}(B)\mathrm{P}(E|B)=\frac{4}{10}\times\frac{1}{15}=\frac{2}{75}$$

(i), (ii)에서 지각할 확률은

$$\mathrm{P}(E)=\mathrm{P}(A\cap E)+\mathrm{P}(B\cap E)=\frac{3}{100}+\frac{2}{75}=\frac{17}{300}$$

따라서 구하는 확률은

$$\mathrm{P}(A|E)=\frac{\mathrm{P}(A\cap E)}{\mathrm{P}(E)}=\frac{\frac{3}{100}}{\frac{17}{300}}=\frac{9}{17} \qquad 답 ⑤$$

유형따라잡기   pp. 48~52

기출유형 01 ④	**01.** ④	**02.** ①	**03.** ④	**04.** ⑤
기출유형 02 ③	**05.** ④	**06.** 72		
기출유형 03 30	**07.** 50	**08.** 43		
기출유형 04 ①	**09.** ①	**10.** ①	**11.** ②	**12.** ②
기출유형 05 ②	**13.** ①	**14.** ②		

기출유형 01

Act① $\mathrm{P}(B^C|A^C)=\dfrac{\mathrm{P}(A^C\cap B^C)}{\mathrm{P}(A^C)}$임을 이용한다.

$$\mathrm{P}(B^C|A^C)=\frac{n(A^C\cap B^C)}{n(A^C)}=\frac{n((A\cup B)^C)}{n(A^C)}$$

$$=\frac{1-\frac{9}{10}}{1-\frac{7}{10}}=\frac{1}{3} \qquad\qquad 답 ④$$

01 **Act①** $\mathrm{P}(B|A)=\dfrac{\mathrm{P}(A\cap B)}{\mathrm{P}(A)}$임을 이용한다.

$$\mathrm{P}(B|A)=\frac{\mathrm{P}(A\cap B)}{\mathrm{P}(A)}=\frac{2}{3} \qquad\qquad 답 ④$$

02 **Act①** $\mathrm{P}(A\cap B^C)=\mathrm{P}(A\cup B)-\mathrm{P}(B)$임을 이용한다.

$$\mathrm{P}(A\cap B^C)=\mathrm{P}(A\cup B)-\mathrm{P}(B)$$

$$=\frac{5}{8}-\frac{1}{4}=\frac{3}{8}$$

$$\mathrm{P}(B^C)=1-\mathrm{P}(B)=\frac{3}{4}$$

$$\therefore \mathrm{P}(A|B^C)=\frac{\mathrm{P}(A\cap B^C)}{\mathrm{P}(B^C)}=\frac{\frac{3}{8}}{\frac{3}{4}}=\frac{1}{2} \qquad 답 ①$$

03 **Act①** $\mathrm{P}(B)=\mathrm{P}(A\cap B)+\mathrm{P}(A^C\cap B)$임을 이용한다.

$$\mathrm{P}(B)=\mathrm{P}(A\cap B)+\mathrm{P}(A^C\cap B)$$

$$=\frac{1}{3}+\frac{1}{4}=\frac{7}{12}$$

$$\mathrm{P}(A|B)=\frac{\mathrm{P}(A\cap B)}{\mathrm{P}(B)}=\frac{4}{7} \qquad\qquad 답 ④$$

04 **Act①** $\mathrm{P}(A)=\mathrm{P}(A\cap B)+\mathrm{P}(A\cap B^C)$임을 이용한다.

$$\mathrm{P}(A)=\mathrm{P}(A\cap B)+\mathrm{P}(A\cap B^C)$$이므로

$$\mathrm{P}(A\cap B^C)=\mathrm{P}(A)-\mathrm{P}(A\cap B)$$

$$=\frac{1}{3}-\frac{1}{8}=\frac{5}{24}$$

$$\therefore \mathrm{P}(B^C|A)=\frac{\mathrm{P}(A\cap B^C)}{\mathrm{P}(A)}=\frac{\frac{5}{24}}{\frac{1}{3}}=\frac{5}{8} \qquad 답 ⑤$$

기출유형 02

Act① 임의로 뽑은 한 학생이 만두를 선택한 학생일 사건을 전사건으로 놓고 조건부확률을 구한다.

5명 중 임의로 뽑힌 한 학생이 만두를 선택한 학생일 사건을 M, 쫄면을 선택한 학생일 사건을 N이라 하면 구하는 확률은

$$\mathrm{P}(N|M)=\frac{\mathrm{P}(M\cap N)}{\mathrm{P}(M)}=\frac{\frac{2}{5}}{\frac{4}{5}}=\frac{1}{2} \qquad 답 ③$$

05 **Act①** 임의로 뽑은 한 학생이 영화 관람을 희망한 학생일 사건을 전사건으로 놓고 조건부확률을 구한다.

이 고등학교 3학년 학생 300명 중 임의로 선택한 1명이 영화 관람을 희망한 학생일 사건을 X, 뮤지컬 관람을 희망한 학생일 사건을 Y라 하면

$$\mathrm{P}(Y|X)=\frac{\mathrm{P}(X\cap Y)}{\mathrm{P}(X)}=\frac{\frac{90}{300}}{\frac{210}{300}}=\frac{90}{210}=\frac{3}{7} \qquad 답 ④$$

06 **Act①** 주어진 조건을 이용하여 a, b의 연립방정식을 세워서 푼다.

도서관 이용자 300명 중에서 30대가 차지하는 비율이 12%이므로

$$\frac{(60-a)+b}{300}=\frac{12}{100}$$

$$a-b=24 \qquad ······ ㉠$$

도서관 이용자 300명 중에서 임의로 선택한 1명이 남성일

때, 이 이용자가 20대일 확률과 임의로 선택한 1명이 여성일 때, 이 이용자가 30대일 확률이 서로 같으므로

$$\frac{a}{200}=\frac{b}{100}$$

$a=2b$ ...... ㉡

㉠, ㉡을 연립하여 풀면 $a=48$, $b=24$

$\therefore a+b=72$

답 72

기출유형 03

Act① 임의로 선택한 한 명이 B 부서에 속하는 사건을 전사건으로 놓고 조건부확률을 구한다.

전체 여성 직원의 수를 n이라 하고 주어진 조건을 표로 나타내면 다음과 같다.

(단위: 명)

	A 부서	B 부서
남자	10	
여자	10	0.6n
합계	20	40

B 부서에 속해 있는 여성 직원의 수는 $0.6n$, 전체 여성 직원의 수는 n이므로

$10+0.6n=n$ $\therefore n=25$

임의로 선택한 직원이 B 부서인 사건을 E, 여성 직원일 사건을 F라 하면

$$\mathrm{P}(F|E)=\frac{\mathrm{P}(E\cap F)}{\mathrm{P}(E)}$$

$$=\frac{\dfrac{0.6n}{60}}{\dfrac{40}{60}}=\frac{\dfrac{15}{60}}{\dfrac{40}{60}}=\frac{15}{40}=\frac{3}{8}$$

따라서 $p=\dfrac{3}{8}$이므로 $80p=80\times\dfrac{3}{8}=30$

답 30

07 **Act①** 갑이 꺼낸 카드에 적힌 수가 을이 꺼낸 카드에 적힌 수보다 큰 사건을 E, 갑이 꺼낸 카드에 적힌 수가 을과 병이 꺼낸 카드에 적힌 수의 합보다 큰 사건을 F라 하면 구하는 확률은

$\mathrm{P}(F|E)=\dfrac{\mathrm{P}(E\cap F)}{\mathrm{P}(E)}$임을 이용한다.

갑, 을, 병이 한 장씩 카드를 꺼내는 경우의 수는

$6\times3\times3=54$

(i) 갑, 을, 병이 꺼낸 카드에 적힌 수를 각각 a, b, c라 할 때, $a\leq b$인 경우의 순서쌍 (a, b)는

$(1, 1)$, $(1, 2)$, $(1, 3)$, $(2, 2)$, $(2, 3)$, $(3, 3)$

의 6가지이므로

$$\mathrm{P}(E)=1-\frac{6}{18}=\frac{2}{3}$$

(ii) $a>b+c$인 경우를 순서쌍 (a, b, c)로 나타내면

$(3, 1, 1)$, $(4, 1, 1)$, $(4, 1, 2)$,

$(4, 2, 1)$, $(5, 1, 1)$, $(5, 1, 2)$,

$(5, 1, 3)$, $(5, 2, 1)$, $(5, 2, 2)$,

$(5, 3, 1)$, $(6, 1, 1)$, $(6, 1, 2)$,

$(6, 1, 3)$, $(6, 2, 1)$, $(6, 2, 2)$,

$(6, 2, 3)$, $(6, 3, 1)$, $(6, 3, 2)$

의 18가지이므로

$$\mathrm{P}(E\cap F)=\frac{18}{54}=\frac{1}{3}$$

(i), (ii)에서 $k=\dfrac{\mathrm{P}(E\cap F)}{\mathrm{P}(E)}=\dfrac{\dfrac{1}{3}}{\dfrac{2}{3}}=\dfrac{1}{2}$이므로

$$100k=100\times\frac{1}{2}=50$$

답 50

08 **Act①** $2m\geq n$인 사건을 전사건으로 놓고 조건부확률을 구한다.

$2m\geq n$인 사건을 E, 꺼낸 흰 공의 개수가 2인 사건을 F라 하자.

7개의 공에서 3개를 꺼내는 경우의 수는 $_7\mathrm{C}_3$

$2m\geq n$인 경우는 $m=1$, $n=2$ 또는 $m=2$, $n=1$ 또는 $m=3$, $n=0$일 때이므로

$$\mathrm{P}(E)=\frac{_3\mathrm{C}_1\times{_4\mathrm{C}_2}+{_3\mathrm{C}_2}\times{_4\mathrm{C}_1}+{_3\mathrm{C}_3}\times{_4\mathrm{C}_0}}{_7\mathrm{C}_3}$$

$$=\frac{18}{35}+\frac{12}{35}+\frac{1}{35}=\frac{31}{35}$$

$$\mathrm{P}(E\cap F)=\frac{_3\mathrm{C}_2\times{_4\mathrm{C}_1}}{_7\mathrm{C}_3}=\frac{12}{35}$$

$$\therefore \mathrm{P}(F|E)=\frac{\mathrm{P}(E\cap F)}{\mathrm{P}(E)}=\frac{\dfrac{12}{35}}{\dfrac{31}{35}}=\frac{12}{31}$$

따라서 $p=31$, $q=12$이므로

$p+q=43$

답 43

기출유형 04

Act① $\mathrm{P}(A\cap B)=\mathrm{P}(A)\mathrm{P}(B|A)$임을 이용한다.

$\mathrm{P}(A\cap B)=\mathrm{P}(A)\mathrm{P}(B|A)$

$=\dfrac{3}{4}\times\dfrac{1}{3}=\dfrac{1}{4}$

답 ①

09 **Act①** $\mathrm{P}(A\cap B)=\mathrm{P}(B)\mathrm{P}(A|B)$,

$\mathrm{P}(A^c\cap B^c)=1-\mathrm{P}(A\cup B)$임을 이용하여 $\mathrm{P}(B)$의 값을 구한다.

$\mathrm{P}(A\cap B)=\mathrm{P}(B)\mathrm{P}(A|B)=\dfrac{1}{4}\mathrm{P}(B)$

$\mathrm{P}(A^c\cap B^c)=\mathrm{P}((A\cup B)^c)=1-\mathrm{P}(A\cup B)=\dfrac{1}{3}$에서

$\mathrm{P}(A\cup B)=\dfrac{2}{3}$

$\mathrm{P}(A\cup B)=\mathrm{P}(A)+\mathrm{P}(B)-\mathrm{P}(A\cap B)$이므로

$\dfrac{2}{3}=\dfrac{1}{2}+\mathrm{P}(B)-\dfrac{1}{4}\mathrm{P}(B)$

$\dfrac{3}{4}\mathrm{P}(B)=\dfrac{1}{6}$ $\therefore \mathrm{P}(B)=\dfrac{2}{9}$

답 ①

10 **Act①** $\mathrm{P}(A\cap B)=\mathrm{P}(A)\mathrm{P}(B|A)=\mathrm{P}(B)\mathrm{P}(A|B)$임을 이용한다.

$\mathrm{P}(A\cap B)=\mathrm{P}(A)\times\dfrac{1}{3}=\mathrm{P}(B)\times\dfrac{1}{2}$이므로

$\mathrm{P}(A)=3\mathrm{P}(A\cap B)$, $\mathrm{P}(B)=2\mathrm{P}(A\cap B)$

$\mathrm{P}(A\cup B)=\mathrm{P}(A)+\mathrm{P}(B)-\mathrm{P}(A\cap B)$이므로

$\dfrac{8}{9}=3\mathrm{P}(A\cap B)+2\mathrm{P}(A\cap B)-\mathrm{P}(A\cap B)$

$\dfrac{8}{9}=4\mathrm{P}(A\cap B)$ $\therefore \mathrm{P}(A\cap B)=\dfrac{2}{9}$ 답 ①

11 **Act①** $\mathrm{P}(A\cap B)=\mathrm{P}(B)\mathrm{P}(A\,|\,B)$임을 이용한다.

$\mathrm{P}(A^c\cap B^c)=\mathrm{P}((A\cup B)^c)=1-\mathrm{P}(A\cup B)$

$\therefore \mathrm{P}(A\cup B)=\dfrac{3}{5}$ ……㉠

$\mathrm{P}(A\cup B)=\mathrm{P}(A)+\mathrm{P}(B)-\mathrm{P}(A\cap B)$

$\qquad\quad =\dfrac{3}{10}+\mathrm{P}(B)-\dfrac{1}{4}\mathrm{P}(B)$

$\qquad\quad =\dfrac{3}{10}+\dfrac{3}{4}\mathrm{P}(B)$ ……㉡

㉠, ㉡에서 $\mathrm{P}(B)=\dfrac{2}{5}$

$\mathrm{P}(A\cap B)=\mathrm{P}(B)\mathrm{P}(A\,|\,B)=\dfrac{2}{5}\times\dfrac{1}{4}=\dfrac{1}{10}$

$\therefore \mathrm{P}(B\,|\,A)=\dfrac{\mathrm{P}(A\cap B)}{\mathrm{P}(A)}=\dfrac{\dfrac{1}{10}}{\dfrac{3}{10}}=\dfrac{1}{3}$ 답 ②

12 **Act①** $\mathrm{P}(A^c\cap B)=\mathrm{P}(B)\mathrm{P}(A^c\,|\,B)$임을 이용한다.

$\mathrm{P}(B)=1-\mathrm{P}(B^c)=1-\dfrac{4}{5}=\dfrac{1}{5}$

$\mathrm{P}(A^c\,|\,B)=1-\mathrm{P}(A\,|\,B)=1-\dfrac{1}{3}=\dfrac{2}{3}$

$\mathrm{P}(A^c\cap B)=\mathrm{P}(B)\mathrm{P}(A^c\,|\,B)=\dfrac{1}{5}\times\dfrac{2}{3}=\dfrac{2}{15}$

$\therefore \mathrm{P}(B\,|\,A^c)=\dfrac{\mathrm{P}(A^c\cap B)}{\mathrm{P}(A^c)}=\dfrac{\dfrac{2}{15}}{1-\dfrac{3}{10}}=\dfrac{4}{21}$ 답 ②

기출유형 05

Act① 사건 E가 일어났을 때 사건 A가 일어날 확률은

$\mathrm{P}(A\,|\,E)=\dfrac{\mathrm{P}(A\cap E)}{\mathrm{P}(E)}=\dfrac{\mathrm{P}(A\cap E)}{\mathrm{P}(A\cap E)+\mathrm{P}(A^c\cap E)}$임을 이용한다.

A구장에서 경기를 치르는 사건을 A, 승리하는 사건을 E라 하면

$\mathrm{P}(A\cap E)=\mathrm{P}(A)\mathrm{P}(E\,|\,A)=0.2\times0.7=0.14$

$\mathrm{P}(A^c\cap E)=\mathrm{P}(A^c)\mathrm{P}(E\,|\,A^c)=(1-0.2)\times0.3=0.24$

$\therefore \mathrm{P}(E)=\mathrm{P}(A\cap E)+\mathrm{P}(A^c\cap E)$

$\qquad\quad =0.14+0.24=0.38$

따라서 구하는 확률은

$\mathrm{P}(A\,|\,B)=\dfrac{\mathrm{P}(A\cap E)}{\mathrm{P}(E)}=\dfrac{0.14}{0.38}=\dfrac{7}{19}$ 답 ②

13 **Act①** 사건 E가 일어났을 때 사건 A가 일어날 확률은

$\mathrm{P}(A\,|\,E)=\dfrac{\mathrm{P}(A\cap E)}{\mathrm{P}(E)}=\dfrac{\mathrm{P}(A\cap E)}{\mathrm{P}(A\cap E)+\mathrm{P}(A^c\cap E)}$임을 이용한다.

주머니에서 임의로 1개의 공을 꺼낼 때 처음 꺼낸 공이 흰 공인 사건을 A, 다시 이 주머니에서 임의로 2개의 공을 동시에 꺼낼 때 꺼낸 공 2개가 모두 흰 공인 사건을 E라 하자.

(i) 주머니에서 처음 꺼낸 1개의 공이 흰 공일 때

$\mathrm{P}(A\cap E)=\mathrm{P}(A)\mathrm{P}(E\,|\,A)$

$\qquad\qquad =\dfrac{3}{5}\times\dfrac{1}{10}=\dfrac{3}{50}$ ……㉠

(ii) 주머니에서 처음 꺼낸 1개의 공이 검은 공일 때

$\mathrm{P}(A^c\cap E)=\mathrm{P}(A^c)\mathrm{P}(E\,|\,A^c)$

$\qquad\qquad =\dfrac{2}{5}\times\dfrac{3}{5}=\dfrac{6}{25}$ ……㉡

㉠, ㉡에서

$\mathrm{P}(E)=\mathrm{P}(A\cap E)+\mathrm{P}(A^c\cap E)$

$\qquad\quad =\dfrac{3}{50}+\dfrac{6}{25}=\dfrac{2}{5}$

따라서 구하는 확률은

$\mathrm{P}(A\,|\,E)=\dfrac{\mathrm{P}(A\cap E)}{\mathrm{P}(E)}=\dfrac{\dfrac{3}{50}}{\dfrac{3}{10}}=\dfrac{1}{5}$ 답 ①

14 **Act①** 사건 E가 일어났을 때 사건 A가 일어날 확률은

$\mathrm{P}(A\,|\,E)=\dfrac{\mathrm{P}(A\cap E)}{\mathrm{P}(E)}=\dfrac{\mathrm{P}(A\cap E)}{\mathrm{P}(A\cap E)+\mathrm{P}(A^c\cap E)}$임을 이용한다.

임의로 선택한 상자에서 공을 하나 꺼낼 때, 상자 A에서 공을 꺼내는 사건을 A, 상자 B에서 공을 꺼내는 사건을 B, 꺼낸 공이 검은 공일 사건을 E라 하면

$\mathrm{P}(B\,|\,E)=\dfrac{\mathrm{P}(B\cap E)}{\mathrm{P}(E)}=\dfrac{\mathrm{P}(B\cap E)}{\mathrm{P}(A\cap E)+\mathrm{P}(B\cap E)}$

$\qquad\quad =\dfrac{\dfrac{1}{2}\times\dfrac{1}{3}}{\dfrac{1}{2}\times\dfrac{2}{4}+\dfrac{1}{2}\times\dfrac{1}{3}}=\dfrac{\dfrac{1}{3}}{\dfrac{1}{2}+\dfrac{1}{3}}=\dfrac{2}{5}$ 답 ②

VIT **V**ery **I**mportant **T**est   pp. 53~55

01. ⑤	02. ②	03. ④	04. ③	05. 59
06. 19	07. 17	08. ⑤	09. ②	10. ⑤
11. ⑤	12. ①	13. 47	14. 93	15. 59
16. 76	17. 73	18. 24		

01

$\mathrm{P}(B^c\cap A)=\mathrm{P}(A)-\mathrm{P}(A\cap B)=\dfrac{1}{2}-\dfrac{1}{9}=\dfrac{7}{18}$이므로

$\mathrm{P}(B^c\,|\,A)=\dfrac{\mathrm{P}(B^c\cap A)}{\mathrm{P}(A)}=\dfrac{\dfrac{7}{18}}{\dfrac{1}{2}}=\dfrac{7}{9}$ 답 ⑤

02

$\mathrm{P}(B^c)=1-\mathrm{P}(B)=1-\dfrac{1}{4}=\dfrac{3}{4}$이므로

$\mathrm{P}(A\,|\,B^c)=\dfrac{\mathrm{P}(A\cap B^c)}{\mathrm{P}(B^c)}=\dfrac{\mathrm{P}(A)-\mathrm{P}(A\cap B)}{\mathrm{P}(B^c)}$

$$=\frac{\dfrac{1}{3}-\dfrac{1}{12}}{\dfrac{3}{4}}=\frac{\dfrac{1}{4}}{\dfrac{3}{4}}=\frac{1}{3}$$

답 ②

03

$\mathrm{P}(A\cup B)=\mathrm{P}(A)+\mathrm{P}(B)-\mathrm{P}(A\cap B)$이므로

$$\mathrm{P}(A\cup B)=\frac{3}{8}+\frac{1}{2}-\frac{1}{4}=\frac{5}{8}$$

$$\therefore\ \mathrm{P}(B^c\,|\,A^c)=\frac{\mathrm{P}(A^c\cap B^c)}{\mathrm{P}(A^c)}=\frac{\mathrm{P}((A\cup B)^c)}{\mathrm{P}(A^c)}$$

$$=\frac{1-\mathrm{P}(A\cup B)}{1-\mathrm{P}(A)}=\frac{1-\dfrac{5}{8}}{1-\dfrac{3}{8}}=\frac{3}{5}$$

답 ④

04

$$\mathrm{P}(A^c\cup B^c)=\mathrm{P}((A\cup B)^c)=1-\mathrm{P}(A\cup B)=\frac{1}{6}$$

이므로

$$\mathrm{P}(A\cup B)=\frac{5}{6}$$

$\mathrm{P}(A\cup B)=\mathrm{P}(A)+\mathrm{P}(B)-\mathrm{P}(A\cap B)$에서

$$\mathrm{P}(A\cap B)=\mathrm{P}(A)+\mathrm{P}(B)-\mathrm{P}(A\cup B)$$

$$=\frac{1}{2}+\frac{2}{3}-\frac{5}{6}=\frac{1}{3}$$

$$\therefore\ \mathrm{P}(A\,|\,B)=\frac{\mathrm{P}(A\cap B)}{\mathrm{P}(B)}=\frac{\dfrac{1}{3}}{\dfrac{2}{3}}=\frac{1}{2}$$

답 ③

05

주어진 표에 의하면 '불만족'이라고 응답한 학생이 100명이므로

$28+3a=100$　　$\therefore\ a=24$

따라서 주어진 표를 완성하면 다음과 같다.

(단위: 명)

	만족	불만족	합계
남학생	104	28	132
여학생	96	72	168
합계	200	100	300

이 고등학교 2학년 학생 중에서 임의로 선택한 한 학생이 남학생일 사건을 A, 급식에 대하여 '만족'이라고 응답한 학생일 사건을 B라 하면 구하는 확률은

$$\mathrm{P}(B\,|\,A)=\frac{\mathrm{P}(A\cap B)}{\mathrm{P}(A)}=\frac{\dfrac{104}{300}}{\dfrac{132}{300}}=\frac{26}{33}$$

이므로 $p=33$, $q=26$

$\therefore\ p+q=59$

답 59

06

대중교통을 이용하지 않는 여학생 수를 x라 하면 대중교통을 이용하는 남학생 수는 $2x$이다.

대중교통을 이용하는 여학생 수를 y라 하면 대중교통을 이용하는 여학생의 비율이 $\dfrac{3}{10}$이므로

$\dfrac{y}{2x+y}=\dfrac{3}{10}$에서 $10y=6x+3y$

$$\therefore\ y=\frac{6}{7}x$$

따라서 여학생일 사건을 X, 대중교통을 이용하는 학생일 사건을 Y라 하면

$$\mathrm{P}(Y\,|\,X)=\frac{\mathrm{P}(Y\cap X)}{\mathrm{P}(X)}=\frac{\dfrac{6}{7}x}{\dfrac{6}{7}x+x}=\frac{\dfrac{6}{7}x}{\dfrac{13}{7}}=\frac{6}{13}$$

따라서 $p=13$, $q=6$이므로

$p+q=19$

답 19

07

9개의 공 중에서 임의로 동시에 꺼낸 2개의 공의 색이 서로 다를 사건을 A, 꺼낸 2개의 공의 색이 흰색과 파란색인 사건을 B라 하면

$$\mathrm{P}(A)=\frac{{}_3\mathrm{C}_1\times{}_2\mathrm{C}_1+{}_2\mathrm{C}_1\times{}_4\mathrm{C}_1+{}_4\mathrm{C}_1\times{}_3\mathrm{C}_1}{{}_9\mathrm{C}_2}$$

$$=\frac{6+8+12}{36}=\frac{26}{36}$$

$$\mathrm{P}(A\cap B)=\frac{{}_2\mathrm{C}_1\times{}_4\mathrm{C}_1}{{}_9\mathrm{C}_2}=\frac{8}{36}$$

이므로 구하는 확률은

$$\mathrm{P}(B\,|\,A)=\frac{\mathrm{P}(A\cap B)}{\mathrm{P}(A)}=\frac{\dfrac{8}{36}}{\dfrac{26}{36}}=\frac{4}{13}$$

따라서 $p=13$, $q=4$이므로

$p+q=17$

답 17

08

처음 꺼낸 공이 흰 공일 사건을 A, 두 번째 꺼낸 공이 흰 공일 사건을 B라 하면

$$\mathrm{P}(A\cap B)=\frac{2}{5}\times\frac{2}{4}=\frac{3}{10}$$

한편 처음 꺼낸 공이 검은 공일 사건은 A^c이므로

$$\mathrm{P}(B)=\mathrm{P}(A\cap B)+\mathrm{P}(A^c\cap B)$$

$$=\frac{3}{10}+\frac{2}{5}\times\frac{3}{4}=\frac{3}{5}$$

따라서 구하는 확률은

$$\mathrm{P}(A\,|\,B)=\frac{\mathrm{P}(A\cap B)}{\mathrm{P}(B)}=\frac{\dfrac{3}{10}}{\dfrac{3}{5}}=\frac{1}{2}$$

답 ⑤

09

A가 가위바위보에서 이길 확률, 비길 확률, 질 확률은 모두 $\dfrac{1}{3}$이다. A가 첫 번째 게임에서 지는 사건을 X, A가 네 번째 게임에서 상품을 얻는 사건을 Y라 하면 $\mathrm{P}(X)=\dfrac{1}{3}$이고, 구하는 확률은 $\mathrm{P}(Y\,|\,X)$이다.

A가 첫 번째 게임에서 지고, 두 번째, 세 번째 게임 중에서 가위바위보를 한 번은 이기고 한 번은 비기거나 져야 한다.

따라서 네 번째 게임에서 이길 확률 $\mathrm{P}(X\cap Y)$는

$$\mathrm{P}(X\cap Y)=\frac{1}{3}\times\left(2\times\frac{1}{3}\times\frac{1}{3}\right)\times\frac{1}{3}=\frac{2}{81}$$

이므로 구하는 확률은

$$\text{P}(Y|X) = \frac{\text{P}(X \cap Y)}{\text{P}(X)} = \frac{\frac{2}{81}}{\frac{1}{3}} = \frac{2}{27}$$

답 ②

10

두 개의 생산 라인 A, B에서 생산될 사건을 각각 A, B, 불량품일 사건을 E라 하면

$\text{P}(A) = 0.7$, $\text{P}(B) = 0.3$

$\text{P}(E|A) = 0.03$, $\text{P}(E|B) = 0.02$

이므로

$\text{P}(A \cap E) = 0.7 \times 0.03 = 0.021$

$\text{P}(E) = \text{P}(A \cap E) + \text{P}(B \cap E)$
$\qquad = 0.7 \times 0.03 + 0.3 \times 0.02 = 0.027$

따라서 구하는 확률은

$$\text{P}(A|E) = \frac{\text{P}(A \cap E)}{\text{P}(E)} = \frac{0.021}{0.027} = \frac{7}{9}$$

답 ⑤

11

b가 적힌 공이 나오는 사건을 A, 흰 공이 나오는 사건을 B, 검은 공이 나오는 사건을 C라 하면

$$\text{P}(A \cap B) = \text{P}(B)\text{P}(A|B) = \frac{4}{9} \times \frac{1}{4} = \frac{1}{9}$$

$$\text{P}(A \cap C) = \text{P}(C)\text{P}(A|C) = \frac{5}{9} \times \frac{2}{5} = \frac{2}{9}$$

$$\text{P}(A) = \text{P}(A \cap B) + \text{P}(A \cap C) = \frac{1}{9} + \frac{2}{9} = \frac{1}{3}$$

$$\therefore \text{P}(B|A) = \frac{\text{P}(A \cap B)}{\text{P}(A)} = \frac{\frac{1}{9}}{\frac{1}{3}} = \frac{1}{3}$$

답 ⑤

12

두 사람 A, B가 당첨 제비를 뽑는 사건을 각각 A, B라 하면

$\text{P}(B) = \text{P}(A \cap B) + \text{P}(A^C \cap B)$
$\qquad = \text{P}(A)\text{P}(B|A) + \text{P}(A^C)\text{P}(B|A^C)$
$\qquad = \frac{4}{7} \times \frac{3}{6} + \frac{3}{7} \times \frac{4}{6} = \frac{24}{42} = \frac{4}{7}$

답 ①

13

주머니 A에서 흰 공을 꺼내는 사건을 A, 주머니 B에서 흰 공을 꺼내는 사건을 B라 하자.

(i) 주머니 A에서 흰 공을 꺼내어 주머니 B에 넣은 후 다시 주머니 B에서도 흰 공을 꺼낼 확률은

$$\text{P}(A \cap B) = \text{P}(A)\text{P}(B|A) = \frac{2}{5} \times \frac{4}{6} = \frac{8}{30} \qquad \cdots\cdots \text{㉠}$$

(ii) 주머니 A에서 검은 공을 꺼내어 주머니 B에 넣은 후 다시 주머니 B에서 흰 공을 꺼낼 확률은

$$\text{P}(A^C \cap B) = \text{P}(A^C)\text{P}(B|A^C) = \frac{3}{5} \times \frac{3}{6} = \frac{9}{30} \qquad \cdots\cdots \text{㉡}$$

㉠, ㉡에서

$\text{P}(B) = \text{P}(A \cap B) + \text{P}(A^C \cap B) = \frac{8}{30} + \frac{9}{30} = \frac{17}{30}$

따라서 $p = 30$, $q = 17$이므로

$p + q = 47$

답 47

14

주어진 시행에서 검은 공이 2개 나오려면 정사면체에서 나온 수가 2 또는 3이어야 한다.

주어진 시행에서 검은 공이 2개 나오는 사건을 X라 하자.

(i) 정사면체에서 나온 수가 2이고, 검은 공이 2개 나오는 경우

정사면체에서 나온 수가 2인 사건을 A라 하면

$$\text{P}(A) = \frac{1}{4}$$

$\text{P}(X|A)$는 주머니에서 2개의 공을 꺼낼 때 검은 공이 2개가 나올 확률이므로

$$\text{P}(X|A) = \frac{{}_3\text{C}_2}{{}_6\text{C}_2} = \frac{3}{15} = \frac{1}{5}$$

$$\therefore \text{P}(X \cap A) = \text{P}(A)\text{P}(X|A) = \frac{1}{4} \times \frac{1}{5} = \frac{1}{20}$$

(ii) 정사면체에서 나온 수가 3이고, 검은 공이 2개 나오는 경우

정사면체에서 나온 수가 3인 사건을 B라 하면

$$\text{P}(B) = \frac{1}{4}$$

$\text{P}(X|B)$는 주머니에서 3개의 공을 꺼낼 때 검은 공이 2개가 나올 확률이므로

$$\text{P}(X|B) = \frac{{}_3\text{C}_2 \times {}_3\text{C}_1}{{}_6\text{C}_3} = \frac{9}{20}$$

$$\therefore \text{P}(X \cap B) = \text{P}(B)\text{P}(X|B)$$
$$\qquad = \frac{1}{4} \times \frac{9}{20} = \frac{9}{80}$$

(i), (ii)에서 구하는 확률은

$\text{P}(X) = \text{P}(X \cap A) + \text{P}(X \cap B)$
$\qquad = \frac{1}{20} + \frac{9}{80} = \frac{13}{80}$

따라서 $p = 80$, $q = 13$이므로

$p + q = 93$

답 93

15

비가 오는 날은 ○, 비가 오지 않는 날은 ×로 표시하여 다음과 같이 표로 나타낼 수 있다.

수	목	금	토
○	○	○	○
	○	×	
	×	○	
	×	×	

따라서 구하는 확률은

$\frac{1}{3} \times \frac{1}{3} \times \frac{1}{3} + \frac{1}{3} \times \frac{2}{3} \times \frac{1}{4} + \frac{2}{3} \times \frac{1}{4} \times \frac{1}{3} + \frac{2}{3} \times \frac{3}{4} \times \frac{1}{4}$

$= \frac{1}{27} + \frac{1}{18} + \frac{1}{18} + \frac{1}{8} = \frac{59}{216}$

따라서 $p = \frac{59}{216}$이므로 $216p = 59$

답 59

16

(i) 첫 번째 자유투를 성공한 후, 두 번째 자유투도 성공할 확률은
$0.8 \times 0.8 = 0.64$

(ii) 첫 번째 자유투는 실패하고, 두 번째 자유투는 성공할 확률은
$0.2 \times 0.6 = 0.12$

(i), (ii)에서 이 농구 선수가 두 번째 자유투에서 성공할 확률은
$0.64+0.12=0.76$

따라서 $p=0.76$이므로

$100p=76$ 답 76

17

선택한 제품이 합격품일 사건을 A라 하고 검사기가 합격품으로 판정할 사건을 B라 하면 구하는 확률은 $P(A|B)$이다.

(i) 합격품을 합격품으로 판정할 확률은

$P(A \cap B)=P(A)P(B|A)=0.8 \times 0.9=0.72$

(ii) 불합격품을 합격품으로 판정할 확률은

$P(A^C \cap B)=P(A^C)P(B|A^C)$
$\qquad\qquad = 0.2 \times 0.1=0.02$

(i), (ii)에서

$P(B)=0.72+0.02=0.74$

따라서 구하는 확률은

$P(A|B)=\dfrac{P(A \cap B)}{P(B)}=\dfrac{0.72}{0.74}=\dfrac{36}{37}$

따라서 $p=37$, $q=36$이므로

$p+q=73$ 답 73

18

A메뉴를 선택할 사건을 A, 남자 승객일 사건을 M, 여자 승객일 사건을 F라 하면

$P(A \cap M)=P(M)P(A|M)=\dfrac{2}{3} \times \dfrac{6}{10}=\dfrac{12}{30}$

$P(A \cap F)=P(F)P(A|F)=\dfrac{1}{3} \times \dfrac{4}{10}=\dfrac{4}{30}$

이므로

$P(A)=P(A \cap M)+P(A \cap F)=\dfrac{12}{30}+\dfrac{4}{30}=\dfrac{16}{30}$

구하는 확률은

$P(M|A)=\dfrac{P(A \cap M)}{P(A)}=\dfrac{\dfrac{12}{30}}{\dfrac{16}{30}}=\dfrac{3}{4}$

따라서 $p=\dfrac{3}{4}$이므로 $32p=24$ 답 24

06 사건의 독립과 종속
p. 57

01. ③	02. ④	03. ③	04. ④	05. ①
06. ①				

01 두 사건 A, B가 서로 독립이므로

$P(A \cap B)=P(A)P(B)=\dfrac{2}{3}P(B)$

$P(A \cup B)=P(A)+P(B)-P(A \cap B)$에서

$\dfrac{5}{6}=\dfrac{2}{3}+P(B)-\dfrac{2}{3}P(B)$, $\dfrac{1}{3}P(B)=\dfrac{1}{6}$

$\therefore P(B)=\dfrac{1}{2}$ 답 ③

02 $P(B^C)=\dfrac{1}{3}$에서

$P(B)=1-P(B^C)=1-\dfrac{1}{3}=\dfrac{2}{3}$

두 사건 A와 B는 서로 독립이므로

$P(A)=P(A|B)=\dfrac{1}{2}$

$\therefore P(A)P(B)=\dfrac{1}{2} \times \dfrac{2}{3}=\dfrac{1}{3}$ 답 ④

03 조건 (다)에서 사건 $A \cup B$와 사건 C는 서로 배반이므로 확률의 덧셈정리에서

$P(A \cup B \cup C)=P(A \cup B)+P(C)$ ······ ㉠

이때 조건 (나)에서 두 사건 두 사건 A, B는 서로 독립이므로

$P(A \cap B)=P(A)P(B)=\dfrac{1}{2} \times \dfrac{1}{3}=\dfrac{1}{6}>0$이다.

확률의 덧셈정리에서

$P(A \cup B)=P(A)+P(B)-P(A \cap B)$
$\qquad\qquad = \dfrac{1}{2}+\dfrac{1}{3}-\dfrac{1}{6}=\dfrac{2}{3}$

이 값을 ㉠에 대입하면

$P(A \cup B \cup C)=P(A \cup B)+P(C)$
$\qquad\qquad\qquad = \dfrac{2}{3}+\dfrac{1}{12}=\dfrac{3}{4}$ 답 ③

04 주사위의 눈이 소수인 눈이 나오는 사건을 A, 동전의 앞면이 나오는 사건을 B라 하면 A, B는 서로 독립이므로 구하는 확률은

$P(A \cap B)=P(A)P(B)=\dfrac{3}{6} \times \dfrac{1}{2}=\dfrac{1}{4}$ 답 ④

05 한 개의 주사위를 1번 던질 때, 4의 눈이 나올 확률은 $\dfrac{1}{6}$

따라서 한 개의 주사위를 3번 던질 때, 4의 눈이 한 번만 나올 확률은

${}_3C_1\left(\dfrac{1}{6}\right)\left(\dfrac{5}{6}\right)^2=3 \times \dfrac{1}{6} \times \dfrac{25}{36}=\dfrac{25}{72}$ 답 ①

06 한 개의 동전을 5번 던질 때, 앞면이 나오는 횟수를 a, 뒷면이 나오는 횟수를 b라 하자.

$ab=6$을 만족하는 경우는 동전을 5번 던지므로 $a=2$, $b=3$ 또는 $a=3$, $b=2$일 때이다.

(i) $a=2$, $b=3$일 확률은

${}_5C_2\left(\dfrac{1}{2}\right)^2\left(\dfrac{1}{2}\right)^3=\dfrac{5}{16}$

(ii) $a=3$, $b=2$일 확률은

${}_5C_3\left(\dfrac{1}{2}\right)^3\left(\dfrac{1}{2}\right)^2=\dfrac{5}{16}$

(i), (ii)에서 구하는 확률은

$\dfrac{5}{16}+\dfrac{5}{16}=\dfrac{5}{8}$ 답 ①

기출유형 01 ④	**01.** ②	**02.** ②	**03.** ⑤	**04.** ②
기출유형 02 ③	**05.** ③	**06.** ③		
기출유형 03 ⑤	**07.** ②	**08.** ③	**09.** ②	**10.** 47
기출유형 04 9	**11.** ②	**12.** ③		
기출유형 05 43	**13.** ①	**14.** ③		

기출유형 **01**

Act① 두 사건이 서로 독립이므로 $P(A \cap B) = P(A)P(B)$임을 이용한다.

두 사건 A, B가 서로 독립이므로

$$P(A \cap B) = P(A)P(B) = \frac{1}{2}P(B) = \frac{3}{16}$$

$P(B) = \frac{3}{8}$이므로 $P(B^C) = \frac{5}{8}$ 답 ④

01 **Act①** 두 사건 A, B가 서로 독립이면 두 사건 A, B^C도 서로 독립임을 이용한다.

두 사건 A, B가 서로 독립이므로
$$\begin{aligned}P(A \cap B^C) &= P(A)P(B^C) \\ &= P(A)(1 - P(B)) \\ &= \frac{1}{3} \times \frac{2}{3} = \frac{2}{9}\end{aligned}$$
답 ②

02 **Act①** 확률이 0이 아닌 두 사건이 서로 독립이면

$P(A \cap B) = P(A)P(B) > 0$이므로
$P(A \cup B) = P(A) + P(B) - P(A \cap B)$이다.

두 사건 A, B가 서로 독립이므로
$$\begin{aligned}P(A \cup B) &= P(A) + P(B) - P(A \cap B) \\ &= P(A) + P(B) - P(A)P(B)\end{aligned}$$
$$\frac{7}{9} = \frac{2}{3} + P(B) - \frac{2}{3}P(B)$$
$$\frac{1}{3}P(B) = \frac{1}{9} \quad \therefore P(B) = \frac{1}{3}$$
답 ②

03 **Act①** 두 사건 A, B가 독립이면 한 사건이 일어나는 것이 다른 사건이 일어날 확률에 아무런 영향을 주지 않음을 이용한다.

두 사건 A, B가 서로 독립이므로
$$P(A | B) = P(A) = \frac{3}{8}$$
$P(A \cup B) = P(A) + P(B) - P(A \cap B)$에서
$$\frac{1}{2} = \frac{3}{8} + P(B) - \frac{3}{8}P(B)$$
$$\frac{5}{8}P(B) = \frac{1}{8} \quad \therefore P(B) = \frac{1}{5}$$
$$\begin{aligned}P(A \cap B^C) &= P(A)P(B^C) = P(A)(1 - P(B)) \\ &= \frac{3}{8} \times \left(1 - \frac{1}{5}\right) = \frac{3}{10}\end{aligned}$$
답 ⑤

04 **Act①** 두 사건 A, B가 서로 독립이면 A와 B^C, A^C와 B, A^C와 B도 각각 서로 독립임을 이용한다.

두 사건 A, B가 서로 독립이면 A와 B^C, A^C와 B, A^C와 B도 각각 서로 독립이므로
$$\begin{aligned}&P(A \cap B^C) + P(A^C \cap B) \\ &= P(A)P(B^C) + P(A^C)P(B) \\ &= P(A)(1 - P(B)) + (1 - P(A))P(B) \\ &= \frac{1}{6}(1 - P(B)) + \frac{5}{6}P(B) \\ &= \frac{1}{6} + \frac{4}{6}P(B) = \frac{1}{3}\end{aligned}$$
$$\therefore P(B) = \frac{1}{4}$$
답 ②

기출유형 **02**

Act① 두 사건 A, B에 대하여 A, B가 서로 배반사건이면 $P(A \cap B) = 0$이고 A, B가 서로 독립이면 $P(A | B^C) = P(A)$임을 이용하여 [보기]의 참, 거짓을 판단한다.

ㄱ. A, B가 서로 배반사건이면 $P(A \cap B) = 0$이므로
$$P(B | A) = \frac{P(A \cap B)}{P(A)} = 0 \ (참)$$

ㄴ. 두 사건 A, B가 독립이면 한 사건이 일어나는 것이 다른 사건이 일어날 확률에 아무런 영향을 주지 않는다. 따라서 A, B가 서로 독립이면 A와 B^C도 서로 독립이다. (참)

ㄷ. A, B가 서로 독립이면 A와 B^C도 서로 독립이므로
$$P(A | B^C) = P(A), \ P(B^C | A) = P(B^C)$$
$$\therefore P(A | B^C) \neq P(B^C | A) \ (거짓)$$

따라서 옳은 것은 ㄱ, ㄴ이다.   답 ③

05 **Act①** 배반사건과 독립, 종속의 의미는 다른 것임에 유의해서 [보기]의 참, 거짓을 판단한다.

ㄱ. $P(A \cap B) = 0$, $P(B \cap C) = 0$이라 해서 $P(A \cap C) = 0$인 것은 아니다. (거짓)
[반례] 표본공간이 $S = \{1, 2, 3, 4\}$일 때,
$A = \{1, 2\}$, $B = \{3\}$, $C = \{1, 4\}$

ㄴ. $P(A \cap B) = P(A)P(B)$, $P(B \cap C) = P(B)P(C)$라 해서 $P(A \cap C) = P(A)P(C)$인 것은 아니다. (거짓)
[반례] 표본공간이 $S = \{1, 2, 3, 4\}$일 때,
$A = \{1, 2\}$, $B = \{2, 3\}$, $C = \{3, 4\}$

ㄷ. A, B가 서로 배반사건이고 B^C, C가 서로 배반사건이므로 A, C는 배반이다. 즉 $P(A \cap C) \neq P(A)P(C)$이므로 A, C는 종속이다. (참)

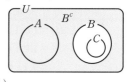

따라서 옳은 것은 ㄷ이다.   답 ③

06 **Act①** 배반사건과 독립, 종속의 의미는 다른 것임에 유의해서 [보기]의 참, 거짓을 판단한다.

ㄱ. A, B가 서로 독립이면 $P(A \cap B) = P(A)P(B) \neq 0$이므로 A, B는 서로 배반사건이 아니다. (거짓)

ㄴ. A, B가 서로 독립이면 한 사건이 다른 사건이 일어날 확률에 아무런 영향을 주지 않으므로 A^C와 B^C도 서로

독립이다. (거짓)

ㄷ. A와 B가 서로 독립이면 A^c와 B도 서로 독립이므로
$$\begin{aligned}P(A^c|B)&=P(A^c)=1-P(A)\\&=1-P(A|B) \ (참)\end{aligned}$$
따라서 옳은 것은 ㄷ이다. **답 ③**

기출유형 03

Act① 두 사건 A, B가 독립이면 $P(A\cap B)=P(A)P(B)$이고, A와 B^c, A^c와 B도 서로 독립임을 이용한다.

A가 성공하는 사건을 A, B가 성공하는 사건을 B라 하면 두 사건 A, B는 서로 독립이므로 A와 B^c, A^c와 B도 서로 독립이다.

따라서 구하는 확률은
$$\begin{aligned}&P(A\cap B^c)+P(A^c\cap B)\\&=P(A)P(B^c)+P(A^c)P(B)\\&=\frac{1}{2}\times\left(1-\frac{1}{3}\right)+\left(1-\frac{1}{2}\right)\times\frac{1}{3}\\&=\frac{1}{3}+\frac{1}{6}=\frac{1}{2}\end{aligned}$$
답 ⑤

07 **Act①** 세 사건 A, B, C가 서로 독립이면 A^c, B^c, C^c도 서로 독립임을 이용한다.

A, B, C 세 사람이 자격증 시험에 합격하는 사건이 각각 서로 독립이므로 세 사람이 자격증 시험에 불합격하는 사건도 각각 서로 독립이다.

세 사람이 모두 불합격할 확률은
$$\left(1-\frac{1}{4}\right)\left(1-\frac{2}{5}\right)\left(1-\frac{1}{3}\right)=\frac{3}{10}$$
이므로 세 사람 중에서 적어도 한 사람이 합격할 확률은
$$1-\frac{3}{10}=\frac{7}{10}$$
답 ②

08 **Act①** 확률이 0이 아닌 두 사건이 서로 독립이면
$P(A\cap B)=P(A)P(B)>0$이므로
$P(A\cup B)=P(A)+P(B)-P(A\cap B)$임을 이용한다.

A가 표적을 맞히는 사건을 A, B가 표적을 맞히는 사건을 B라 하면 $P(A)=0.4$, $P(B)=0.5$이고, 두 사건 A와 B는 서로 독립이다.

따라서 사건 A 또는 사건 B가 일어날 확률은
$$\begin{aligned}P(A\cup B)&=P(A)+P(B)-P(A\cap B)\\&=P(A)+P(B)-P(A)P(B)\\&=0.4+0.5-0.4\times0.5=0.7\end{aligned}$$
답 ③

09 **Act①** 두 사건 A, B가 독립이면 $P(A\cap B)=P(A)P(B)$임을 이용한다.

흰 공을 꺼낼 확률은 $\frac{6}{9}=\frac{2}{3}$, 검은 공을 꺼낼 확률은 $\frac{3}{9}=\frac{1}{3}$

(i) 을이 2회에서 이길 확률은
$$\frac{1}{3}\times\frac{2}{3}$$

(ii) 을이 4회에서 이길 확률은

$$\frac{1}{3}\times\frac{1}{3}\times\frac{1}{3}\times\frac{2}{3}=\left(\frac{1}{3}\right)^3\times\frac{2}{3}$$

(i), (ii)는 서로 배반사건이므로 구하는 확률은
$$\frac{1}{3}\times\frac{1}{3}+\left(\frac{1}{3}\right)^3\times\frac{2}{3}=\frac{2}{9}\left(1+\frac{1}{9}\right)=\frac{20}{81}$$
답 ②

10 **Act①** 두 사건 A, B가 독립이면 $P(A\cap B)=P(A)P(B)$임을 이용한다.

갑이 이길 확률은 $\frac{1}{3}$, 을이 이길 확률은 $\frac{2}{3}$

(i) (을, 을)의 순서로 이길 확률은
$$\frac{2}{3}\times\frac{2}{3}=\frac{4}{9}$$

(ii) (을, 갑, 을)의 순서로 이길 확률은
$$\frac{2}{3}\times\frac{1}{3}\times\frac{2}{3}=\frac{4}{27}$$

(iii) (갑, 을, 을)의 순서로 이길 확률은
$$\frac{1}{3}\times\frac{2}{3}\times\frac{2}{3}=\frac{4}{27}$$

(i), (ii), (iii)은 서로 배반사건이므로 구하는 확률은
$$\frac{4}{9}+\frac{4}{27}+\frac{4}{27}=\frac{20}{27}$$
$$\therefore p+q=47$$
답 47

기출유형 04

Act① A가 일어날 확률이 p일 때, n회의 독립시행에서 A가 r회 일어날 확률은 ${}_n C_r p^r q^{n-r}$ (단, $q=1-p$)임을 이용한다.

$$p_1={}_4 C_2\left(\frac{2}{3}\right)^2\left(\frac{1}{3}\right)^2=\frac{8}{27}$$
$$p_2={}_3 C_2\left(\frac{1}{2}\right)^2\left(\frac{1}{2}\right)=\frac{3}{8}$$
$$\therefore \frac{1}{p_1 p_2}=9$$
답 9

11 **Act①** A가 일어날 확률이 p일 때, n회의 독립시행에서 A가 r회 일어날 확률은 ${}_n C_r p^r q^{n-r}$ (단, $q=1-p$)임을 이용한다.

시행을 5번 한 후 앞면이 나온 횟수를 k라 하면 점 P의 좌표는 $(k, 5-k)$
점 P가 직선 $x-y=3$ 위에 있으려면
$k-(5-k)=3$이므로 $k=4$
따라서 $k=4$일 확률은
$${}_5 C_4\left(\frac{1}{2}\right)^4\left(\frac{1}{2}\right)^1=\frac{5}{32}$$
답 ②

12 **Act①** A가 일어날 확률이 p일 때, n회의 독립시행에서 A가 r회 일어날 확률은 ${}_n C_r p^r q^{n-r}$ (단, $q=1-p$)임을 이용한다.

6번째 시행 후 상자 B에 8개의 공이 들어 있으려면 동전의 앞면이 4번, 뒷면이 2번 나와야 한다.
상자 B에 들어 있는 공의 개수가 6번째 시행 후 처음으로 8이 되어야 하므로 5번째 시행 후에는 7, 4번째 시행 후에는 6이어야 한다.
따라서 4번째 시행까지 앞면이 2번, 뒷면이 2번 나와야 하

고, 이 중 상자 B에 공이 8개 들어 있는 경우를 제외해야 한다.

앞면을 ○, 뒷면을 ×로 나타내면 문제의 조건을 만족시키는 경우는 다음 표와 같다.

1회	2회	3회	4회	5회	6회
○	×	○	×	○	○
○	×	×	○	○	○
×	○	○	×	○	○
×	○	×	○	○	○
×	○	○	×	○	○

위의 경우 모두 동전의 앞면이 4번, 뒷면이 2번 나오므로 독립시행의 확률에 의하여

$$5 \times \left(\frac{1}{2}\right)^4 \times \left(\frac{1}{2}\right)^2 = \frac{5}{64}$$ 답 ③

기출유형 05

Act ❶ 동전을 6번 던졌으므로 $a=6$이고 임을 $0 \le b \le 6$임을 생각한다.

$a=6$이고 $0 \le b \le 6$이므로 $a+b$가 3의 배수가 되는 경우는 $b=0, 3, 6$

$${}_6C_0\left(\frac{1}{2}\right)^0\left(\frac{1}{2}\right)^6 + {}_6C_3\left(\frac{1}{2}\right)^3\left(\frac{1}{2}\right)^3 + {}_6C_6\left(\frac{1}{2}\right)^6\left(\frac{1}{2}\right)^0$$

$$= \frac{1}{64} + \frac{20}{64} + \frac{1}{64} = \frac{11}{32}$$

$\therefore p+q = 43$ 답 43

13 **Act ❶** 동전의 앞면이 나온 횟수와 뒷면이 나온 횟수가 같을 사건을 A, 동전을 4번 던졌을 사건을 B라 할 때의 조건부확률 $P(B|A)$를 구한다.

주사위 2개를 동시에 던져 나온 눈의 수가 같을 확률은 $\frac{1}{6}$,

다를 확률은 $\frac{5}{6}$이므로 사건 A가 일어날 확률은

$$P(A) = \frac{1}{6} \times {}_4C_2\left(\frac{1}{2}\right)^2\left(\frac{1}{2}\right)^2 + \frac{5}{6} \times {}_2C_1\left(\frac{1}{2}\right)^2$$

$$= \frac{1}{6} \times \frac{3}{8} + \frac{5}{6} \times \frac{1}{2} = \frac{23}{48}$$

또, 사건 A와 사건 B가 동시에 일어날 확률은

$$P(A \cap B) = \frac{1}{6} \times {}_4C_2\left(\frac{1}{2}\right)^2\left(\frac{1}{2}\right)^2 = \frac{1}{16}$$

따라서 구하는 확률은

$$P(B|A) = \frac{P(A \cap B)}{P(A)} = \frac{\frac{1}{16}}{\frac{23}{48}} = \frac{3}{23}$$ 답 ①

14 **Act ❶** 동전의 앞면이 나온 횟수를 a, 뒷면이 나온 횟수를 b라 할 때, $b=3$인 경우는 $(a, b) = (0, 3), (1, 3), (2, 3)$임을 생각한다.

동전의 앞면이 나온 횟수를 a, 뒷면이 나온 횟수를 b라 하자.

$b=3$인 경우는 $(a, b) = (0, 3), (1, 3), (2, 3)$이므로 각각의 확률은

(i) $a=0$, $b=3$인 경우

$${}_3C_3\left(\frac{1}{2}\right)^3\left(\frac{1}{2}\right)^0 = \frac{1}{8}$$

(ii) $a=1$, $b=3$인 경우

$${}_3C_2\left(\frac{1}{2}\right)^2\left(\frac{1}{2}\right)^1 \times \frac{1}{2} = \frac{3}{16}$$

(iii) $a=2$, $b=3$인 경우

$${}_4C_2\left(\frac{1}{2}\right)^2\left(\frac{1}{2}\right)^2 \times \frac{1}{2} = \frac{3}{16}$$

따라서 구하는 확률은

$$\frac{\frac{3}{16}}{\frac{1}{8} + \frac{3}{16} + \frac{3}{16}} = \frac{3}{2+3+3} = \frac{3}{8}$$ 답 ③

VIT Very Important Test pp. 63~65

01. ⑤	02. ⑤	03. ④	04. ④	05. ⑤
06. ⑤	07. ④	08. ③	09. 118	10. ③
11. ③	12. ②	13. ④	14. ③	15. 121
16. 10	17. 355	18. ①		

01

$$P(A^c \cup B) = P(A^c) + P(B) - P(A^c \cap B)$$
$$= P(A^c) + P(B) - P(A^c)P(B)$$
$$= \{1 - P(A)\} + P(B) - \{1 - P(A)\}P(B)$$
$$= \frac{4}{5} + \frac{2}{3} - \frac{4}{5} \times \frac{2}{3} = \frac{14}{15}$$ 답 ⑤

02

두 사건 A, B가 서로 독립이므로
$$P(A|B) = P(A), \quad P(B|A) = P(B)$$

$$\therefore P(A) = P(B) = \frac{2}{3}$$

또, $P(A \cap B) = P(A)P(B) = \frac{4}{9}$

$$\therefore P(A \cup B) = P(A) + P(B) - P(A \cap B)$$
$$= \frac{2}{3} + \frac{2}{3} - \frac{4}{9} = \frac{8}{9}$$ 답 ⑤

03

두 사건 A, B가 서로 독립이므로
$$P(A^c \cap B) = P(A^c)P(B) = \{1 - P(A)\}P(B)$$
$$P(A^c \cap B^c) = P(A^c)P(B^c) = \{1 - P(A)\}\{1 - P(B)\}$$
$$P(A) = x, \quad P(B) = y$$라 하면

$$(1-x)y = \frac{1}{2}$$ ······ ㉠

$$(1-x)(1-y) = \frac{1}{6}$$ ······ ㉡

㉠, ㉡에서

$$x = P(A) = \frac{1}{3}, \quad y = P(B) = \frac{3}{4}$$

$$\therefore \mathrm{P}(A)\mathrm{P}(B)=\frac{1}{3}\times\frac{3}{4}=\frac{1}{4}$$

답 ④

04

$A=\{2,\ 4,\ 6\}$, $B=\{2,\ 3,\ 5\}$, $C=\{1,\ 2,\ 3,\ 6\}$이므로

$\mathrm{P}(A)=\frac{1}{2}$, $\mathrm{P}(B)=\frac{1}{2}$, $\mathrm{P}(C)=\frac{2}{3}$,

$\mathrm{P}(A\cap B)=\frac{1}{6}$, $\mathrm{P}(A\cap C)=\frac{1}{3}$, $\mathrm{P}(B\cap C)=\frac{1}{3}$

ㄱ. 두 사건 A와 B에서

$$\mathrm{P}(A)\mathrm{P}(B)=\frac{1}{4}\neq\mathrm{P}(A\cap B)=\frac{1}{6}$$

이므로 두 사건 A와 B는 서로 종속이다.

ㄴ. 두 사건 B와 C에서

$$\mathrm{P}(B)\mathrm{P}(C)=\mathrm{P}(B\cap C)=\frac{1}{3}$$

이므로 두 사건 B와 C는 서로 독립이다.

ㄷ. 두 사건 A와 C에서

$$\mathrm{P}(A)\mathrm{P}(C)=\mathrm{P}(A\cap C)=\frac{1}{3}$$

이므로 두 사건 A와 C는 서로 독립이다.

답 ④

05

갑이 자유투를 성공시키는 사건을 A, 을이 자유투를 성공시키는 사건을 B라 하면 $\mathrm{P}(A)=0.7$, $\mathrm{P}(B)=0.6$이고, 두 사건 A와 B는 서로 독립이다.

따라서 사건 A 또는 사건 B가 일어날 확률은

$$\begin{aligned}\mathrm{P}(A\cup B)&=\mathrm{P}(A)+\mathrm{P}(B)-\mathrm{P}(A\cap B)\\&=\mathrm{P}(A)+\mathrm{P}(B)-\mathrm{P}(A)\mathrm{P}(B)\\&=0.7+0.6-0.7\times0.6=0.88\end{aligned}$$

답 ⑤

06

세 학생 A, B, C가 인형뽑기에서 인형을 뽑는 사건을 각각 A, B, C라 하면 사건 A, B, C는 독립이므로 A^{C}, B^{C}, C^{C}도 독립이다.

따라서 세 명 중 적어도 한 명이 인형을 뽑을 확률은

$1-$(세 명 모두 인형을 뽑지 못할 확률)

$$\begin{aligned}&=1-\mathrm{P}(A^{C}\cap B^{C}\cap C^{C})\\&=1-\mathrm{P}(A^{C})\mathrm{P}(B^{C})\mathrm{P}(C^{C})\\&=1-\left(1-\frac{1}{2}\right)\left(1-\frac{1}{3}\right)\left(1-\frac{1}{4}\right)\\&=1-\frac{1}{2}\times\frac{2}{3}\times\frac{3}{4}\\&=1-\frac{1}{4}=\frac{3}{4}\end{aligned}$$

답 ⑤

07

세 축구 선수 A, B, C 중에서 두 사람만 성공하는 경우는 A, B 또는 A, C 또는 B, C만 성공하는 경우이다.

따라서 구하는 확률은

$$\frac{4}{5}\times\frac{3}{4}\times\frac{3}{10}+\frac{4}{5}\times\frac{1}{4}\times\frac{7}{10}+\frac{1}{5}\times\frac{3}{4}\times\frac{7}{10}=\frac{17}{40}$$

답 ④

08

한 발만이 목표물에 명중하는 사건을 A, 갑이 목표물에 명중시키는 사건을 B라 하면

$$\begin{aligned}\mathrm{P}(A)&=\mathrm{P}(A\cap B)+\mathrm{P}(A\cap B^{C})\\&=\frac{3}{5}\times\frac{1}{3}+\frac{2}{5}\times\frac{2}{3}\end{aligned}$$

$$\therefore \mathrm{P}(B|A)=\frac{\mathrm{P}(A\cap B)}{\mathrm{P}(A)}=\frac{\frac{3}{5}\times\frac{1}{3}}{\frac{3}{5}\times\frac{1}{3}+\frac{2}{5}\times\frac{2}{3}}=\frac{3}{7}$$

답 ③

09

첫 경기에서 A팀이 이겼으므로 A팀이 승리하는 경우를 표로 만들면 다음과 같다.

1	2	3	4	5	확률
승	승				$\frac{1}{3}$
승	패	승	승		$\frac{2}{3}\times\frac{1}{3}\times\frac{1}{3}=\frac{2}{27}$
승	패	승	패	승	$\frac{2}{3}\times\frac{1}{3}\times\frac{2}{3}\times\frac{1}{3}=\frac{4}{81}$

즉 A팀이 승리할 확률은

$$\frac{1}{3}+\frac{2}{27}+\frac{4}{81}=\frac{37}{81}$$

따라서 $p=81$, $q=37$이므로

$p+q=118$

답 118

10

앞면이 1회, 뒷면이 3회 나올 확률은

$$_{4}\mathrm{C}_{1}\left(\frac{1}{2}\right)^{1}\left(\frac{1}{2}\right)^{3}=4\times\left(\frac{1}{2}\right)^{4}$$

앞면이 0회, 뒷면이 4회 나올 확률은

$$_{4}\mathrm{C}_{0}\left(\frac{1}{2}\right)^{0}\left(\frac{1}{2}\right)^{4}=\left(\frac{1}{2}\right)^{4}$$

따라서 구하는 확률은

$$4\times\left(\frac{1}{2}\right)^{4}+\left(\frac{1}{2}\right)^{4}=5\times\left(\frac{1}{2}\right)^{4}=\frac{5}{16}$$

답 ③

11

A팀이 5번의 승부차기 중 4번 성공할 확률은

$$_{5}\mathrm{C}_{4}\times(0.8)^{4}\times0.2$$

B팀이 5번의 승부차기 중 5번 모두 성공할 확률은

$$_{5}\mathrm{C}_{5}\times(0.8)^{5}$$

따라서 구하는 확률은

$$_{5}\mathrm{C}_{4}\times(0.8)^{4}\times0.2\times{}_{5}\mathrm{C}_{5}\times(0.8)^{5}=(0.8)^{9}$$

답 ③

12

(ⅰ) A가 주사위를 던져 나온 눈이 5이고, B가 던진 5개의 동전이 모두 앞면일 확률은

$$\frac{1}{6}\times{}_{5}\mathrm{C}_{5}\left(\frac{1}{2}\right)^{5}=\frac{1}{6}\left(\frac{1}{2}\right)^{5}$$

(ⅱ) A가 주사위를 던져 나온 눈이 6이고, B가 던진 6개의 동전 중 5개가 앞면일 확률은

$$\frac{1}{6}\times {}_6C_5\left(\frac{1}{2}\right)^5\left(\frac{1}{2}\right)=\left(\frac{1}{2}\right)^6$$

(i), (ii)에서 구하는 확률은

$$\frac{1}{6}\left(\frac{1}{2}\right)^5+\left(\frac{1}{2}\right)^6=\frac{4}{3}\left(\frac{1}{2}\right)^6$$

$$\therefore k=\frac{4}{3}$$ 답 ②

13

이 선수가 대회에 출전하여 결승전에 진출할 확률은

$$\frac{1}{2}\times\frac{2}{3}=\frac{1}{3}$$

따라서 대회에 4번 출전하여 결승전에 2번 오를 확률은

$${}_4C_2\left(\frac{1}{3}\right)^2\left(\frac{2}{3}\right)^2=6\times\frac{1}{9}\times\frac{4}{9}=\frac{8}{27}$$ 답 ④

14

짝수의 눈이 나오는 횟수를 a, 홀수의 눈이 나오는 횟수 b라 하면 주어진 조건에 의하여

$a+b=10$, $|a-b|\leq 3$

이를 만족시키는 (a, b)의 순서쌍을 구하면

$(a, b)=(5, 5)$, $(6, 4)$, $(4, 6)$

따라서 구하는 확률은

$${}_{10}C_5\times\left(\frac{1}{2}\right)^{10}+{}_{10}C_6\times\left(\frac{1}{2}\right)^{10}+{}_{10}C_4\times\left(\frac{1}{2}\right)^{10}=\frac{21}{32}$$ 답 ③

15

(i) 점 A의 위치가 3인 경우

　주사위를 던져 5 이상의 눈이 3번, 4 이하의 눈이 2번 나올 확률이므로

$${}_5C_3\left(\frac{1}{3}\right)^3\left(\frac{2}{3}\right)^2=\frac{40}{243}$$

(ii) 점 A의 위치가 -3인 경우

　주사위를 던져 5 이상의 눈이 2번, 4 이하의 눈이 3번 나올 확률이므로

$${}_5C_2\left(\frac{1}{3}\right)^2\left(\frac{2}{3}\right)^3=\frac{80}{243}$$

(i), (ii)에서 점 A의 위치가 3 또는 -3이 될 확률은

$$\frac{40}{243}+\frac{80}{243}=\frac{40}{81}$$

따라서 $p=81$, $q=40$이므로

$p+q=121$ 답 121

16

한 개의 주사위를 던져서 5의 약수의 눈이 나올 확률이 $\frac{1}{3}$이고, $0\leq a\leq 2$, $0\leq b\leq 3$이므로 $a+b=4$가 되는 경우는 $a=1$, $b=3$ 또는 $a=2$, $b=2$인 경우이다.

(i) $a=1$, $b=3$인 경우

$${}_2C_1\left(\frac{1}{3}\right)^1\left(\frac{2}{3}\right)^1\times {}_3C_3\left(\frac{1}{3}\right)^3$$

$$=2\times\frac{1}{3}\times\frac{2}{3}\times\frac{1}{3^3}=\frac{4}{243}$$

(ii) $a=2$, $b=2$인 경우

$${}_2C_2\left(\frac{1}{3}\right)^2\times {}_3C_2\left(\frac{1}{3}\right)^2\left(\frac{2}{3}\right)^1$$

$$=\frac{1}{3^2}\times 3\times\frac{1}{3^2}\times\frac{2}{3}=\frac{6}{243}$$

(i), (ii)에서 구하는 확률은

$$\frac{4}{243}+\frac{6}{243}=\frac{10}{243}$$

$$\therefore 243p=243\times\frac{10}{243}=10$$ 답 10

17

한 개의 주사위를 5번 던져 3 이상의 눈이 나온 횟수를 x, 2 이하의 눈이 나온 횟수를 y라 하면

$x+y=5$　　$\cdots\cdots$ ㉠

3 이상의 눈이 나오면 1500원을 받고, 2 이하의 눈이 나오면 500원을 받으므로

$1500x+500y\geq 6000$

즉 $3x+y\geq 12$

위 식에 ㉠을 대입하면

$3x+(5-x)\geq 12$에서 $x\geq\frac{7}{2}$

이때 한 개의 주사위를 던져 3 이상의 눈이 나올 확률이 $\frac{4}{6}=\frac{2}{3}$

이므로

구하는 확률은

$${}_5C_4\left(\frac{2}{3}\right)^4\left(\frac{1}{3}\right)^2\times {}_5C_5\left(\frac{2}{3}\right)^5\left(\frac{1}{3}\right)^0=\frac{5\times 16}{3^5}+\frac{2^5}{3^5}$$

$$=\frac{112}{243}$$

따라서 $p=243$, $q=112$이므로

$p+q=355$ 답 355

18

먼저 A와 B가 만나기 위해서는 앞면과 뒷면이 몇 번 나와야 하는지를 구한다.

n번째까지 앞면이 k번, 뒷면이 $(n-k)$번 나왔을 때 A, B의 좌표는

A$(k, n-k)$, B$(6-k, 6-(n-k))$

이때 A와 B가 만나는 것은

$k=6-k$, $n-k=6-(n-k)$

일 때이다.

위의 식을 연립하여 풀면 $n=6$, $k=3$

즉 6번 동전을 던져서 앞면과 뒷면이 3번씩 나올 때의 확률이므로 구하는 확률은

$${}_6C_3\times\left(\frac{1}{2}\right)^3\times\left(\frac{1}{2}\right)^3=\frac{5}{16}$$ 답 ①

Ⅲ 통계

07 이산확률변수의 확률분포

p. 67

01. ⑤ **02.** ③ **03.** ⑤ **04.** ② **05.** 11
06. ⑤

01 확률의 총합은 1이므로

$a+\left(a+\dfrac{1}{4}\right)+\left(a+\dfrac{1}{2}\right)=1$에서

$3a+\dfrac{3}{4}=1$ $\therefore a=\dfrac{1}{12}$

$P(X\leq 2)=1-P(X=3)$

$=1-\left(\dfrac{1}{12}+\dfrac{1}{2}\right)=\dfrac{5}{12}$ 답 ⑤

02 파란 구슬을 1개 이하로 꺼낼 경우 확률변수 X가 가질 수 있는 값은 0, 1이므로

$P(X=0)=\dfrac{{}_5C_0\times{}_5C_3}{{}_{10}C_3}=\dfrac{1}{12}$

$P(X=1)=\dfrac{{}_5C_1\times{}_5C_2}{{}_{10}C_3}=\dfrac{5}{12}$

따라서 파란 구슬을 1개 이하로 꺼낼 확률은
$P(X\leq 1)=P(X=0)+P(X=1)$

$=\dfrac{1}{12}+\dfrac{5}{12}=\dfrac{1}{2}$ 답 ③

03 $P(0\leq X\leq 2)=\dfrac{7}{8}$이므로

$P(X=-1)=\dfrac{3-a}{8}=\dfrac{1}{8}$

$\therefore a=2$

$E(X)=-1\times\dfrac{1}{8}+0\times\dfrac{1}{8}+1\times\dfrac{5}{8}+2\times\dfrac{1}{8}=\dfrac{3}{4}$ 답 ⑤

04 확률변수 X가 가질 수 있는 값은 0, 1, 2이다.
X가 각 값을 가질 확률은

$P(X=0)=\dfrac{{}_3C_0\times{}_3C_2}{{}_6C_2}=\dfrac{1}{5}$,

$P(X=1)=\dfrac{{}_3C_1\times{}_3C_1}{{}_6C_2}=\dfrac{3}{5}$,

$P(X=2)=\dfrac{{}_3C_2\times{}_3C_0}{{}_6C_2}=\dfrac{1}{5}$

따라서 확률변수 X의 확률분포표는 다음과 같다.

X	0	1	2	합계
$P(X=x)$	$\dfrac{1}{5}$	$\dfrac{3}{5}$	$\dfrac{1}{5}$	1

이때 $E(X)=0\times\dfrac{1}{5}+1\times\dfrac{3}{5}+2\times\dfrac{1}{5}=1$이므로

$V(X)=E(X^2)-\{E(X)\}^2$

$=0^2\times\dfrac{1}{5}+1^2\times\dfrac{3}{5}+2^2\times\dfrac{1}{5}-1^2$

$=\dfrac{2}{5}$ 답 ②

05 $E(X)=-5\times\dfrac{1}{5}+0\times\dfrac{1}{5}+5\times\dfrac{3}{5}$

$=-1+3=2$

$\therefore E(4X+3)=4E(X)+3$

$=4\times 2+3=11$ 답 11

06 확률의 총합은 1이므로

$\dfrac{1}{4}+a+2a=1$, $3a=\dfrac{3}{4}$

$\therefore a=\dfrac{1}{4}$

$E(X)=0\times\dfrac{1}{4}+1\times\dfrac{1}{4}+2\times\dfrac{2}{4}=\dfrac{5}{4}$

$\therefore E(4X+10)=4E(X)+10$

$=4\times\dfrac{5}{4}+10$

$=15$ 답 ⑤

유형따라잡기

pp. 68~72

기출유형 01 ④	**01.** 2	**02.** ②	**03.** ④	
기출유형 02 ④	**04.** ⑤	**05.** 2	**06.** 17	**07.** 12
기출유형 03 ③	**08.** ①	**09.** ④	**10.** 20	
기출유형 04 ⑤	**11.** ⑤	**12.** ④	**13.** 400	**14.** ③
기출유형 05 ⑤	**15.** ①	**16.** 13	**17.** ②	**18.** 28

기출유형 01

Act❶ 확률의 총합이 1임을 이용하여 p의 값을 구한다.
확률의 총합은 1이므로

$2p+p+\dfrac{2}{5}+\dfrac{1}{10}=1$, $3p=\dfrac{1}{2}$

$\therefore p=\dfrac{1}{6}$

따라서 구하는 확률은
$P(2\leq X\leq 3)=P(X=2)+P(X=3)$

$=\dfrac{1}{6}+\dfrac{2}{5}=\dfrac{17}{30}$ 답 ④

01 **Act❶ 이산확률변수 X에 대하여**
$P(2\leq X\leq 3)=P(X=2)+P(X=3)$이고 확률의 총합이 1임을 이용한다.

$P(2 \le X \le 3) = \dfrac{1}{3}$이므로

$P(X=2) + P(X=3) = a + \dfrac{1}{4} = \dfrac{1}{3}$

$a = \dfrac{1}{3} - \dfrac{1}{4} = \dfrac{1}{12}$

확률의 총합은 1이므로

$\dfrac{1}{2} + \dfrac{1}{12} + \dfrac{1}{4} + b = 1$

$b = 1 - \dfrac{10}{12} = \dfrac{1}{6}$

$\therefore \dfrac{b}{a} = \dfrac{\frac{1}{6}}{\frac{1}{12}} = 2$ 답 2

02 **Act①** $P(X=k) = \dfrac{a}{\sqrt{k+1} + \sqrt{k}}$의 분모를 유리화하고 확률의 총합이 1임을 이용하여 a의 값을 구한다.

$\begin{aligned} P(X=k) &= \dfrac{a}{\sqrt{k+1} + \sqrt{k}} \times \dfrac{\sqrt{k+1} - \sqrt{k}}{\sqrt{k+1} - \sqrt{k}} \\ &= a(\sqrt{k+1} - \sqrt{k}) \end{aligned}$

확률의 총합은 1이므로

$P(X=1) + P(X=2) + P(X=3) + \cdots + P(X=99) = 1$

$a\{(\sqrt{2}-1) + (\sqrt{3}-\sqrt{2}) + \cdots + (\sqrt{100}-\sqrt{99})\}$

$= a(\sqrt{100} - 1)$

$= 9a = 1$

$\therefore a = \dfrac{1}{9}$

$b = 1 - \{P(X=1) + P(X=2) + \cdots + P(X=15)\}$

$= 1 - \dfrac{1}{9}\{(\sqrt{2}-1) + (\sqrt{3}-\sqrt{2}) + \cdots + (\sqrt{16}-\sqrt{15})\}$

$= 1 - \dfrac{1}{9}(4-1) = \dfrac{2}{3}$

$\therefore a + b = \dfrac{1}{9} + \dfrac{2}{3} = \dfrac{7}{9}$ 답 ②

03 **Act①** 주어진 $F(X)$와 $G(X)$의 식을 이용하여 [보기]의 참, 거짓을 판단한다.

ㄱ. $\begin{aligned} G(3) &= P(X>3) \\ &= 1 - P(0 \le X \le 3) \\ &= 1 - F(3) \ (참) \end{aligned}$

ㄴ. $\begin{aligned} P(3 \le X \le 8) &= P(0 \le X \le 8) - P(0 \le X < 3) \\ &= P(0 \le X \le 8) - P(0 \le X \le 2) \\ &= F(8) - F(2) \ (거짓) \end{aligned}$

ㄷ. $\begin{aligned} P(3 \le X \le 8) &= P(X \ge 3) - P(X > 8) \\ &= P(X > 2) - P(X > 8) \\ &= G(2) - G(8) \ (참) \end{aligned}$

따라서 옳은 것은 ㄱ, ㄷ이다. 답 ④

기출유형 **02**

Act① 확률변수 X가 가질 수 있는 값을 구하고, X가 각 값을 가질 확률을 구한다.

확률변수 X가 가질 수 있는 값은 0, 1, 2, 3이고

$P(0 < X \le 2) = P(X=1) + P(X=2)$에서

$P(X=1) = \dfrac{{}_5C_1 \times {}_5C_2}{{}_{10}C_3} = \dfrac{5}{12}$

$P(X=2) = \dfrac{{}_5C_2 \times {}_5C_1}{{}_{10}C_3} = \dfrac{5}{12}$

$\therefore P(0 < X \le 2) = \dfrac{5}{12} + \dfrac{5}{12} = \dfrac{5}{6}$ 답 ④

04 **Act①** 확률변수 X가 가질 수 있는 값을 구하고, X가 각 값을 가질 확률을 구한다.

확률변수 X가 가질 수 있는 값은 0, 1, 2, 3이고

$P(0 < X \le 2) = P(X=1) + P(X=2)$에서

$P(X=1) = \dfrac{{}_3C_1 \times {}_4C_2}{{}_7C_3} = \dfrac{18}{35}$

$P(X=2) = \dfrac{{}_3C_2 \times {}_4C_1}{{}_7C_3} = \dfrac{12}{35}$

$\therefore P(0 < X \le 2) = \dfrac{18}{35} + \dfrac{12}{35} = \dfrac{6}{7}$ 답 ⑤

05 **Act①** 확률변수 X가 가질 수 있는 값을 구하고, X가 각 값을 가질 확률을 구한다.

확률변수 X가 가질 수 있는 값은 1, 2, 3이다.

1, 2, 3, 4 중에서 서로 다른 두 수를 뽑는 경우의 수는 ${}_4C_2 = 6$이고

$X=1$인 경우의 수는 (1, 2), (2, 3), (3, 4)의 3,

$X=2$인 경우의 수는 (1, 3), (2, 4)의 2,

$X=3$인 경우의 수는 (1, 4)의 1

따라서 $P(X=2) = \dfrac{1}{3}$이므로 $a=2$ 답 2

06 **Act①** 확률변수 X가 가질 수 있는 값을 구하고, X가 각 값을 가질 확률을 구한다.

확률변수 X가 가질 수 있는 값은 2, 3, 4, 5이고

$\begin{aligned} P(X>3) &= P(X=4) + P(X=5) \\ &= 1 - \{P(X=2) + P(X=3)\} \end{aligned}$

이므로

$P(X=2) = \dfrac{{}_2C_2}{{}_5C_2} = \dfrac{1}{10}$

$P(X=3) = \dfrac{{}_3C_1 \times {}_2C_1}{{}_5C_2} \times \dfrac{1}{3} = \dfrac{2}{10}$

$\therefore P(X>3) = 1 - \left(\dfrac{1}{10} + \dfrac{2}{10}\right) = \dfrac{7}{10}$

따라서 $p=10$, $q=7$이므로 $p+q=17$ 답 17

07 **Act①** 직접 전체 경우의 수를 구하는 것이 복잡할 때에는 여사건을 이용한다.

숫자와 알파벳 10개 중에서 서로 다른 4개를 뽑을 때, 숫자와 알파벳을 각각 적어도 하나씩 포함하는 것의 여사건은 모두 숫자만 포함하거나 모두 알파벳만을 포함하는 경우이다. 즉 숫자를 1개 이상 포함하는 사건을 P, 알파벳을 1개 이상 포함하는 사건을 Q라 하면 $(P \cap Q)^C = P^C \cup Q^C$이다.

전체 경우의 수는

${}_{10}C_4 - ({}_6C_4 + {}_4C_4) = 210 - (15+1) = 194$

만들어진 암호에서 알파벳의 개수가 확률변수 X이므로 X가 가질 수 있는 값은 1, 2, 3이고 확률은 다음과 같다.

$$P(X=1)=\frac{{}_4C_1\times{}_6C_3}{194}=\frac{4\times20}{194}=\frac{80}{194}$$

$$P(X=2)=\frac{{}_4C_2\times{}_6C_2}{194}=\frac{6\times15}{194}=\frac{90}{194}$$

$$\therefore P(X=1)+P(X=2)=\frac{80}{194}+\frac{90}{194}=\frac{170}{194}=\frac{85}{97}$$

따라서 $p=97$, $q=85$이므로 $p-q=12$　　　　　답 12

기출유형 03

Act① 확률의 총합이 1이고 X의 평균이 5임을 이용하여 a, b에 대한 연립방정식을 푼다.

확률의 총합은 1이므로

$a+\frac{1}{4}+b=1$에서 $a+b=\frac{3}{4}$　　　……㉠

$E(X)=5$이므로

$1\times a+3\times\frac{1}{4}+7\times b=5$에서

$a+7b=\frac{17}{4}$　　　　　……㉡

㉠, ㉡을 연립하여 풀면 $a=\frac{1}{6}$, $b=\frac{7}{12}$

$$\therefore \frac{b}{a}=\frac{\frac{7}{12}}{\frac{1}{6}}=\frac{7}{2}$$

답 ③

08 **Act①** 확률의 총합이 1이고 X의 평균이 5임을 이용하여 a, b에 대한 연립방정식을 푼다.

확률의 총합은 1이므로

$\frac{1}{4}+a+\frac{1}{8}+b=1$, $a+b=\frac{5}{8}$　　　……㉠

확률변수 X의 평균이 5이므로

$1\times\frac{1}{4}+2\times a+4\times\frac{1}{8}+8\times b=5$

$8a+32b=17$　　　　　……㉡

㉠, ㉡을 연립하여 풀면 $a=\frac{1}{8}$, $b=\frac{1}{2}$

$V(X)=E(X^2)-\{E(X)\}^2$

$=1^2\times\frac{1}{4}+2^2\times\frac{1}{8}+4^2\times\frac{1}{8}+8^2\times\frac{1}{2}-5^2$

$=\frac{39}{4}=9.75$

답 ①

09 **Act①** 확률의 총합이 1이고 X의 분산이 1임을 이용하여 p, q에 대한 연립방정식을 푼다.

확률의 총합은 1이므로

$p+\frac{1}{4}+q+\frac{1}{12}=1$, $p+q=\frac{2}{3}$　　　……㉠

$E(X)=\frac{1}{4}+2q+\frac{1}{4}=2q+\frac{1}{2}$이고 분산이 1이므로

$1^2\times\frac{1}{4}+2^2\times q+3^2\times\frac{1}{12}-\left(2q+\frac{1}{2}\right)^2=1$

$4q-\left(2q+\frac{1}{2}\right)^2=0$, $16q^2-8q+1=0$

$(4q-1)^2=0$　　　$\therefore q=\frac{1}{4}$

이 값을 ㉠에 대입하면 $p=\frac{5}{12}$

$\therefore 3p+q=3\times\frac{5}{12}+\frac{1}{4}=\frac{3}{2}$　　　　　답 ④

10 **Act①** 확률의 총합이 1임을 이용하여 n의 값을 구한다.

확률의 총합은 1이므로

$\left(\frac{1}{10}-p\right)+\left(\frac{1}{10}+p\right)+\left(\frac{1}{10}-p\right)+\cdots+\left(\frac{1}{10}+p\right)=1$

$\frac{2n}{10}=1$　　　$\therefore n=5$

$E(X)=\frac{23}{4}$이므로

$1\times\left(\frac{1}{10}-p\right)+2\times\left(\frac{1}{10}+p\right)+\cdots+10\times\left(\frac{1}{10}+p\right)$

$=\frac{1}{10}(1+2+\cdots+10)+(-p+2p-\cdots+10p)$

$=\frac{55}{10}+5p=\frac{23}{4}$

$5p=\frac{1}{4}$, $p=\frac{1}{20}$　　　$\therefore \frac{1}{p}=20$　　　답 20

기출유형 04

Act① $X=0$, 1, 2, 3인 경우의 확률을 각각 구하여 확률분포표를 이용한다.

주사위의 눈의 수가 1, 2, 3, 4, 5, 6이므로 이를 4로 나누었을 때의 나머지는 각각 1, 2, 3, 0, 1, 2이다.

따라서 확률변수 X의 확률분포표는 다음과 같다.

X	0	1	2	3	합계
$P(X=x)$	$\frac{1}{6}$	$\frac{1}{3}$	$\frac{1}{3}$	$\frac{1}{6}$	1

$E(X)=0\times\frac{1}{6}+1\times\frac{1}{3}+2\times\frac{1}{3}+3\times\frac{1}{6}=\frac{3}{2}$

$V(X)=E(X^2)-\{E(X)\}^2$

$=0^2\times\frac{1}{6}+1^2\times\frac{1}{3}+2^2\times\frac{1}{3}+3^2\times\frac{1}{6}-\left(\frac{3}{2}\right)^2$

$=\frac{11}{12}$

답 ⑤

11 **Act①** $X=12$, 14, 16, 18인 경우의 확률을 각각 구하여 확률분포표를 이용한다.

확률변수 X가 가질 수 있는 값은 12, 14, 16, 18이다.

X가 각 값을 가질 확률은 모두 $\frac{1}{4}$로 같으므로 확률변수 X의 확률분포표는 다음과 같다.

X	12	14	16	18	합계
$P(X=x)$	$\frac{1}{4}$	$\frac{1}{4}$	$\frac{1}{4}$	$\frac{1}{4}$	1

$E(X)=12\times\frac{1}{4}+14\times\frac{1}{4}+16\times\frac{1}{4}+18\times\frac{1}{4}=15$

$$V(X) = E(X^2) - \{E(X)\}^2$$
$$= 12^2 \times \frac{1}{4} + 14^2 \times \frac{1}{4} + 16^2 \times \frac{1}{4} + 18^2 \times \frac{1}{4} - 15^2$$
$$= 5$$
답 ⑤

12 Act① $X=0$, 1, 2인 경우의 확률을 각각 구하여 확률분포표를 이용한다.

확률변수 X가 가질 수 있는 값은 0, 1, 2이다.
X가 각 값을 가질 확률은
$$P(X=0) = \frac{{}_2C_0 \times {}_3C_2}{{}_5C_2} = \frac{3}{10},$$
$$P(X=1) = \frac{{}_2C_1 \times {}_3C_1}{{}_5C_2} = \frac{6}{10},$$
$$P(X=2) = \frac{{}_2C_2 \times {}_3C_0}{{}_5C_2} = \frac{1}{10}$$

따라서 확률변수 X의 확률분포표는 다음과 같다.

X	0	1	2	합계
$P(X=x)$	$\frac{3}{10}$	$\frac{6}{10}$	$\frac{1}{10}$	1

$$E(X) = 0 \times \frac{3}{10} + 1 \times \frac{6}{10} + 2 \times \frac{1}{10} = \frac{4}{5}$$
$$V(X) = E(X^2) - \{E(X)\}^2$$
$$= 0^2 \times \frac{3}{10} + 1^2 \times \frac{6}{10} + 2^2 \times \frac{1}{10} - \left(\frac{4}{5}\right)^2$$
$$= \frac{9}{25}$$
$$\therefore \sigma(X) = \frac{3}{5}$$
답 ④

13 Act① $X=200$, 600인 경우의 확률을 각각 구하여 확률분포표를 이용한다.

100원짜리 동전 3개와 500원짜리 동전 1개가 든 주머니에서 두 개의 동전을 꺼내어 나올 수 있는 경우는 다음과 같다.
(i) 100원짜리 동전만 2개 나오는 경우
  $X=200$이므로
$$P(X=200) = \frac{{}_3C_2 \times {}_1C_0}{{}_4C_2} = \frac{1}{2}$$
(ii) 100원짜리와 500원짜리 동전이 각각 1개씩 나오는 경우
  $X=600$이므로
$$P(X=600) = \frac{{}_3C_1 \times {}_1C_1}{{}_4C_2} = \frac{1}{2}$$

따라서 확률변수 X의 확률분포표는 다음과 같다.

X	200	600	합계
$P(X=x)$	$\frac{1}{2}$	$\frac{1}{2}$	1

$$\therefore E(X) = 200 \times \frac{1}{2} + 600 \times \frac{1}{2} = 400$$
답 400

14 Act① $X=2$, 3, 4, 6, 9인 경우의 확률을 각각 구하여 확률분포표를 이용한다.

확률변수 X가 가질 수 있는 값은 2, 3, 4, 6, 9이다.
$$P(X=2) = \frac{{}_1C_1 \times {}_3C_1}{{}_9C_2} = \frac{3}{36},$$

$$P(X=3) = \frac{{}_1C_1 \times {}_5C_1}{{}_9C_2} = \frac{5}{36},$$
$$P(X=4) = \frac{{}_3C_2}{{}_9C_2} = \frac{3}{36},$$
$$P(X=6) = \frac{{}_3C_1 \times {}_5C_1}{{}_9C_2} = \frac{15}{36},$$
$$P(X=9) = \frac{{}_5C_2}{{}_9C_2} = \frac{10}{36}$$

따라서 확률변수 X의 확률분포표는 다음과 같다.

X	2	3	4	6	9	합계
$P(X)$	$\frac{3}{36}$	$\frac{5}{36}$	$\frac{3}{36}$	$\frac{15}{36}$	$\frac{10}{36}$	1

$$\therefore E(X) = 2 \times \frac{3}{36} + 3 \times \frac{5}{36} + 4 \times \frac{3}{36} + 6 \times \frac{15}{36} + 9 \times \frac{10}{36}$$
$$= \frac{71}{12}$$
답 ③

기출유형 05

Act① 확률의 총합이 1임을 이용하여 k의 값을 구하고 $E(aX+b) = aE(X) + b$임을 이용한다.

확률의 총합은 1이므로
$$k + 2k + 3k = 1 \quad \therefore k = \frac{1}{6}$$
$$E(X) = 1 \times k + 2 \times 2k + 3 \times 3k$$
$$= 14k = \frac{14}{6}$$
$$\therefore E(6X+1) = 6E(X) + 1$$
$$= 6 \times \frac{14}{6} + 1 = 15$$
답 ⑤

15 Act① 확률의 총합이 1임을 이용하여 p의 값을 구하고 $E(aX+b) = aE(X) + b$임을 이용한다.

확률의 총합은 1이므로
$$\frac{4}{10} + 3p = 1 \quad \therefore p = \frac{1}{5}$$
$$E(X) = 1 \times \frac{3}{10} + 2p + 3 \times \frac{1}{10} + 4p + 5p$$
$$= \frac{6}{10} + 11p = \frac{14}{5}$$
$$\therefore E(5X+3) = 5E(X) + 3$$
$$= 5 \times \frac{14}{6} + 3 = 17$$
답 ①

16 Act① $E(aX+b) = aE(X) + b$임을 이용한다.

확률변수 X가 가질 수 있는 값은 1, 2, 4이고 확률변수 X의 확률분포표는 다음과 같다.

X	1	2	4	합계
$P(X)$	$\frac{1}{3}$	$\frac{1}{2}$	$\frac{1}{6}$	1

$$E(X) = 1 \times \frac{1}{3} + 2 \times \frac{1}{2} + 4 \times \frac{1}{6} = 2$$
$$\therefore E(5X+3) = 5E(X) + 3 = 13$$
답 13

17 **Act①** $\mathrm{E}(aX+b)=a\mathrm{E}(X)+b$임을 이용한다.

확률변수 X가 각 값을 가질 확률은

$\mathrm{P}(X{=}1){=}\dfrac{3}{7}$, $\mathrm{P}(X{=}2){=}\dfrac{2}{7}$,

$\mathrm{P}(X{=}3){=}\dfrac{1}{7}$, $\mathrm{P}(X{=}4){=}0$,

$\mathrm{P}(X{=}5){=}\dfrac{1}{7}$

따라서 확률변수 X의 확률분포표는 다음과 같다.

X	1	2	3	4	5	합계
$\mathrm{P}(X)$	$\dfrac{3}{7}$	$\dfrac{2}{7}$	$\dfrac{1}{7}$	0	$\dfrac{1}{7}$	1

$\begin{aligned} \mathrm{E}(X) &= 1\times\dfrac{3}{7}+2\times\dfrac{2}{7}+3\times\dfrac{1}{7}+4\times0+5\times\dfrac{1}{7} \\ &= \dfrac{15}{7} \end{aligned}$

$\begin{aligned} \therefore \mathrm{E}(14X+5) &= 14\mathrm{E}(X)+5 \\ &= 14\times\dfrac{15}{7}+5=35 \end{aligned}$ 답 ②

18 **Act①** $\mathrm{E}(aX+b)=a\mathrm{E}(X)+b$임을 이용한다.

$\begin{aligned} \mathrm{E}(X) &= \mathrm{P}(X{=}1)+2\mathrm{P}(X{=}2)+\cdots+5\mathrm{P}(X{=}5) \\ &= 4 \end{aligned}$

$\begin{aligned} \mathrm{E}(Y) &= \mathrm{P}(Y{=}1)+2\mathrm{P}(Y{=}2)+\cdots+5\mathrm{P}(Y{=}5) \\ &= \left\{\dfrac{1}{2}\mathrm{P}(X{=}1)+\dfrac{1}{10}\right\}+2\left\{\dfrac{1}{2}\mathrm{P}(X{=}2)+\dfrac{1}{10}\right\} \\ &\quad +\cdots+5\left\{\dfrac{1}{2}\mathrm{P}(X{=}5)+\dfrac{1}{10}\right\} \\ &= \dfrac{1}{2}\mathrm{E}(X)+\dfrac{1}{10}(1+2+\cdots+5) \\ &= \dfrac{1}{2}\times4+\dfrac{1}{10}\times15 \\ &= \dfrac{7}{2} \end{aligned}$

따라서 $a{=}\mathrm{E}(Y){=}\dfrac{7}{2}$이므로 $8a{=}28$ 답 28

VIT **V**ery **I**mportant **T**est   pp. 73~75

01. ①	**02.** ③	**03.** ②	**04.** ②	**05.** ⑤
06. 5	**07.** 81	**08.** ②	**09.** 29	**10.** ①
11. ④	**12.** 75	**13.** ③	**14.** ④	**15.** 5
16. 3	**17.** ⑤	**18.** 4		

01

서로 다른 두 개의 주사위를 던져 나오는 두 눈의 수를 순서쌍 $(a,\ b)$로 나타내면 모든 순서쌍 $(a,\ b)$의 개수는

$6\times6{=}36$

$X{=}4$가 되도록 하는 순서쌍 $(a,\ b)$의 개수는

$(1,\ 3),\ (2,\ 2),\ (3,\ 1)$의 3이므로

$\mathrm{P}(X{=}4){=}\dfrac{3}{36}$

$X{=}5$가 되도록 하는 순서쌍 $(a,\ b)$의 개수는

$(1,\ 4),\ (2,\ 3),\ (3,\ 2),\ (4,\ 1)$의 4이므로

$\mathrm{P}(X{=}5){=}\dfrac{4}{36}$

$\begin{aligned} \therefore \mathrm{P}(X^2{-}9X{+}20{=}0) &= \mathrm{P}(X{=}4)+\mathrm{P}(X{=}5) \\ &= \dfrac{3}{36}+\dfrac{4}{36}=\dfrac{7}{36} \end{aligned}$ 답 ①

02

5개의 공이 들어 있는 주머니에서 임의로 2개의 공을 동시에 꺼내는 경우의 수는 $_5\mathrm{C}_2{=}10$이고, 확률변수 X가 가질 수 있는 값은 0, 1, 2, 3이다.

$X{=}1$일 때, 가능한 두 수의 합이 5 또는 9이고,

$5{=}1{+}4{=}2{+}3,\ 9{=}4{+}5$이므로

$\mathrm{P}(X{=}1){=}\dfrac{3}{10}$

$X{=}3$일 때, 가능한 두 수의 합은 3 또는 7이고,

$3{=}1{+}2,\ 7{=}2{+}5{=}3{+}4$이므로

$\mathrm{P}(X{=}3){=}\dfrac{3}{10}$

$\therefore \mathrm{P}(X{=}1)+\mathrm{P}(X{=}3){=}\dfrac{3}{10}+\dfrac{3}{10}=\dfrac{3}{5}$ 답 ③

03

확률변수 X가 가질 수 있는 모든 값에 대한 확률의 합은 1이므로

$\mathrm{P}(X{=}1)+\mathrm{P}(X{=}2)+\mathrm{P}(X{=}3)+\mathrm{P}(X{=}4){=}1$

$\dfrac{k}{1}+\dfrac{k}{2}+\dfrac{k}{3}+\dfrac{k}{4}{=}1$

$\dfrac{12k+6k+4k+3k}{12}{=}\dfrac{25k}{12}{=}1,\ k{=}\dfrac{12}{25}$

$\begin{aligned} \therefore \mathrm{P}(X{\geq}3) &= \mathrm{P}(X{=}3)+\mathrm{P}(X{=}4) \\ &= \dfrac{k}{3}+\dfrac{k}{4}=\dfrac{7k}{12} \\ &= \dfrac{7}{12}\times\dfrac{12}{25}=\dfrac{7}{25} \end{aligned}$ 답 ②

04

확률변수 X가 가질 수 있는 모든 값에 대한 확률의 합이 1이므로

$\mathrm{P}(X{=}0)+\mathrm{P}(X{=}1)+\mathrm{P}(X{=}2)+\mathrm{P}(X{=}3)+\mathrm{P}(X{=}4){=}1$

$k+(k{+}1)+(k{+}2)+(k^2{-}6)+(k^2{-}8){=}1$

$2k^2+3k-12{=}0$

이 이차방정식은 서로 다른 두 실근을 가지므로 이차방정식의 근과 계수의 관계에 의하여 가능한 모든 실수 k의 값의 합은 $-\dfrac{3}{2}$

답 ②

05

확률변수 X의 확률분포를 표로 나타내면 다음과 같다.

X	-1	0	1	2	3	합계
$\mathrm{P}(X{=}x)$	$2a$	a	0	$2a$	$3a$	1

확률변수 X가 가질 수 있는 모든 값에 대한 확률의 합은 1이므로

$2a+a+0+2a+3a{=}1,\ 8a{=}1$, 즉 $a{=}\dfrac{1}{8}$

$$\therefore \mathrm{P}(X\geq2)=\mathrm{P}(X=2)+\mathrm{P}(X=3)$$
$$=2a+3a=5a=\frac{5}{8}$$

답 ⑤

06

확률변수 X가 가질 수 있는 모든 값에 대한 확률의 합이 1이므로

$a+\dfrac{1}{3}+2a+b=1$, 즉 $3a+b=\dfrac{2}{3}$ $\cdots\cdots$ ㉠

$\mathrm{E}(X)=(-2)\times a+0\times\dfrac{1}{3}+2\times2a+4\times b=\dfrac{11}{6}$ 에서

$2a+4b=\dfrac{11}{6}$ $\cdots\cdots$ ㉡

㉠, ㉡을 연립하여 풀면 $a=\dfrac{1}{12}$, $b=\dfrac{5}{12}$

$\therefore \dfrac{b}{a}=\dfrac{\frac{5}{12}}{\frac{1}{12}}=5$

답 5

07

확률변수 X가 가질 수 있는 모든 값에 대한 확률의 합은 1이므로

$a+\dfrac{2}{5}+b=1$, 즉 $a+b=\dfrac{3}{5}$ $\cdots\cdots$ ㉠

또, $\mathrm{E}(X)=\dfrac{8}{5}$ 이므로

$0\times a+2\times\dfrac{2}{5}+4\times b=\dfrac{8}{5}$, 즉 $b=\dfrac{1}{5}$ $\cdots\cdots$ ㉡

㉡을 ㉠에 대입하면 $a=\dfrac{2}{5}$

$\mathrm{V}(X)=0^2\times\dfrac{2}{5}+2^2\times\dfrac{2}{5}+4^2\times\dfrac{1}{5}-\left(\dfrac{8}{5}\right)^2=\dfrac{56}{25}$

따라서 $p=25$, $q=56$ 이므로

$p+q=81$

답 81

08

확률변수 X가 가질 수 있는 값은 0, 1, 2, 3이고 확률변수 X의 확률분포를 표로 나타내면 다음과 같다.

X	0	1	2	3	합계
$\mathrm{P}(X=x)$	$\dfrac{4}{16}$	$\dfrac{6}{16}$	$\dfrac{4}{16}$	$\dfrac{2}{16}$	1

$\mathrm{E}(X)=0\times\dfrac{4}{16}+1\times\dfrac{6}{16}+2\times\dfrac{4}{16}+3\times\dfrac{2}{16}=\dfrac{5}{4}$

$\mathrm{V}(X)=\mathrm{E}(X^2)-\{\mathrm{E}(X)\}^2$

$=0^2\times\dfrac{4}{16}+1^2\times\dfrac{6}{16}+2^2\times\dfrac{4}{16}+3^2\times\dfrac{2}{16}-\left(\dfrac{5}{4}\right)^2$

$=\dfrac{15}{16}$

답 ②

09

확률변수 X가 가질 수 있는 값은 1, 2, 3이고, 그 확률은 각각

$\mathrm{P}(X=1)=\dfrac{{}_4\mathrm{C}_2}{{}_5\mathrm{C}_3}=\dfrac{6}{10}$, $\mathrm{P}(X=2)=\dfrac{{}_3\mathrm{C}_2}{{}_5\mathrm{C}_3}=\dfrac{3}{10}$,

$\mathrm{P}(X=3)=\dfrac{{}_2\mathrm{C}_2}{{}_5\mathrm{C}_3}=\dfrac{1}{10}$

이므로 확률변수 X의 확률분포를 표로 나타내면 다음과 같다.

X	1	2	3	합계
$\mathrm{P}(X=x)$	$\dfrac{6}{10}$	$\dfrac{3}{10}$	$\dfrac{1}{10}$	1

$\mathrm{E}(X)=1\times\dfrac{6}{10}+2\times\dfrac{3}{10}+3\times\dfrac{1}{10}=\dfrac{15}{10}=\dfrac{3}{2}$

$\mathrm{V}(X)=\mathrm{E}(X^2)-\{\mathrm{E}(X)\}^2$

$=1^2\times\dfrac{6}{10}+2^2\times\dfrac{3}{10}+3^2\times\dfrac{1}{10}-\left(\dfrac{3}{2}\right)^2$

$=\dfrac{9}{20}$

따라서 $p=20$, $q=9$ 이므로

$p+q=29$

답 29

10

확률변수 X가 가질 수 있는 모든 값에 대한 확률의 합은 1이므로

$\dfrac{1}{2}+\dfrac{2}{5}+a=1$ $\therefore a=\dfrac{1}{10}$

$\mathrm{E}(X)=0\times\dfrac{1}{2}+1\times\dfrac{2}{5}+2\times a$

$=\dfrac{2}{5}+2a=\dfrac{2}{5}+2\times\dfrac{1}{10}=\dfrac{3}{5}$

이므로

$\mathrm{E}(5X+2)=5\mathrm{E}(X)+2=5\times\dfrac{3}{5}+2=5$

답 ①

11

확률변수 X가 가질 수 있는 값은 0, 1, 2이고, 확률변수 X의 확률질량함수는

$\mathrm{P}(X=x)=\dfrac{{}_2\mathrm{C}_x\times{}_3\mathrm{C}_{2-x}}{{}_5\mathrm{C}_2}$ $(x=0,\ 1,\ 2)$

이므로 확률변수 x의 확률분포를 표로 나타내면 다음과 같다.

X	0	1	2	합계
$\mathrm{P}(X=x)$	$\dfrac{3}{10}$	$\dfrac{6}{10}$	$\dfrac{1}{10}$	1

$\mathrm{E}(X)=0\times\dfrac{3}{10}+1\times\dfrac{6}{10}+2\times\dfrac{1}{10}=\dfrac{6+2}{10}=\dfrac{4}{5}$

이므로

$\mathrm{E}(15X+4)=15\mathrm{E}(X)+4$

$=15\times\dfrac{4}{5}+4=12+4=16$

답 ④

12

확률변수 X가 가지는 값은 0, 1, 2, 3, 4, 5이고

$\mathrm{P}(X=0)=\dfrac{1}{6}$, $\mathrm{P}(X=1)=\dfrac{5}{18}$,

$\mathrm{P}(X=2)=\dfrac{2}{9}$, $\mathrm{P}(X=3)=\dfrac{1}{6}$,

$\mathrm{P}(X=4)=\dfrac{1}{9}$, $\mathrm{P}(X=5)=\dfrac{1}{18}$

이므로 X의 확률분포를 표로 나타내면 다음과 같다.

X	0	1	2	3	4	5	합계
$\mathrm{P}(X=x)$	$\dfrac{1}{6}$	$\dfrac{5}{18}$	$\dfrac{2}{9}$	$\dfrac{1}{6}$	$\dfrac{1}{9}$	$\dfrac{1}{18}$	1

따라서 X의 평균은

$$E(X)=0\times\frac{1}{6}+1\times\frac{5}{18}+2\times\frac{2}{9}+3\times\frac{1}{6}+4\times\frac{1}{9}+5\times\frac{1}{18}$$

$$=\frac{35}{18}$$

$$E(36X+5)=36E(X)+5=75$$

답 75

13

$E(3X+2)=20$에서

$E(3X+2)=3E(X)+2=20$, 즉 $E(X)=6$

$V(-3X+4)=18$에서

$V(-3X+4)=(-3)^2V(X)=18$, 즉 $V(X)=2$

$V(X)=E(X^2)-\{E(X)\}^2$이므로

$E(X^2)=V(X)+\{E(X)\}^2=2+36=38$

답 ③

14

$E\left(\frac{1}{2}X-3\right)=3$에서

$\frac{1}{2}E(X)-3=3$, $\frac{1}{2}E(X)=6$, 즉 $E(X)=12$

$\sigma(-2X+1)=6$에서

$|-2|\sigma(X)=6$, 즉 $\sigma(X)=3$

이므로

$V(X)=\{\sigma(X)\}^2=9$

$\therefore E(X^2)=V(X)+\{E(X)\}^2=9+12^2=153$

답 ④

15

주사위를 한 번 던져 나온 눈의 수를 확률변수 Y라 하면

$$E(Y)=\frac{1+2+3+4+5+6}{6}=\frac{7}{2}$$

두 자리 자연수 X의 일의 자리의 숫자가 k이므로

$X=10Y+k$ $(1\leq k\leq 9)$

라 하면

$$E(X)=E(10Y+k)=10E(Y)+k$$

$$=10\times\frac{7}{2}+k=35+k$$

$$E(3X-2)=3E(X)-2=105+3k-2$$

$$=103+3k$$

따라서 $103+3k=118$이므로 $k=5$

답 5

16

확률의 합은 1이므로

$(p+2q)+(p+q)+p+(p-q)+(p-2q)=1$

$5p=1$에서 $p=\frac{1}{5}$

$$E(X)=(p-2q)(p+2q)+(p-q)(p+q)+p^2$$

$$+(p+q)(p-q)+(p+2q)(p-2q)$$

$$=(p^2-4q^2)+(p^2-q^2)+p^2+(p^2-q^2)+(p^2-4q^2)$$

$$=5p^2-10q^2$$

$$=\frac{1}{5}-10q^2$$

$E(45X)=45E(X)=7$, 즉 $E(X)=\frac{7}{45}$이므로

$\frac{1}{5}-10q^2=\frac{7}{45}$에서 $q=\frac{1}{15}$

$$\therefore \frac{p}{q}=\frac{\frac{1}{5}}{\frac{1}{15}}=3$$

답 3

17

두 주머니 A, B에서 꺼낸 두 공에 적혀 있는 두 수를 순서쌍 (a,b)로 나타내면 모든 순서쌍 (a,b)의 개수는 $3\times3=9$

확률변수 X가 가질 수 있는 값은 1, 3, 5이고, 그 각각의 확률은 다음과 같다.

(i) $X=1$일 때, 순서쌍 (a,b)의 개수는

$(1,2)$, $(3,2)$, $(3,4)$, $(5,4)$, $(5,6)$의 5이므로

$P(X=1)=\frac{5}{9}$

(ii) $X=3$일 때, 순서쌍 (a,b)의 개수는

$(1,4)$, $(3,6)$, $(5,2)$의 3이므로

$P(X=3)=\frac{3}{9}$

(iii) $X=5$일 때, 순서쌍 (a,b)는 $(1,6)$뿐이므로

$P(X=5)=\frac{1}{9}$

확률변수 X의 확률분포를 표로 나타내면 다음과 같다.

X	1	3	5	합계
$P(X=x)$	$\frac{5}{9}$	$\frac{3}{9}$	$\frac{1}{9}$	1

$$\therefore E(X)=1\times\frac{5}{9}+3\times\frac{3}{9}+5\times\frac{1}{9}=\frac{5+9+5}{9}=\frac{19}{9}$$

답 ⑤

18

확률변수 X가 가질 수 있는 값은 0, 1, 2이고, X가 각각의 값을 가질 확률은

$$P(X=0)=\frac{{}_3C_0\times{}_nC_2}{{}_{n+3}C_2}=\frac{{}_nC_2}{{}_{n+3}C_2},$$

$$P(X=1)=\frac{{}_3C_1\times{}_nC_1}{{}_{n+3}C_2}=\frac{3n}{{}_{n+3}C_2},$$

$$P(X=2)=\frac{{}_3C_2\times{}_nC_0}{{}_{n+3}C_2}=\frac{3}{{}_{n+3}C_2}$$

이므로

$$E(X)=0\times\frac{{}_nC_2}{{}_{n+3}C_2}+1\times\frac{3n}{{}_{n+3}C_2}+2\times\frac{3}{{}_{n+3}C_2}$$

$$=\frac{3n+6}{{}_{n+3}C_2}=\frac{6}{n+3}$$

한편, $E(14X+3)=15$에서

$E(14X+3)=14E(X)+3=15$, $E(X)=\frac{6}{7}$

따라서 $\frac{6}{n+3}=\frac{6}{7}$에서 $n=4$

답 4

08 이항분포

p. 77

01. 21	**02.** ①	**03.** ⑤	**04.** 5	**05.** 20
06. 30				

01 확률변수 X가 이항분포 $\mathrm{B}\left(n, \dfrac{1}{7}\right)$을 따르므로

$$\mathrm{E}(X)=n\times\dfrac{1}{7}=3$$

$$\therefore n=21 \qquad\qquad\text{답 } 21$$

02 확률변수 X가 이항분포 $\mathrm{B}\left(n, \dfrac{1}{2}\right)$을 따르므로

$$\mathrm{E}(X)=n\times\dfrac{1}{2}=\dfrac{n}{2}$$

$$\mathrm{V}(X)=n\times\dfrac{1}{2}\times\dfrac{1}{2}=\dfrac{n}{4}$$

$\mathrm{V}(X)=\mathrm{E}(X^2)-\{\mathrm{E}(X)\}^2$이므로

$$\dfrac{n}{4}=\mathrm{E}(X^2)-\left(\dfrac{n}{2}\right)^2,\ \mathrm{E}(X^2)=\dfrac{n}{4}+\dfrac{n^2}{4}$$

조건에서 $\mathrm{E}(X^2)=\mathrm{V}(X)+25$이므로

$$\dfrac{n}{4}+\dfrac{n^2}{4}=\dfrac{n}{4}+25,\ n^2=100$$

$$\therefore n=10 \qquad\qquad\text{답 } ①$$

03 확률변수 X가 이항분포 $\mathrm{B}\left(10, \dfrac{1}{3}\right)$을 따르므로

$$\mathrm{E}(X)=10\times\dfrac{1}{3}=\dfrac{10}{3}$$

$$\mathrm{V}(X)=10\times\dfrac{1}{3}\times\dfrac{2}{3}=\dfrac{20}{9}$$

$$\therefore \mathrm{E}(X)+\mathrm{V}(X)=\dfrac{10}{3}+\dfrac{20}{9}=\dfrac{50}{9} \qquad\text{답 } ⑤$$

04 각 시행이 독립이고 그 확률이 일정하므로 확률변수 X는 이항분포 $\mathrm{B}\left(100, \dfrac{1}{20}\right)$을 따른다.

$$\mathrm{E}(X)=100\times\dfrac{1}{20}=5 \qquad\qquad\text{답 } 5$$

05 확률변수 X가 이항분포 $\mathrm{B}\left(n, \dfrac{1}{3}\right)$을 따르므로

$$\mathrm{V}(X)=n\times\dfrac{1}{3}\times\dfrac{2}{3}=\dfrac{2}{9}n$$

$$\mathrm{V}(3X)=3^2\mathrm{V}(X)=9\times\dfrac{2}{9}n=2n=40$$

$$\therefore n=20 \qquad\qquad\text{답 } 20$$

06 두 개의 동전이 모두 앞면이 나올 확률은 $\dfrac{1}{4}$이고 동전 2개를 동시에 던지는 시행을 10회 반복하는 것은 독립시행이므로 확률변수 X는 이항분포 $\mathrm{B}\left(10, \dfrac{1}{4}\right)$을 따른다.

이때 $\mathrm{V}(X)=10\times\dfrac{1}{4}\times\dfrac{3}{4}=\dfrac{15}{8}$이므로

$$\mathrm{V}(4X+1)=16\mathrm{V}(X)=30 \qquad\qquad\text{답 } 30$$

유형따라잡기
pp. 78~82

기출유형 **01** 8	**01.** 32	**02.** 30	**03.** ④	**04.** ④
기출유형 **02** ①	**05.** ①	**06.** 189	**07.** ③	**08.** ④
기출유형 **03** 20	**09.** 415	**10.** 920	**11.** ④	**12.** ④
기출유형 **04** 64	**13.** 80	**14.** 18	**15.** ⑤	**16.** 50
기출유형 **05** 90	**17.** 53	**18.** 75	**19.** ③	

기출유형 01

Act① 확률변수 X가 이항분포 $\mathrm{B}(n, p)$를 따르므로 $\mathrm{V}(X)=np(1-p)$, $\mathrm{E}(X)=np$임을 이용한다.

확률변수 X가 이항분포 $\mathrm{B}\left(n, \dfrac{1}{8}\right)$을 따르므로

$$\mathrm{V}(X)=n\times\dfrac{1}{8}\times\dfrac{7}{8}=\dfrac{7n}{64}=7\text{에서 } n=64$$

$$\therefore \mathrm{E}(X)=64\times\dfrac{1}{8}=8 \qquad\qquad\text{답 } 8$$

01 **Act①** 확률변수 X가 이항분포 $\mathrm{B}(n, p)$를 따르므로 $\mathrm{V}(X)=np(1-p)$임을 이용한다.

확률변수 X가 이항분포 $\mathrm{B}\left(n, \dfrac{1}{4}\right)$을 따르므로

$$\mathrm{V}(X)=n\times\dfrac{1}{4}\times\dfrac{3}{4}=\dfrac{3n}{16}=6$$

$$\therefore n=32 \qquad\qquad\text{답 } 32$$

02 **Act①** 확률변수 X가 이항분포 $\mathrm{B}(n, p)$를 따르므로 $\mathrm{V}(X)=np(1-p)$, $\mathrm{E}(X)=np$임을 이용한다.

확률변수 X가 이항분포 $\mathrm{B}\left(n, \dfrac{2}{3}\right)$를 따르므로

$$\mathrm{V}(X)=n\times\dfrac{2}{3}\times\dfrac{1}{3}=\dfrac{2n}{9}=10\text{에서 } n=45$$

$$\therefore \mathrm{E}(X)=45\times\dfrac{2}{3}=30 \qquad\qquad\text{답 } 30$$

03 **Act①** $\mathrm{E}(X)=np$, $\mathrm{V}(X)=np(1-p)$를 구해 주어진 조건식에 대입한다.

확률변수 X가 이항분포 $\mathrm{B}(4, p)$를 따르므로

$$\mathrm{E}(X)=4p,\ \mathrm{V}(X)=4p(1-p)$$

조건에서 $\{\mathrm{E}(X)\}^2=\mathrm{V}(X)$이므로

$$(4p)^2=4p(1-p)$$

$$4p(1-5p)=0$$

$0<p<1$이므로 $p=\dfrac{1}{5}$ $\qquad\qquad\text{답 } ④$

04 **Act①** $\mathrm{E}(X)=np$, $\mathrm{V}(X)=np(1-p)$에서 $\mathrm{E}(X^2)$을 구해 주어진 조건식에 대입한다.

확률변수 X가 이항분포 $\mathrm{B}\left(n, \dfrac{1}{4}\right)$을 따르므로

$E(X)=n\times\dfrac{1}{4}=\dfrac{n}{4}$

$V(X)=n\times\dfrac{1}{4}\times\dfrac{3}{4}=\dfrac{3n}{16}$

$V(X)=E(X^2)-\{E(X)\}^2$이므로

$\dfrac{3n}{16}=E(X^2)-\left(\dfrac{n}{4}\right)^2$, $E(X^2)=\dfrac{3n}{16}+\dfrac{n^2}{16}$

조건에서 $E(X^2)=V(X)+16$이므로

$\dfrac{3n}{16}+\dfrac{n^2}{16}=\dfrac{3n}{16}+16$, $n^2=16^2$

$\therefore n=16$　　　　　　　　　　　답 ④

기출유형 02

Act① $P(X=x)={}_nC_xp^x(1-p)^{n-x}$ (단, $x=1, 2, \cdots, n$)이면 X는 이항분포 $B(n, p)$를 따른다.

확률변수 X가 이항분포 $B\left(24, \dfrac{1}{4}\right)$을 따르므로

$E(X)=24\times\dfrac{1}{4}=6$

$V(X)=24\times\dfrac{1}{4}\times\dfrac{3}{4}=\dfrac{9}{2}$

$\therefore E(X)+V(X)=6+\dfrac{9}{2}=\dfrac{21}{2}$　　　답 ①

05 **Act①** $P(X=x)={}_nC_xp^x(1-p)^{n-x}$ (단, $x=1, 2, \cdots, n$)이면 X는 이항분포 $B(n, p)$를 따른다.

확률변수 X가 이항분포 $B\left(72, \dfrac{1}{3}\right)$을 따르므로

$V(X)=72\times\dfrac{1}{3}\times\dfrac{2}{3}=16$

$\therefore \sigma(X)=\sqrt{V(X)}=4$　　　　　답 ①

06 **Act①** $P(X=x)={}_nC_xp^x(1-p)^{n-x}$ (단, $x=1, 2, \cdots, n$)이면 X는 이항분포 $B(n, p)$를 따른다.

확률변수 X가 이항분포 $B(n, p)$를 따르므로

$np=84$ $\cdots\cdots$ ㉠, $np(1-p)=28$ $\cdots\cdots$ ㉡

㉠을 ㉡에 대입하면

$1-p=\dfrac{1}{3}$ $\therefore p=\dfrac{2}{3}$

이 값을 ㉠에 대입하면 $n=126$

$\therefore \dfrac{n}{p}=\dfrac{126}{\dfrac{2}{3}}=189$　　　　　　　답 189

07 **Act①** $E(X)$, $V(X)$를 구하고 $E(X^2)=V(X)+\{E(X)\}^2$임을 이용한다.

확률변수 X가 이항분포 $B\left(10, \dfrac{1}{5}\right)$을 따르므로

$E(X)=10\times\dfrac{1}{5}=2$

$V(X)=10\times\dfrac{1}{5}\times\dfrac{4}{5}=\dfrac{8}{5}$

이때 $V(X)=E(X^2)-\{E(X)\}^2$이므로

$E(X^2)=V(X)+\{E(X)\}^2=\dfrac{8}{5}+2^2=\dfrac{28}{5}$　　　답 ③

08 **Act①** $P(X=x)={}_nC_xp^x(1-p)^{n-x}$ (단, $x=1, 2, \cdots, n$)이면 X는 이항분포 $B(n, p)$를 따른다.

확률변수 X는 이항분포 $B(n, p)$를 따르므로

$np=2$ $\cdots\cdots$ ㉠, $np(1-p)=\dfrac{8}{5}$ $\cdots\cdots$ ㉡

㉠을 ㉡에 대입하면

$1-p=\dfrac{4}{5}$ $\therefore p=\dfrac{1}{5}$

이 값을 ㉠에 대입하면 $n=10$

따라서 구하는 확률은

$P(X<2)=P(X=0)+P(X=1)$

$={}_{10}C_0\left(\dfrac{1}{5}\right)^0\left(\dfrac{4}{5}\right)^{10}+{}_{10}C_1\left(\dfrac{1}{5}\right)^1\left(\dfrac{4}{5}\right)^9$

$=\left(\dfrac{4}{5}\right)^9\left(\dfrac{4}{5}+10\times\dfrac{1}{5}\right)=\dfrac{14}{5}\left(\dfrac{4}{5}\right)^9$　　답 ④

기출유형 03

Act① 각 시행이 독립이고 그 확률이 일정하면 이항분포를 따른다.

X는 이항분포 $B\left(90, \dfrac{2}{3}\right)$를 따르므로

$V(X)=90\times\dfrac{2}{3}\times\dfrac{1}{3}=20$　　　　답 20

09 **Act①** 각 시행이 독립이고 그 확률이 일정하면 이항분포를 따르고 $E(X^2)=V(X)+\{E(X)\}^2$임을 이용한다.

확률변수 X는 이항분포 $B\left(80, \dfrac{1}{4}\right)$을 따르므로

$E(X)=80\times\dfrac{1}{4}=20$,

$V(X)=80\times\dfrac{1}{4}\times\dfrac{3}{4}=15$

$V(X)=E(X^2)-\{E(X)\}^2$에서

$E(X^2)=V(X)+\{E(X)\}^2=15+400=415$　　답 415

10 **Act①** 각 시행이 독립이고 그 확률이 일정하면 이항분포를 따르고 $E(X^2)=V(X)+\{E(X)\}^2$임을 이용한다.

정육면체 모양의 주사위를 던져 3의 배수의 눈이 나올 확률은 $\dfrac{1}{3}$

주사위를 90번 던지는 시행은 서로 독립이므로 확률변수 X는 이항분포 $B\left(90, \dfrac{1}{3}\right)$을 따른다.

$E(X)=90\times\dfrac{1}{3}=30$,

$V(X)=90\times\dfrac{1}{3}\times\dfrac{2}{3}=20$

$V(X)=E(X^2)-\{E(X)\}^2$에서

$E(X^2)=V(X)+\{E(X)\}^2=20+900=920$　　답 920

11 [Act ❶] 각 모둠에서 임의로 2명을 선택하는 10번의 시행은 서로 독립이므로 이항분포를 따른다.

한 모둠에서 임의로 2명을 선택할 때 2명 모두 남학생일 확률은
$$\frac{_3C_2}{_5C_2}=\frac{3}{10}$$

각 모둠에서 임의로 2명을 선택하는 10번의 시행은 서로 독립이므로 확률변수 X는 이항분포 $B\left(10,\ \frac{3}{10}\right)$을 따른다.

$$\therefore \mathrm{E}(X)=10\times\frac{3}{10}=3$$

답 ④

12 [Act ❶] $ax=x^2-2x+4$가 서로 다른 두 실근을 가지는 자연수 a의 값을 구하고, 확률변수 X가 이항분포를 따름을 이용한다.

직선 $y=ax$와 곡선 $y=x^2-2x+4$가 서로 다른 두 점에서 만나려면 이차방정식 $x^2-2x+4=ax$, 즉 $x^2-(a+2)x+4=0$이 서로 다른 두 실근을 가져야 한다.

이차방정식의 판별식을 D라 하면
$$D=(a+2)^2-16=a^2+4a-12$$
$$=(a+6)(a-2)>0$$

이때 $1\le a\le6$인 자연수 a는 3, 4, 5, 6

따라서 사건 A가 일어날 확률은 $\frac{4}{6}=\frac{2}{3}$이고 확률변수 X는 이항분포 $B\left(300,\ \frac{2}{3}\right)$를 따른다.

$$\therefore \mathrm{E}(X)=300\times\frac{2}{3}=200$$

답 ④

기출유형 04

[Act ❶] $\mathrm{E}(aX+b)=a\mathrm{E}(X)+b$, $\mathrm{V}(aX+b)=a^2\mathrm{V}(X)$임을 이용한다.

확률변수 X가 이항분포 $B(72,\ p)$를 따르므로
$$\mathrm{E}(X)=72p$$
$$\mathrm{E}(2X-3)=2\mathrm{E}(X)-3$$
$$=144p-3=45$$
$$\therefore p=\frac{1}{3}$$
$$\mathrm{V}(X)=72\times\frac{1}{3}\times\frac{2}{3}=16$$
$$\therefore \mathrm{V}(2X-3)=2^2\mathrm{V}(X)=64$$

답 64

13 [Act ❶] $\mathrm{V}(X)=np(1-p)$, $\mathrm{V}(aX+b)=a^2\mathrm{V}(X)$임을 이용한다.

확률변수 X가 이항분포 $B\left(n,\ \frac{1}{2}\right)$을 따르므로
$$\mathrm{V}(X)=n\times\frac{1}{2}\times\frac{1}{2}=\frac{n}{4},$$
$$\mathrm{V}\left(\frac{1}{2}X+1\right)=\left(\frac{1}{2}\right)^2\mathrm{V}(X)=\frac{1}{4}\mathrm{V}(X)=5$$에서
$$\frac{1}{4}\times\frac{n}{4}=5$$
$$\therefore n=80$$

답 80

14 [Act ❶] 주어진 조건에서 $\mathrm{E}(X)$, $\mathrm{E}(X^2)$을 구해
$\mathrm{V}(X)=\mathrm{E}(X^2)-\{\mathrm{E}(X)\}^2$에 대입한다.

$\mathrm{E}(3X)=3\mathrm{E}(X)=18$에서 $\mathrm{E}(X)=6$

$\mathrm{E}(3X^2)=3\mathrm{E}(X^2)=120$에서 $\mathrm{E}(X^2)=40$

확률변수 X가 이항분포 $B(n,\ p)$를 따르므로
$$\mathrm{E}(X)=np=6 \qquad\cdots\cdots ㉠$$
$$\mathrm{V}(X)=np(1-p)=6(1-p) \qquad\cdots\cdots ㉡$$

$\mathrm{V}(X)=\mathrm{E}(X^2)-\{\mathrm{E}(X)\}^2$이므로 ㉠, ㉡을 대입하면
$$6(1-p)=40-6^2=4,\ p=\frac{1}{3}$$

이 값을 ㉠에 대입하면 $n\times\frac{1}{3}=6$
$$\therefore n=18$$

답 18

15 [Act ❶] $\mathrm{E}(aX+b)=a\mathrm{E}(X)+b$, $\sigma(aX+b)=|a|\sigma(X)$임을 이용한다.

확률변수 $2X-5$의 평균이 175이므로
$$\mathrm{E}(2X-5)=2\mathrm{E}(X)-5=2np-5=175$$
$$\therefore np=90 \qquad\cdots\cdots ㉠$$

확률변수 $2X-5$의 표준편차가 12이므로
$$\sigma(2X-5)=2\sigma(X)=2\sqrt{np(1-p)}=12$$
$$np(1-p)=36 \qquad\cdots\cdots ㉡$$

㉠을 ㉡에 대입하면 $90(1-p)=36$에서 $p=\frac{3}{5}$

$p=\frac{3}{5}$을 ㉠에 대입하면 $n\times\frac{3}{5}=90$
$$\therefore n=150$$

답 ⑤

16 [Act ❶] 이항분포 $B(n,\ p)$를 따르는 확률변수 X의 확률질량함수는 $\mathrm{P}(X=x)=_nC_xp^x(1-p)^{n-x}$ (단, $x=1,\ 2,\ \cdots,\ n$)임을 이용한다.

확률변수 X가 이항분포 $B(10,\ p)$를 따르므로 X의 확률질량함수는
$$\mathrm{P}(X=x)=_{10}C_xp^x(1-p)^{n-x}\ (단,\ x=1,\ 2,\ \cdots,\ 10)$$
$$\mathrm{P}(X=4)=\frac{1}{3}\mathrm{P}(X=5)에서$$
$$_{10}C_4p^4(1-p)^6=\frac{1}{3}\times {_{10}C_5}p^5(1-p)^5$$
$$210p^4(1-p)^6=84p^5(1-p)^5$$
$$210(1-p)=84p,\ 294p=210$$
$$\therefore p=\frac{5}{7}$$

따라서 $B\left(10,\ \frac{5}{7}\right)$이므로 $\mathrm{E}(X)=10\times\frac{5}{7}=\frac{50}{7}$
$$\therefore \mathrm{E}(7X)=7\mathrm{E}(X)=7\times\frac{50}{7}=50$$

답 50

기출유형 05

[Act ❶] 확률변수 X가 따르는 이항분포 $B(n,\ p)$를 찾아 $\mathrm{V}(X)$를 구한 후 $\mathrm{V}(aX+b)=a^2\mathrm{V}(X)$임을 이용한다.

40개의 제품을 택하여 하나씩 검사하는 것은 40회의 독립시행이고, 1개의 제품을 택하여 검사할 때 제품이 불량품일 확

률은 $\dfrac{10}{100}=\dfrac{1}{10}$이므로 확률변수 X는 이항분포 $\mathrm{B}\!\left(40,\ \dfrac{1}{10}\right)$을 따른다.

$$\mathrm{V}(X)=40\times\dfrac{1}{10}\times\dfrac{9}{10}=\dfrac{18}{5}$$

$$\therefore\ \mathrm{V}(5X+1)=5^2\mathrm{V}(X)=25\times\dfrac{18}{5}=90$$

답 90

17 Act① 확률변수 X가 따르는 이항분포 $\mathrm{B}(n,\ p)$를 찾아 $\mathrm{E}(X)$를 구한 후 $\mathrm{E}(aX+b)=a\mathrm{E}(X)+b$임을 이용한다.

동전 2개 모두 앞면이 나올 확률이 $\dfrac{1}{4}$이므로 확률변수 X는

이항분포 $\mathrm{B}\!\left(100,\ \dfrac{1}{4}\right)$을 따른다.

$$\mathrm{E}(X)=100\times\dfrac{1}{4}=25$$

$$\therefore\ \mathrm{E}(Y)=\mathrm{E}(2X+3)=2\mathrm{E}(X)+3=53$$

답 53

18 Act① 확률변수 X가 따르는 이항분포 $\mathrm{B}(n,\ p)$를 찾아 $\mathrm{E}(X)$, $\mathrm{V}(X)$를 구한 후 $\mathrm{E}(aX+b)=a\mathrm{E}(X)+b$, $\mathrm{V}(aX+b)=a^2\mathrm{V}(X)$임을 이용한다.

1개의 공을 꺼내어 보고 다시 넣는 작업을 45회 반복하는 것은 45회의 독립시행이고 1회의 시행에서 흰 공이 나올 확률은 $\dfrac{1}{3}$이므로 확률변수 X는 이항분포 $\mathrm{B}\!\left(45,\ \dfrac{1}{3}\right)$을 따른다.

$$\mathrm{E}(X)=45\times\dfrac{1}{3}=15,\ \mathrm{V}(X)=45\times\dfrac{1}{3}\times\dfrac{2}{3}=10$$

$$\mathrm{E}(2X+5)=2\mathrm{E}(X)+5=2\times15+5=35$$

$$\mathrm{V}(2X+5)=2^2\mathrm{V}(X)=4\times10=40$$

$$\therefore\ m+n=35+40=75$$

답 75

19 Act① 확률변수 X가 따르는 이항분포 $\mathrm{B}(n,\ p)$를 찾아 $\mathrm{E}(X)$를 구한 후 $\mathrm{E}(aX+b)=a\mathrm{E}(X)+b$, $\mathrm{V}(aX+b)=a^2\mathrm{V}(X)$임을 이용하여 [보기]의 참, 거짓을 판단한다.

한 개의 주사위를 던져 홀수의 눈이 나올 확률이 $\dfrac{1}{2}$이므로

확률변수 X는 이항분포 $\mathrm{B}\!\left(10,\ \dfrac{1}{2}\right)$을 따른다.

$$\therefore\ \mathrm{E}(X)=\dfrac{1}{2}\times10=5$$

ㄱ. $Y=10-X$이므로

$$\begin{aligned}\mathrm{P}(5\le Y\le7)&=\mathrm{P}(5\le10-X\le7)\\&=\mathrm{P}(-7\le X-10\le-5)\\&=\mathrm{P}(3\le X\le5)\ \text{(참)}\end{aligned}$$

ㄴ. $\mathrm{E}(Y)=\mathrm{E}(10-X)=10-\mathrm{E}(X)$

$\qquad=10-5=5$

$\qquad\therefore\ \mathrm{E}(Y)=\mathrm{E}(X)$ (참)

ㄷ. $\mathrm{V}(Y)=\mathrm{V}(10-X)=(-1)^2\mathrm{V}(X)=\mathrm{V}(X)$

$\qquad\therefore\ \mathrm{V}(Y)=\mathrm{V}(X)$ (거짓)

답 ③

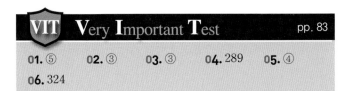
01

확률변수 X가 이항분포 $\mathrm{B}\!\left(n,\ \dfrac{1}{4}\right)$을 따르므로

$$\mathrm{E}(X)=n\times\dfrac{1}{4}=\dfrac{n}{4}$$

$$\mathrm{V}(X)=n\times\dfrac{1}{4}\times\dfrac{3}{4}=\dfrac{3n}{16}$$

$\mathrm{V}(X)=\mathrm{E}(X^2)-\{\mathrm{E}(X)\}^2$이므로

$$\dfrac{3n}{16}=\mathrm{E}(X^2)-\left(\dfrac{n}{4}\right)^2,\ \mathrm{E}(X^2)=\dfrac{3n}{16}+\dfrac{n^2}{16}$$

조건에서 $\mathrm{E}(X^2)=\mathrm{V}(X)+64$이므로

$$\dfrac{3n}{16}+\dfrac{n^2}{16}=\dfrac{3n}{16}+64,\ n^2=2^4\times2^6=2^{10}$$

$$\therefore\ n=2^5=32$$

답 ⑤

02

확률변수 X의 확률질량함수가

$$\mathrm{P}(X=x)={}_{16}\mathrm{C}_x\left(\dfrac{1}{4}\right)^x\left(\dfrac{3}{4}\right)^{16-x}\ (\text{단},\ x=0,\ 1,\ 2,\ 3,\ \cdots,\ 16)$$

이므로 확률변수 X는 이항분포 $\mathrm{B}\!\left(16,\ \dfrac{1}{4}\right)$을 따른다.

$$\mathrm{E}(X)=16\times\dfrac{1}{4}=4,\ \mathrm{V}(X)=16\times\dfrac{1}{4}\times\dfrac{3}{4}=3$$

이므로

$$\mathrm{E}(X^2)=\mathrm{V}(X)+\{\mathrm{E}(X)\}^2=3+4^2=19$$

답 ③

03

흰 공 3개, 검은 공 4개가 들어 있는 주머니에서 임의로 2개의 공을 동시에 꺼낼 때, 흰 공 1개, 검은 공 1개가 나올 확률은

$$\dfrac{{}_3\mathrm{C}_1\times{}_4\mathrm{C}_1}{{}_7\mathrm{C}_2}=\dfrac{3\times4}{21}=\dfrac{4}{7}$$

이므로 확률변수 X는 이항분포 $\mathrm{B}\!\left(140,\ \dfrac{4}{7}\right)$를 따른다.

$$\therefore\ \mathrm{E}(X)=140\times\dfrac{4}{7}=80$$

답 ③

04

확률변수 $11X-2$의 평균과 표준편차가 각각 185, 44이므로

$\mathrm{E}(11X-2)=11\mathrm{E}(X)-2=185$에서 $\mathrm{E}(X)=17$

$\therefore\ np=17\qquad\cdots\cdots\ \bigcirc$

$\sigma(11X-2)=11\sigma(X)=44$에서 $\sigma(X)=4$

$\therefore\ \sqrt{np(1-p)}=4\qquad\cdots\cdots\ \bigcirc$

$\bigcirc$을 $\bigcirc$에 대입하면

$\sqrt{17(1-p)}=4,\ 17(1-p)=16$

$1-p=\dfrac{16}{17}\qquad\therefore\ p=\dfrac{1}{17}$

$\bigcirc$에서 $n\times\dfrac{1}{17}=17$이므로

$n=17^2=289$

답 289

05

1회의 시행에서 앞면이 세 개 나오는 사건을 A라 하면

$$P(A)={}_5C_3\left(\frac{1}{2}\right)^3\left(\frac{1}{2}\right)^2=\frac{5}{16}$$

이때 240회의 독립시행에서 사건 A가 일어나는 횟수가 확률변수 X이므로 X는 이항분포 $B\left(240,\ \frac{5}{16}\right)$를 따른다.

$E(X)=240\times\frac{5}{16}=75$이므로

$$E\left(\frac{1}{3}X-2\right)=\frac{1}{3}E(X)-2=\frac{1}{3}\times75-2=23$$ 답 ④

06

확률변수 X가 이항분포 $B(n,\ p)$를 따르므로 확률변수 X의 확률질량함수는

$$P(X=x)={}_nC_xp^x(1-p)^{n-x}\ (단,\ x=0,\ 1,\ 2,\ \cdots,\ n)$$

이다.

조건 (가)에서 $33P(X=1)=2P(X=2)$이므로

$$33\times{}_nC_1p(1-p)^{n-1}=2\times{}_nC_2p^2(1-p)^{n-2}$$
$$33np(1-p)^{n-1}=n(n-1)p^2(1-p)^{n-2}\qquad\cdots\cdots\ \text{㉠}$$

$0<p<1$이므로 ㉠의 양변을 $np(1-p)^{n-2}$으로 나누면

$33(1-p)=(n-1)p$, 즉 $np=33-32p$

조건 (나)에서 $E(X)=np=9$이므로

$9=33-32p$, 즉 $p=\frac{3}{4}$

따라서 $p=\frac{3}{4}$, $n=12$이므로 확률변수 X는 이항분포 $B\left(12,\ \frac{3}{4}\right)$

을 따른다.

$$V(X)=np(1-p)=12\times\frac{3}{4}\times\frac{1}{4}=\frac{9}{4}$$

이므로

$$V(nX)=n^2V(X)=12^2\times\frac{9}{4}=324$$ 답 324

09 정규분포

p. 85

01. ④   **02.** 125   **03.** ⑤   **04.** ④   **05.** ②
06. 220

01

$0\leq x\leq2$에서 확률밀도함수와 x축으로 둘러싸인 부분의 넓이가 1이므로
사다리꼴의 넓이 공식에서

$$\frac{1}{2}\times\left\{2+\left(a-\frac{1}{3}\right)\right\}\times\frac{3}{4}=1$$

$$\frac{3}{8}\left(a+\frac{5}{3}\right)=1,\ a+\frac{5}{3}=\frac{8}{3}$$

$$\therefore a=1$$

$$P\left(\frac{1}{3}\leq X\leq1\right)=\left(1-\frac{1}{3}\right)\times\frac{3}{4}=\frac{1}{2}$$ 답 ④

02

확률밀도함수 $f(x)$의 그래프는 다음과 같다.

$$P(1\leq X\leq2)=1-P(0\leq X\leq1)$$
$$=1-\frac{1}{2}\times1\times\frac{1}{a}=\frac{3}{5}$$

$\frac{1}{2a}=\frac{2}{5}$이므로 $a=\frac{5}{4}$

$$\therefore 100a=100\times\frac{5}{4}=125$$ 답 125

03

확률변수 X는 정규분포 $N(m,\ \sigma^2)$을 따르고
$P(X<a-3)=P(X>b+2)$이므로

$$\frac{(a-3)+(b+2)}{2}=m,\ m=\frac{a+b-1}{2}\qquad\cdots\cdots\ \text{㉠}$$

$Y=\frac{1}{3}X+1$, $E(X)=51$이므로

$$E(Y)=E\left(\frac{1}{3}X+1\right)=\frac{1}{3}m+1=51,\ m=150\qquad\cdots\cdots\ \text{㉡}$$

㉠, ㉡에서 $a+b=301$

$$V(Y)=V\left(\frac{1}{3}X+1\right)=\frac{1}{9}V(X)=\frac{4}{9}$$

$V(X)=4$, $\sigma=2$

$$\therefore a+b+\sigma=303$$ 답 ⑤

04

조건 (가)에서 $P(X\geq64)=P(X\leq56)$이므로

$$m=\frac{64+56}{2}=60$$

$V(X)=E(X^2)-\{E(X)\}^2$이고 조건 (나)에서
$E(X^2)=3616$이므로

$$V(X)=3616-60^2=16 \qquad \therefore \sigma(X)=4$$

$$P(X\leq68)=P\left(Z\leq\frac{68-60}{4}\right)=P(Z\leq2)$$

이때 주어진 표에서

$$P(m\leq X\leq m+2\sigma)=P\left(\frac{m-m}{\sigma}\leq Z\leq\frac{m+2\sigma-m}{\sigma}\right)$$
$$=P(0\leq Z\leq2)=0.4772$$

이므로

$$P(X\leq68)=P(Z\leq2)=0.5+P(0\leq Z\leq2)$$
$$=0.5+0.4772=0.9772$$ 답 ④

05

토마토 줄기의 길이를 확률변수 X라 하면 X는 정규분포 $N(30,\ 2^2)$을 따르므로

$$P(27\leq X\leq32)=P\left(\frac{27-30}{2}\leq Z\leq\frac{32-30}{2}\right)$$
$$=P(-1.5\leq Z\leq1)$$
$$=P(0\leq Z\leq1.5)+P(0\leq Z\leq1)$$
$$=0.4332+0.3413=0.7745$$ 답 ②

06 확률변수 X는 이항분포 $B\left(400, \dfrac{1}{2}\right)$을 따르고, 시행 횟수가 충분히 크므로 X는 근사적으로 정규분포 $N(200, 10^2)$을 따른다.

$P(X \le k) = P\left(Z \le \dfrac{k-200}{10}\right) = 0.9772$이고

$$P(Z \le 2) = P(Z \le 0) + P(0 \le Z \le 2)$$
$$= 0.5 + 0.4772 = 0.9772$$

이므로 $\dfrac{k-200}{10} = 2$

$\therefore k = 220$ 답 220

유형따라잡기 pp. 86~92

기출유형 01 20	01. ①	02. ④	03. ③	04. ⑤
기출유형 02 ②	05. ③	06. 10	07. ④	
기출유형 03 ③	08. ③	09. 16	10. ⑤	
기출유형 04 70	11. ⑤	12. ④		
기출유형 05 ④	13. 59	14. 62		
기출유형 06 ②	15. ④	16. ⑤		
기출유형 07 ③	17. ④	18. ③	19. ①	

기출유형 01

Act① 확률밀도함수가 정의된 구간에서 그래프와 x축으로 둘러싸인 부분의 넓이는 1임을 이용하여 a의 값을 구한다.

$0 \le X \le 4$에서 그래프와 x축으로 둘러싸인 부분의 넓이가 1이므로

$$\dfrac{1}{2} \times 1 \times a + \dfrac{1}{2} \times 3 \times 3a = 1$$

$5a = 1$ $\quad \therefore a = \dfrac{1}{5}$

$$P(0 \le X \le 2) = 2P(0 \le X \le 1) = 2\left(\dfrac{1}{2} \times 1 \times \dfrac{1}{5}\right) = \dfrac{1}{5}$$

$\therefore 100P(0 \le X \le 2) = 100 \times \dfrac{1}{5} = 20$ 답 20

01 **Act①** $0 \le X \le 10$에서 확률밀도함수의 그래프와 x축으로 둘러싸인 부분의 넓이는 1임을 이용한다.

$P(0 \le X \le a) = \dfrac{2}{5}$에서 $\dfrac{1}{2}ab = \dfrac{2}{5}$ …… ㉠

$0 \le X \le 10$에서 확률밀도함수의 그래프와 x축으로 둘러싸인 부분의 넓이는 1이므로

$$\dfrac{1}{2}ab + \dfrac{1}{2}(10-a)b = 1$$

$5b = 1$ $\quad \therefore b = \dfrac{1}{5}$

이 값을 ㉠에 대입하면 $a = 4$

$\therefore a + b = 4 + \dfrac{1}{5} = \dfrac{21}{5}$ 답 ①

02 **Act①** $0 \le X \le 2$에서 확률밀도함수의 그래프와 x축으로 둘러싸

인 부분의 넓이는 1임을 이용한다.

확률밀도함수의 그래프와 x축으로 둘러싸인 부분의 넓이가 1이므로

$p_1 + p_2 + p_3 = 1$ …… ㉠

p_1, p_2, p_3이 순서대로 등차수열을 이루므로

$p_1 + p_3 = 2p_2$ …… ㉡

㉠, ㉡에서 $p_2 = \dfrac{1}{3}$

$p_2 = P(a \le X \le b) = \dfrac{1}{4}(b^2 - a^2) = \dfrac{1}{3}$이고 $a + b = \dfrac{4}{3}$이므로

$b - a = 1$

$\therefore b = \dfrac{7}{6}$ 답 ④

03 **Act①** $g(x) = P(0 \le X \le x)$의 그래프를 이용하여 $P\left(\dfrac{5}{4} \le X \le 4\right)$의 값을 구한다.

$$P\left(\dfrac{5}{4} \le X \le 4\right) = P(0 \le X \le 4) - P\left(0 \le X \le \dfrac{5}{4}\right)$$
$$= g(4) - g\left(\dfrac{5}{4}\right)$$
$$= 1 - \dfrac{1}{2} = \dfrac{1}{2}$$ 답 ③

04 **Act①** $H(x) = P(Y > x)$의 그래프를 이용하여 $P\left(\dfrac{1}{4} < Y \le \dfrac{3}{4}\right)$의 값을 구한 후 $G(x) = -x + 1$의 식을 이용하여 k의 값을 구한다.

$$P\left(\dfrac{1}{4} < Y \le \dfrac{3}{4}\right) = P\left(Y > \dfrac{1}{4}\right) - P\left(Y > \dfrac{3}{4}\right)$$
$$= 0.8 - 0.2 = 0.6$$

$P(X > k) = G(k) = -k + 1 = 0.6$

$\therefore k = 0.4 = \dfrac{2}{5}$ 답 ⑤

기출유형 02

Act① 근과 계수의 관계를 이용하여 $P(X \le 1)$, $P(X \le 2)$의 값을 구하고 $P(1 < X \le 2) = P(0 \le X \le 2) - P(0 \le X \le 1)$임을 이용한다.

$6x^2 - 5x + 1 = 0$, $(3x-1)(2x-1) = 0$

$\therefore x = \dfrac{1}{3}$ 또는 $x = \dfrac{1}{2}$

따라서 $P(0 \le X \le 1) = \dfrac{1}{3}$, $P(0 \le X \le 2) = \dfrac{1}{2}$이므로

$$P(1 < X \le 2) = P(0 \le X \le 2) - P(0 \le X \le 1)$$
$$= \dfrac{1}{2} - \dfrac{1}{3} = \dfrac{1}{6}$$ 답 ②

05 **Act①** 주어진 구간에서 확률밀도함수 $f(x)$의 그래프와 x축으로 둘러싸인 부분의 넓이는 1임을 이용한다.

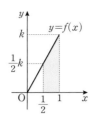

$f(x)=kx$의 그래프와 x축 및 직선 $x=1$로 둘러싸인 삼각형의 넓이가 1이므로

$\dfrac{1}{2}\times 1\times k=1$ $\therefore k=2$

$P\Big(\dfrac{1}{2}\leq X\leq 1\Big)=\dfrac{1}{2}\times(1+2)\times\dfrac{1}{2}=\dfrac{3}{4}$

답 ③

06 **Act①** 확률밀도함수가 정의된 구간에서 그래프와 x축으로 둘러싸인 부분의 넓이는 1임을 이용하여 a의 값을 구한다.

$P(0\leq X\leq 3)=1$이어야 하므로

$P(0\leq X\leq 3)=a(3-0)=1$ $\therefore a=\dfrac{1}{3}$

$\therefore P(0\leq X<a)=P\Big(0\leq X<\dfrac{1}{3}\Big)$

$=P(0\leq X\leq 3)-P\Big(\dfrac{1}{3}\leq X\leq 3\Big)$

$=1-\dfrac{1}{3}\times\Big(3-\dfrac{1}{3}\Big)=\dfrac{1}{9}$

따라서 $p=9$, $q=1$이므로

$p+q=10$

답 10

07 **Act①** 확률밀도함수의 성질을 이용하여 [보기]의 참, 거짓을 판단한다.

ㄱ. $F(0.3)=P(X\geq 0.3)\leq P(X\geq 0.2)=F(0.2)$ (참)

ㄴ. [반례] X의 확률밀도함수가 $f(x)=2x$이면
   $F(0.4)=P(X\geq 0.4)>G(0.6)=P(X\leq 0.6)$ (거짓)

ㄷ. $F(0.7)+G(0.7)=F(0.2)+G(0.2)=1$
   $\therefore F(0.2)-F(0.7)=G(0.7)-G(0.2)$ (참)

답 ④

기출유형 03

Act① 정규분포 $N(10,\ 2^2)$의 곡선이 직선 $x=10$에서 최댓값을 가지므로 $t-3$과 $t+7$의 평균이 10이어야 함을 이용한다.

정규분포 $N(10,\ 2^2)$을 따르는 확률변수 X의 확률밀도함수의 그래프는 그림과 같이 $x=10$에서 최댓값을 갖고, 직선 $x=10$에 대하여 대칭이다.

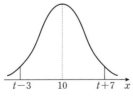

따라서 $P(t-3\leq X\leq t+7)$이 최대가 되려면 $t-3$과 $t+7$의 평균이 10이어야 하므로

$\dfrac{(t-3)+(t+7)}{2}=10$, $t+2=10$ $\therefore t=8$

답 ③

08 **Act①** 정규분포 $N(m,\ 3^2)$의 곡선이 직선 $x=m$에서 최댓값을 가지므로 t와 $t+12$의 평균이 m이어야 함을 이용한다.

정규분포 $N(m,\ 3^2)$을 따르는 확률변수 X의 정규분포곡선은 $x=m$에서 최댓값을 가지고, 직선 $x=m$에 대하여 대칭이다.

따라서 $f(t)=P(t\leq X\leq t+12)$의 값이 최대가 되려면 t와 $t+12$의 평균이 m이어야 하므로

$\dfrac{t+(t+12)}{2}=m$, $t=m-6$

$\therefore f(t)=P(t\leq X\leq t+12)$

$=P(m-6\leq X\leq m+6)$

$=0.9544$

답 ③

09 **Act①** 정규분포 곡선이 직선 $x=a$에 대하여 대칭임을 이용한다.

정규분포 $N(a,\ b^2)$을 따르는 확률변수 X의 정규분포 곡선은 그림과 같이 직선 $x=a$에 대하여 대칭이다.

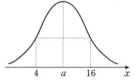

조건 (가)에서
$P(X\leq 6)=P(X\geq 14)$이므로

$a=\dfrac{4+16}{2}=10$

조건 (나)에서 $V\Big(\dfrac{1}{3}X\Big)=4$이므로

$\Big(\dfrac{1}{3}\Big)^2 V(X)=4$ $\therefore V(X)=36$

즉 $b^2=36$이므로 $b=6$ $\therefore a+b=10+6=16$ 답 16

10 **Act①** 정규분포 곡선이 직선 $x=m$에 대하여 대칭임을 이용하여 [보기]의 참, 거짓을 판단한다.

ㄱ. 정규분포 곡선은 직선 $x=m$에 대하여 대칭이므로
   $P(X\leq m)=1-P(X\geq m)=0.5$ (참)

ㄴ. 오른쪽 정규분포 곡선에서
   $a<b$일 때
   $P(a\leq X\leq b)$
   $=P(X\leq b)-P(X\leq a)$
   (참)

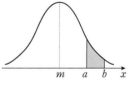

ㄷ. 오른쪽 정규분포 곡선에서
   $a<m$일 때
   $P(X\geq a)$
   $=P(a\leq X\leq m)+P(X\geq m)$
   $=P(a\leq X\leq m)+0.5$ (참)

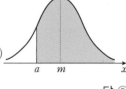

답 ⑤

기출유형 04

Act① 두 확률변수 X, Y를 각각 표준화하여 k의 값을 구한다.

$P(50\leq X\leq k)=P\Big(\dfrac{50-50}{10}\leq Z\leq \dfrac{k-50}{10}\Big)$

$=P\Big(0\leq Z\leq \dfrac{k-50}{10}\Big)$

$P(24\leq Y\leq 40)=P\Big(\dfrac{24-40}{8}\leq Z\leq \dfrac{40-40}{8}\Big)$

$=P(-2\leq Z\leq 0)=P(0\leq Z\leq 2)$

$$P\left(0\le Z\le \frac{k-50}{10}\right)=P(0\le Z\le 2)\text{이므로}$$

$$\frac{k-50}{10}=2 \qquad \therefore k=70 \hspace{3cm} \text{답 70}$$

11 Act 1 두 확률변수 X, Y를 각각 표준화하여 a, b, c의 값을 구한다.

확률변수 X는 정규분포 $N(0, 1^2)$을 따르므로 $Z=\dfrac{X-0}{1}$

이고 확률변수 Y는 $N(1, 2^2)$을 따르므로 $Z=\dfrac{Y-1}{2}$임을

이용하여 확률 a, b, c를 구해 보면

$$a=P(-1<X<1)=P(-1<Z<1)$$

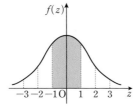

$$b=P(1<Y<5)=P\left(\frac{1-1}{2}<Z<\frac{5-1}{2}\right)$$
$$=P(0<Z<2)$$

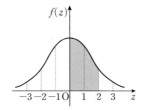

$$c=P(-5<Y<-1)=P\left(\frac{-5-1}{2}<Z<\frac{-1-1}{2}\right)$$
$$=P(-3<Z<-1)$$

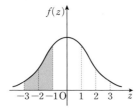

그래프에서 각 영역의 넓이를 비교해 보면 $c<b<a$

답 ⑤

12 Act 1 확률변수 X, Y를 표준화하여 [보기]의 참, 거짓을 판별한다.

확률변수 X, Y는 각각 정규분포 $N(0, a^2)$, $N(0, b^2)$을 따르므로 각각 $Z=\dfrac{X}{a}$, $Z=\dfrac{Y}{a}$로 표준화하면 모두 표준정규분포를 따른다.

ㄱ. 확률변수 X의 평균은 0이므로
$\quad P(1\le X\le 2)>P(2\le X\le 3)$ (거짓)

ㄴ. $P(-a\le X\le 0)=P(-1\le Z\le 0)=P(0\le Z\le 1)$
$\quad P(0\le Y\le b)=P(0\le Z\le 1)$
$\quad \therefore P(-a\le X\le 0)=P(0\le Y\le b)$ (참)

ㄷ. $P(-1\le X\le 1)=2P(0\le X\le 1)$

$$=2P\left(0\le Z\le \frac{1}{a}\right)$$

$$P(-2\le Y\le 2)=2P(0\le Y\le 2)$$
$$=2P\left(0\le Z\le \frac{2}{b}\right)$$

따라서 $\dfrac{1}{a}=\dfrac{2}{b}$에서 $b=2a$이므로 $a<b$이다. (참)

이상에서 옳은 것은 ㄴ, ㄷ이다. 답 ④

기출유형 05

Act 1 확률변수 X를 $Z=\dfrac{X-m}{\sigma}$으로 표준화하여 주어진 확률을 Z에 대한 확률로 나타낸 후 표에서 이를 만족시키는 값을 찾는다.

확률변수 X가 정규분포 $N\left(m, \left(\dfrac{m}{3}\right)^2\right)$을 따르므로

$$P\left(X\le \frac{9}{2}\right)=P\left(Z\le \frac{\frac{9}{2}-m}{\frac{m}{3}}\right)=0.9987$$

따라서 $\dfrac{\frac{9}{2}-m}{\frac{m}{3}}=3$이므로 $m=\dfrac{9}{4}$ 답 ④

13 Act 1 두 확률변수 X, Y를 표준화하여 주어진 확률을 Z에 대한 확률로 나타낸 후 k의 값을 구하고, 표에서 이를 만족시키는 σ의 값을 찾는다.

확률변수 X, Y가 각각 정규분포 $N(50, \sigma^2)$, $N(65, 4\sigma^2)$을 따르므로 확률변수 $Z=\dfrac{X-50}{\sigma}$, $Z=\dfrac{Y-65}{2\sigma}$는 표준정규분포 $N(0, 1)$을 따른다.

$P(X\ge k)=P(Y\le k)$에서

$$P\left(Z\ge \frac{k-50}{\sigma}\right)=P\left(Z\le \frac{k-65}{2\sigma}\right)$$

$$\frac{k-50}{\sigma}=-\frac{k-65}{2\sigma}\text{이므로 } k=55$$

이때 $P\left(Z\ge \dfrac{55-50}{\sigma}\right)=P\left(Z\ge \dfrac{5}{\sigma}\right)=0.1056$이므로

$$P\left(0\le Z\le \frac{5}{\sigma}\right)=0.5-0.1056=0.3944$$

$$\frac{5}{\sigma}=1.25\text{이므로 } \sigma=4$$

$$\therefore k+\sigma=55+4=59 \hspace{2cm} \text{답 59}$$

14 Act 1 $N(m, \sigma^2)$을 따르는 확률변수 X의 정규분포 곡선은 직선 $x=m$에 대하여 대칭임을 이용한다.

확률변수 X는 정규분포 $N(m, 5^2)$을 따르므로 곡선 $y=f(x)$는 직선 $x=m$에 대하여 대칭이다.

한편, 조건 (가)에서 $f(10)>f(20)$이므로 $m<\dfrac{10+20}{2}$

$m<15$ ...... ㉠

또, 조건 (나)에서 $f(4)<f(22)$이므로 $m>\dfrac{4+22}{2}$

$m>13$ ...... ㉡

㉠과 ㉡에서 m은 자연수이므로 $m=14$

$$P(17 \leq X \leq 18) = P\left(\frac{17-14}{5} \leq \frac{X-14}{5} \leq \frac{18-14}{5}\right)$$
$$= P(0.6 \leq Z \leq 0.8)$$
$$= P(0 \leq Z \leq 0.8) - P(0 \leq Z \leq 0.6)$$
$$= 0.288 - 0.226$$
$$= 0.062$$

따라서 $a = 0.062$이므로 $1000a = 62$ 답 62

기출유형 06

Act❶ 전기 자동차 배터리 1개의 용량을 확률변수 X로 놓고 정규분포를 구한 다음 X를 표준화한다.

전기 자동차 배터리 1개의 용량을 확률변수 X라 하면 X는 정규분포 $N(64.2, 0.4^2)$을 따른다.
Z가 표준정규분포를 따르는 확률변수일 때,
$$P(X \geq 65) = P\left(Z \geq \frac{65-64.2}{0.4}\right)$$
$$= P(Z \geq 2)$$
$$= 0.5 - 0.4772$$
$$= 0.0228$$ 답 ②

15 **Act❶** 수하물의 무게를 확률변수 X로 놓고 정규분포를 구한 다음 X를 표준화한다.

수하물의 무게를 확률변수 X라 하면 X는 정규분포 $N(18, 2^2)$을 따르고 $Z = \frac{X-18}{2}$로 놓으면 확률변수 Z는 표준정규분포 $N(0, 1)$을 따른다.
$$P(16 \leq X \leq 22) = P\left(\frac{16-18}{2} \leq \frac{X-18}{2} \leq \frac{22-18}{2}\right)$$
$$= P(-1 \leq Z \leq 2)$$
$$= P(0 \leq Z \leq 1) + P(0 \leq Z \leq 2)$$
$$= 0.3413 + 0.4772$$
$$= 0.8185$$ 답 ④

16 **Act❶** 과자 1봉지의 무게를 확률변수 X로 놓고 정규분포를 구한 다음 X를 표준화한다.

과자 1봉지의 무게를 확률변수 X라 하면 X는 정규분포 $N(75, 2^2)$을 따른다.
이때 $Z = \frac{X-75}{2}$는 표준정규분포 $N(0, 1)$을 따르므로 구하는 확률은
$$P(76 \leq X \leq 78) = P\left(\frac{76-75}{2} \leq Z \leq \frac{78-75}{2}\right)$$
$$= P(0.5 \leq Z \leq 1.5)$$
$$= P(0 \leq Z \leq 1.5) - P(0 \leq Z \leq 0.5)$$
$$= 0.4332 - 0.1915$$
$$= 0.2417$$ 답 ⑤

기출유형 07

Act❶ 앞면이 나오는 횟수를 확률변수 X로 놓고 X가 따르는 이항분포 $B(n, p)$를 찾은 후 근사적으로 따르는 정규분포 $N(np, np(1-p))$를 구한다.

한 개의 동전을 100번 던질 때 앞면이 나오는 횟수를 확률변수 X라 하면 X는 이항분포 $B\left(100, \frac{1}{2}\right)$을 따르므로
$$E(X) = 100 \times \frac{1}{2} = 50,$$
$$\sigma(X) = \sqrt{100 \times \frac{1}{2} \times \frac{1}{2}} = \sqrt{25} = 5$$
이때 100은 충분히 큰 수이므로 확률변수 X는 근사적으로 정규분포 $N(50, 5^2)$을 따른다.
따라서 $Z = \frac{X-50}{5}$으로 놓으면 확률변수 Z는 표준정규분포 $N(0, 1)$을 따르므로 앞면이 40번 이상 65번 이하로 나올 확률은
$$P(40 \leq X \leq 65) = P\left(\frac{40-50}{5} \leq Z \leq \frac{65-50}{5}\right)$$
$$= P(-2 \leq Z \leq 3)$$
$$= P(-2 \leq Z \leq 0) + P(0 \leq Z \leq 3)$$
$$= P(0 \leq Z \leq 2) + P(0 \leq Z \leq 3)$$
$$= 0.4772 + 0.4987$$
$$= 0.9759$$ 답 ③

17 **Act❶** 확률질량함수가 $P(X=x) = {}_n C_x p^x (1-p)^{n-x}$
(단, $x = 1, 2, \cdots, n$)인 확률변수 X는 이항분포 $B(n, p)$를 따른다.

확률변수 X는 이항분포 $B\left(100, \frac{1}{2}\right)$을 따르고, 시행 횟수가 충분히 크므로 X는 근사적으로 정규분포 $N(50, 5^2)$을 따른다.
$$P(45 \leq X \leq 60) = P\left(\frac{45-50}{5} \leq Z \leq \frac{60-50}{5}\right)$$
$$= P(-1 \leq Z \leq 2)$$
$$= P(-1 \leq Z \leq 0) + P(0 \leq Z \leq 2)$$
$$= P(0 \leq Z \leq 1) + P(0 \leq Z \leq 2)$$
$$= 0.3413 + 0.4772$$
$$= 0.8185$$ 답 ④

18 **Act❶** 자동차를 실제 빌리는 사람의 수를 확률변수 X로 놓고 X가 따르는 이항분포 $B(n, p)$를 찾은 후 근사적으로 따르는 정규분포 $N(np, np(1-p))$를 구한다.

이 회사에 방문한 고객이 자동차를 빌릴 확률이 50%이므로 400명의 고객 중 자동차를 실제 빌리는 사람의 수를 확률변수 X라 하면 X는 이항분포 $B\left(400, \frac{1}{2}\right)$을 따르고, 시행 횟수가 충분히 크므로 X는 근사적으로 정규분포 $N(200, 10^2)$을 따른다.
이 회사에서 자동차를 k대 준비한다고 하면
$$P(X \leq k) = P\left(Z \leq \frac{k-200}{10}\right)$$
$$= 0.5 + P\left(0 \leq Z \leq \frac{k-200}{10}\right) \geq 0.95$$
$$\therefore P\left(0 \leq Z \leq \frac{k-200}{10}\right) \geq 0.45$$

즉 $\dfrac{k-200}{10} \geq 1.65$이므로 $k \geq 216.5$

따라서 이 회사는 적어도 217대의 자동차를 준비해야 한다.

답 ③

19 ᴬᶜᵗ❶ 예약하여 승선하는 사람의 수를 확률변수 X로 놓고 X가 따르는 이항분포 $B(n, p)$를 찾은 후 근사적으로 따르는 정규분포 $N(np, np(1-p))$를 구한다.

예약하여 승선하는 사람의 수를 확률변수 X라 하면 X는 이항분포 $B\left(400, \dfrac{4}{5}\right)$를 따르고, 시행 횟수가 충분히 크므로 X는 근사적으로 정규분포 $N(320, 8^2)$을 따른다.

따라서 승선한 고객이 정원을 초과하지 않을 확률은

$$P(X \leq 340) = P\left(Z \leq \dfrac{340-320}{8}\right)$$
$$= P(Z \leq 2.5)$$
$$= 0.5 + P(0 \leq Z \leq 2.5)$$
$$= 0.5 + 0.4938$$
$$= 0.9938$$

답 ①

ⓋⒾⓉ **V**ery **I**mportant **T**est   pp. 93~95

01. ③	02. ①	03. ②	04. 3	05. ①
06. ③	07. ②	08. ⑤	09. ②	10. ②
11. ①	12. ④	13. ③	14. 6	15. 788

01

$0 \leq x \leq 5$에서 확률밀도함수의 그래프와 x축으로 둘러싸인 부분의 넓이가 1이므로

$$\dfrac{1}{2} \times 3 \times (a+2a) + \dfrac{1}{2} \times 2 \times 2a = 1$$
$$\therefore a = \dfrac{2}{13}$$

$$P(0 \leq X \leq 3) = \dfrac{1}{2} \times \left(\dfrac{2}{13} + \dfrac{4}{13}\right) \times 3 = \dfrac{9}{13}$$

답 ③

02

함수 $f(x)$의 그래프와 x축으로 둘러싸인 부분의 넓이가 1이므로

$$\dfrac{1}{2} \times (a+2) \times b = 1$$
$$\therefore ab + 2b = 2 \quad \cdots\cdots \ \bigcirc$$

$$f(x) = \begin{cases} \dfrac{b}{2}x + b & (-2 \leq x \leq 0) \\ -\dfrac{b}{a}x + b & (0 \leq x \leq a) \end{cases}$$ 에 대하여

$P(-2 \leq X \leq -a) = \dfrac{b}{4}$이므로

$$\dfrac{1}{2} \times (2-a) \times \left(-\dfrac{ab}{2} + b\right) = \dfrac{b}{4}$$

$(2-a)^2 = 1 \quad \therefore a = 1 \ (\because a < 2)$

$a = 1$을 $\bigcirc$에 대입하면 $b = \dfrac{2}{3}$

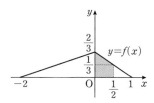

$$P\left(0 \leq X \leq \dfrac{a}{2}\right) = P\left(0 \leq X \leq \dfrac{1}{2}\right)$$
$$= \dfrac{1}{2} \times \left(\dfrac{2}{3} + \dfrac{1}{3}\right) \times \dfrac{1}{2} = \dfrac{1}{4}$$

답 ①

03

$P(Y \geq x) = H(x)$이므로

$$P\left(\dfrac{1}{2} \leq Y \leq \dfrac{3}{4}\right) = P\left(Y \geq \dfrac{1}{2}\right) - P\left(Y \geq \dfrac{3}{4}\right)$$
$$= H\left(\dfrac{1}{2}\right) - H\left(\dfrac{3}{4}\right)$$
$$= \dfrac{1}{2} - \dfrac{1}{8} = \dfrac{3}{8}$$

또, $P(X \leq k) = G(k) = k$이고,

$P(X \leq k) = P\left(\dfrac{1}{2} \leq Y \leq \dfrac{3}{4}\right)$이므로

$$k = \dfrac{3}{8}$$

답 ②

04

$-1 \leq x \leq 5$에서 확률밀도함수의 그래프와 x축으로 둘러싸인 부분의 넓이가 1이므로

$$\dfrac{1}{2} \times 6 \times (a+7a) = 1 \quad \therefore a = \dfrac{1}{24}$$

따라서 $f(x) = \dfrac{1}{24}(x+2)$이고 $P(1 \leq x \leq b) = \dfrac{1}{3}$이므로

$$\dfrac{1}{2} \times (b-1) \times \left(\dfrac{3}{24} + \dfrac{b+2}{24}\right) = \dfrac{1}{3}$$

즉 $b^2 + 4b - 21 = 0$, $(b+7)(b-3) = 0$

이때 $b > 0$이므로 $b = 3$

답 3

05

정규분포 $N(26, 2^2)$을 따르는 확률변수 X의 확률밀도함수를 $f(x)$라 하면 함수 $y = f(x)$의 그래프는 그림과 같이 직선 $x = 26$에 대하여 대칭이고, $P(X \leq a) = P(X \geq 20)$이므로

$$\dfrac{a+20}{2} = 26$$에서 $a = 32$

답 ①

06

$m = 10$, $\sigma = \dfrac{1}{2}$이므로 확률변수 X가 정규분포 $N(10, 0.5^2)$을 따른다.

$P(10.5 \leq X \leq 11.5)$
$= P(10 + 0.5 \leq X \leq 10 + 1.5)$
$= P(m + \sigma \leq X \leq m + 3\sigma)$
$= P(m \leq X \leq m + 3\sigma) - P(m \leq X \leq m + \sigma)$

$=0.4987-0.3413$
$=0.1574$ 답 ③

07

확률변수 X가 정규분포 $N(78,\ \sigma^2)$을 따르므로

$Z=\dfrac{X-78}{\sigma}$로 놓으면 확률변수 Z는 표준정규분포 $N(0,\ 1)$을

따른다. 이때

$P(X\leq 90)=P\Big(Z\leq\dfrac{90-78}{\sigma}\Big)=P\Big(Z\leq\dfrac{12}{\sigma}\Big)$

$\qquad\qquad\quad =0.5+P\Big(0\leq Z\leq\dfrac{12}{\sigma}\Big)=0.9772$

에서

$P\Big(0\leq Z\leq\dfrac{12}{\sigma}\Big)=0.4772$

주어진 표준정규분포표에서 $P(0\leq Z\leq 2)=0.4772$이므로

$\dfrac{12}{\sigma}=2$, 즉 $\sigma=6$ 답 ②

08

어느 회사에서 생산되는 음료 한 개의 용량을 확률변수 X라 하면 X는 정규분포 $N(250,\ 5^2)$을 따르고, 임의로 선택한 음료가 불량품으로 판정될 확률은 $P(X\leq 240)+P(X\geq 255)$이다.

$Z=\dfrac{X-250}{5}$으로 놓으면 확률변수 Z는 표준정규분포 $N(0,\ 1)$

을 따르므로 구하는 확률은

$P(X\leq 240)+P(X\geq 255)$

$=P\Big(Z\leq\dfrac{240-250}{5}\Big)+P\Big(Z\geq\dfrac{255-250}{5}\Big)$

$=P(Z\leq -2)+P(Z\geq 1)$

$=\{0.5-P(-2\leq Z\leq 0)\}+\{0.5-P(0\leq Z\leq 1)\}$

$=\{0.5-P(0\leq Z\leq 2)\}+\{0.5-P(0\leq Z\leq 1)\}$

$=(0.5-0.4772)+(0.5-0.3413)$

$=0.1815$ 답 ⑤

09

건전지의 수명을 확률변수 X라 하면 X는 정규분포 $N(m,\ 12^2)$을 따르므로 확률변수 $Z=\dfrac{X-m}{12}$은 표준정규분포를 따른다.

$P(X\geq 354)=P\Big(Z\geq\dfrac{354-m}{12}\Big)$

$\qquad\qquad\quad =0.5-P\Big(0\leq Z\leq\dfrac{354-m}{12}\Big)$

$\qquad\qquad\quad =0.0228$

$\therefore\ P\Big(0\leq Z\leq\dfrac{354-m}{12}\Big)=0.4772$

이때 표준정규분포표에서
$P(0\leq Z\leq 2)=0.4772$이므로

$\dfrac{354-m}{12}=2$ $\therefore\ m=330$

따라서 구하는 확률은
$P(312\leq X\leq 336)$

$=P\Big(\dfrac{312-330}{12}\leq Z\leq\dfrac{336-330}{12}\Big)$

$=P(-1.5\leq Z\leq 0.5)$

$=P(0\leq Z\leq 1.5)+P(0\leq Z\leq 0.5)$

$=0.4332+0.1915=0.6247$ 답 ②

10

확률변수 X가 정규분포 $N(31,\ 3^2)$을 따르므로 $Z=\dfrac{X-31}{3}$이라

하면 확률변수 Z는 표준정규분포 $N(0,\ 1)$을 따른다.

$P(X\geq 25)=P\Big(Z\geq\dfrac{25-31}{3}\Big)=P(Z\geq -2)$ $\cdots\cdots$ ㉠

확률변수 Y가 정규분포 $N(49,\ 6^2)$을 따르므로 $Z=\dfrac{Y-49}{6}$라

하면 확률변수 Z는 표준정규분포 $N(0,\ 1)$을 따른다.

$P(Y\leq a)=P\Big(Z\leq\dfrac{a-49}{6}\Big)$ $\cdots\cdots$ ㉡

$P(X\geq 25)+P(Y\leq a)=1$이므로 ㉠, ㉡에서

$P(Z\geq -2)+P\Big(Z\leq\dfrac{a-49}{6}\Big)=1$

$P\Big(Z\leq\dfrac{a-49}{6}\Big)=1-P(Z\geq -2)=P(Z\leq -2)$

즉 $\dfrac{a-49}{6}=-2$이므로

$a=-12+49=37$ 답 ②

11

$_{48}C_0\Big(\dfrac{3}{4}\Big)^{48}+_{48}C_1\Big(\dfrac{1}{4}\Big)\Big(\dfrac{3}{4}\Big)^{47}+\cdots+_{48}C_{21}\Big(\dfrac{1}{4}\Big)^{21}\Big(\dfrac{3}{4}\Big)^{27}$은 이항분포

$B\Big(48,\ \dfrac{1}{4}\Big)$을 따르는 확률변수 X에 대하여 $P(X\leq 21)$이다.

이때 X의 평균 m과 분산 σ^2은

$m=48\times\dfrac{1}{4}=12$, $\sigma^2=48\times\dfrac{1}{4}\times\dfrac{3}{4}=9$

이고, 시행 횟수 48은 충분히 크므로 확률변수 X는 근사적으로 정규분포 $N(12,\ 3^2)$을 따른다.

따라서 확률변수 $Z=\dfrac{X-12}{3}$는 표준정규분포를 따르므로 구하는 확률은

$P(X\leq 21)=P\Big(Z\leq\dfrac{21-12}{3}\Big)$

$\qquad\qquad\quad =P(Z\leq 3)=0.5+P(0\leq Z\leq 3)$

$\qquad\qquad\quad =0.5+0.4987=0.9987$ 답 ①

12

확률변수 X가 이항분포 $B\Big(n,\ \dfrac{5}{6}\Big)$를 따르므로

$E(X)=n\times\dfrac{5}{6}$, $\sigma(X)=\sqrt{n\times\dfrac{5}{6}\times\dfrac{1}{6}}=\dfrac{1}{6}\sqrt{5n}$,

$\sigma(X)=5$에서 $\dfrac{1}{6}\sqrt{5n}=5$

따라서 $n=180$이므로

$E(X)=150$, $V(X)=\sigma^2=5^2$

이때 180은 충분히 큰 수이므로 확률변수 X는 근사적으로 정규

분포 $N(150, 5^2)$을 따르고, $Z=\dfrac{X-150}{5}$으로 놓으면 확률변수 Z는 표준정규분포 $N(0, 1)$을 따른다.

따라서 구하는 확률은
$$P(145 \leq X \leq 160)$$
$$=P\left(\frac{145-150}{5} \leq Z \leq \frac{160-150}{5}\right)$$
$$=P(-1 \leq Z \leq 2)$$
$$=P(-1 \leq Z \leq 0)+P(0 \leq Z \leq 2)$$
$$=P(0 \leq Z \leq 1)+P(0 \leq Z \leq 2)$$
$$=0.3413+0.4772=0.8185 \qquad \text{답 ④}$$

13

휴대폰 수리 예약을 취소하는 손님의 수를 확률변수 X라 하면 X는 이항분포 $B\left(400, \dfrac{1}{10}\right)$을 따르고, 시행 횟수 400은 충분히 크므로 X는 근사적으로 정규분포 $N(40, 6^2)$을 따른다.

한편, 예약을 하고 수리하러 온 손님이 모두 휴대폰을 수리하려면 52명 이상이 예약을 취소해야 한다.

따라서 확률변수 $Z=\dfrac{X-40}{6}$은 표준정규분포를 따르므로 구하는 확률은
$$P(X \geq 52)=P\left(Z \geq \frac{52-40}{6}\right)$$
$$=P(Z \geq 2)=0.5-P(0 \leq Z \leq 2)$$
$$=0.5-0.4772=0.0228 \qquad \text{답 ③}$$

14

$0 \leq X \leq 4a$에서 확률밀도함수의 그래프와 x축으로 둘러싸인 부분의 넓이가 1이므로
$$\frac{1}{2} \times 4a \times \frac{a}{2}=a^2=1$$
$$\therefore a=1 \ (\because a>0)$$

따라서 X의 확률밀도함수를 $f(x)$라 하면
$$f(x)=\begin{cases} \dfrac{x}{6} & (0 \leq x \leq 3) \\ \dfrac{4-x}{2} & (3 \leq x \leq 4) \end{cases}$$

한편, $P(1 \leq X \leq 2b)=\dfrac{5}{12}$이고
$$P(1 \leq X \leq 3)=\frac{1}{2} \times \left(\frac{1}{6}+\frac{3}{6}\right) \times 2=\frac{2}{3}>\frac{5}{12}$$
이므로 $2b<3$이어야 한다. 즉
$$P(a \leq X \leq 2b)=P(1 \leq X \leq 2b)$$
$$=\frac{1}{2}\left(\frac{1}{6}+\frac{2b}{6}\right)(2b-1)$$
$$=\frac{(2b+1)(2b-1)}{12}=\frac{5}{12}$$
$$4b^2-1=5, \ b^2=\frac{3}{2}$$
$$\therefore b=\frac{\sqrt{6}}{2} \ (\because b>0)$$
$$\therefore 4ab^2=4 \times 1 \times \left(\frac{\sqrt{6}}{2}\right)^2=6 \qquad \text{답 6}$$

15

이 회사에서 생산하는 제품 A의 무게를 확률변수 X라 하면 확률변수 X는 정규분포 $N(1000, 5^2)$을 따르고, $Z=\dfrac{X-1000}{5}$으로 놓으면 확률변수 Z는 표준정규분포 $N(0, 1)$을 따른다.

또, 이 회사에서 생산하는 제품 B의 무게를 확률변수 Y라 하면 확률변수 Y는 정규분포 $N(800, 6^2)$을 따르고, $Z=\dfrac{Y-800}{6}$으로 놓으면 확률변수 Z는 표준정규분포 $N(0, 1)$을 따른다.

$P(X \leq 1010)=P(Y \geq k)$이므로
$$P\left(Z \leq \frac{1010-1000}{5}\right)=P\left(Z \geq \frac{k-800}{6}\right)$$
$$P(Z \leq 2)=P\left(Z \geq \frac{k-800}{6}\right)$$

이때 $P(Z \leq 2)=P(Z \geq -2)$이므로
$$\frac{k-800}{6}=-2 \qquad \therefore k=788 \qquad \text{답 788}$$

10 통계적 추정

01. ⑤   **02.** ①   **03.** ①   **04.** ②   **05.** ②
06. ①

01
$$\sigma(\overline{X})=\frac{\sigma}{\sqrt{n}}=\frac{14}{\sqrt{n}}=2$$
$$\sqrt{n}=7$$
$$\therefore n=49 \qquad \text{답 ⑤}$$

02
$$E(X)=-2 \times \frac{1}{4}+1 \times \frac{1}{2}=0$$
$$V(X)=E(X^2)-\{E(X)\}^2$$
$$=(-2)^2 \times \frac{1}{4}+1^2 \times \frac{1}{2}=\frac{3}{2}$$
$$\sigma(X)=\sqrt{\frac{3}{2}}=\frac{\sqrt{6}}{2}$$
$$\therefore \sigma(\overline{X})=\frac{\sigma(X)}{\sqrt{16}}=\frac{\sqrt{6}}{8} \qquad \text{답 ①}$$

03
임의추출한 탑승객 16명의 1인당 수하물 무게의 평균을 $\overline{X}$라 하면 모집단이 정규분포 $N(15, 4^2)$을 따르고 표본의 크기가 16이므로 표본평균 $\overline{X}$는 정규분포 $N(15, 1^2)$을 따른다.

따라서 $Z=\dfrac{\overline{X}-15}{1}$로 놓으면 확률변수 Z는 표준정규분포 $N(0, 1)$을 따르므로 구하는 확률은
$$P(\overline{X} \geq 17)=P\left(Z \geq \frac{17-15}{1}\right)$$
$$=P(Z \geq 2)$$
$$=0.5-P(0 \leq Z \leq 2)$$
$$=0.5-0.4772$$

56 • 참 중요한 3·4점 확률과 통계

$$=0.0228 \qquad \text{답 ①}$$

04 모집단이 정규분포 $N(m, 10^2)$을 따르고 표본의 크기가 25
이므로 표본평균 $\overline{X}$는 정규분포 $N(m, 2^2)$을 따른다.

따라서 $Z=\dfrac{\overline{X}-m}{2}$으로 놓으면 확률변수 Z는 표준정규분

포$N(0, 1)$을 따르므로

$$P(\overline{X}\geq 2000)=P\left(Z\geq \dfrac{2000-m}{2}\right)$$
$$=0.9772=0.5+0.4772$$
$$=0.5+P(0\leq Z\leq 2)$$
$$=0.5+P(-2\leq Z\leq 0)$$
$$\dfrac{2000-m}{2}=-2, \ 2000-m=-4$$
$$\therefore m=2004 \qquad \text{답 ②}$$

05 모표준편차가 1.4인 모집단에서 크기가 49인 표본을 추출하
였을 때 그 표본평균을 $\overline{x}$라 하면

신뢰도 95%로 추정한 신뢰구간은

$$\overline{x}-1.96\times\dfrac{1.4}{\sqrt{49}}\leq m\leq \overline{x}+1.96\times\dfrac{1.4}{\sqrt{49}}$$

이때 주어진 신뢰구간이 $a\leq m\leq 7.992$이므로

$$7.992-a=2\times 1.96\times \dfrac{1.4}{\sqrt{49}}=2\times 1.96\times 0.2$$
$$\therefore a=7.992-0.4\times 1.96=7.992-0.784=7.208 \qquad \text{답 ②}$$

06 95% 신뢰도로 모평균을 추정하면 신뢰구간은

$$\overline{x}-1.96\dfrac{10}{\sqrt{n}}\leq m\leq \overline{x}+1.96\times\dfrac{10}{\sqrt{n}}$$이므로

신뢰구간의 길이에서

$$2\times 1.96\times \dfrac{10}{\sqrt{n}}=45.92-38.08$$
$$\dfrac{39.2}{\sqrt{n}}=7.84, \ \sqrt{n}=\dfrac{39.2}{7.84}=5$$
$$\therefore n=25 \qquad \text{답 ①}$$

유형따라잡기   pp. 98~102

기출유형 01 ①	01. 26	02. ⑤	03. 330
기출유형 02 ①	04. ①	05. ⑤	
기출유형 03 ③	06. ①	07. ⑤	
기출유형 04 ③	08. 25	09. ②	
기출유형 05 98	10. 10	11. ③	

기출유형 **01**

Act❶ 모집단에서 추출한 크기가 2인 표본을 (X_1, X_2)라 할
때, $\overline{X}=\dfrac{X_1+X_2}{2}=4$를 만족시키는 경우를 찾아 $P(\overline{X}=4)$를
구한다.

모집단에서 추출한 크기가 2인 표본을 (X_1, X_2)라 할 때,

$\overline{X}=\dfrac{X_1+X_2}{2}=4$를 만족시키는 경우는

$(3, 5), (5, 3), (4, 4)$이므로

$$P(\overline{X}=4)=\dfrac{1}{2}\times\dfrac{1}{6}+\dfrac{1}{6}\times\dfrac{1}{2}+\dfrac{1}{3}\times\dfrac{1}{3}$$
$$=\dfrac{1}{12}+\dfrac{1}{12}+\dfrac{1}{9}$$
$$=\dfrac{5}{18} \qquad \text{답 ①}$$

01 **Act❶** 모집단에서 추출한 크기가 2인 표본을 (X_1, X_2)라 할
때, $\overline{X}=\dfrac{X_1+X_2}{2}=1$을 만족시키는 경우는 $(1, 1)$임을 생각한
다.

1회의 시행에서 1이 나올 확률 확률은 $\dfrac{1}{n+1}$이므로 2회의 시행

에서 모두 1이 나올 확률은

$$P(\overline{X}=1)=\dfrac{1}{(n+1)^2}=\dfrac{1}{49} \qquad \therefore n=6$$

$E(\overline{X})$는 모평균과 같으므로

$$E(\overline{X})=\dfrac{1+3n}{n+1}=\dfrac{1+3\times 6}{6+1}=\dfrac{19}{7}$$이므로

$$p+q=26 \qquad \text{답 26}$$

02 **Act❶** 모집단의 확률분포에서 모평균, 모분산을 구하고
$V(\overline{X})=\dfrac{\sigma^2}{n}$임을 이용한다.

확률의 총합은 1이므로

$$\dfrac{1}{4}+a+b=1, \ a+b=\dfrac{3}{4} \qquad \cdots\cdots ㉠$$
$$E(X^2)=4a+16b=6 \qquad \cdots\cdots ㉡$$

㉠, ㉡을 연립하여 풀면 $a=\dfrac{1}{2}, \ b=\dfrac{1}{4}$

따라서 주어진 확률분포표는 다음과 같다.

X	0	2	4	합계
$P(X=x)$	$\dfrac{1}{4}$	$\dfrac{1}{2}$	$\dfrac{1}{4}$	1

$$E(X)=0\times\dfrac{1}{4}+2\times\dfrac{1}{2}+4\times\dfrac{1}{4}=2$$
$$V(X)=E(X^2)-\{E(X)\}^2$$
$$=6-2^2=2$$
$$\therefore V(\overline{X})=\dfrac{V(X)}{16}=2\times\dfrac{1}{16}=\dfrac{1}{8} \qquad \text{답 ⑤}$$

03 **Act❶** 모집단에서 추출한 크기가 2인 표본을 (X_1, X_2)라 할
때, $\overline{X}=\dfrac{X_1+X_2}{2}$의 확률분포를 표로 나타내어 a, b, c, d의 값
을 구한다.

X	$\overline{X}$	$P(\overline{X})$
1, 1	1	0.5×0.5
1, 2	1.5	0.5×0.3
1, 3	2	0.5×0.2
2, 1	1.5	0.3×0.5
2, 2	2	0.3×0.3
2, 3	2.5	0.3×0.2
3, 1	2	0.2×0.5
3, 2	2.5	0.2×0.3
3, 3	3	0.2×0.2

따라서 $a=2$, $b=3$이고
$c=0.5 \times 0.3 + 0.3 \times 0.5 = 0.3$
$d=0.5 \times 0.2 + 0.3 \times 0.3 + 0.2 \times 0.5 = 0.29$
$\therefore 100(b+c) = 100 \times 3.3 = 330$ 　　　　　답 330

기출유형 02

Act① 표본평균 $\overline{X}$가 따르는 정규분포 $N\left(m, \dfrac{\sigma^2}{n}\right)$을 구하고

$Z = \dfrac{\overline{X}-m}{\dfrac{\sigma}{\sqrt{n}}}$으로 표준화하여 확률을 구한다.

임의로 추출한 핸드볼 공 64개의 무게의 표본평균을 $\overline{X}$라 하면 모집단이 정규분포 $N(350, 16^2)$을 따르고 표본의 크기가 64이므로 표본평균 $\overline{X}$는 정규분포 $N\left(350, \dfrac{16^2}{64}\right)$, 즉 $N(350, 2^2)$을 따른다.
따라서 구하는 확률은
$P(\overline{X} \leq 346) + P(\overline{X} \geq 355)$
$= P\left(Z \leq \dfrac{346-350}{2}\right) + P\left(Z \geq \dfrac{355-350}{2}\right)$
$= P(Z \leq -2) + P(Z \geq 2.5)$
$= P(Z \geq 2) + P(Z \geq 2.5)$
$= 0.5 - P(0 \leq Z \leq 2) + 0.5 - P(0 \leq Z \leq 2.5)$
$= (0.5 - 0.4772) + (0.5 - 0.4938)$
$= 0.0290$ 　　　　　답 ①

04 **Act①** 표본평균 $\overline{X}$, $\overline{Y}$가 따르는 정규분포를 구하고
$P(\overline{X} \leq 53) + P(\overline{Y} \leq 69) = 1$에서 모집단의 표준편차 σ의 값을 구한다.
표본평균 $\overline{X}$는 정규분포 $N\left(50, \dfrac{8^2}{16}\right)$, 즉 $N(50, 2^2)$을 따르고, 표본평균 $\overline{Y}$는 정규분포 $N\left(75, \dfrac{\sigma^2}{25}\right)$, 즉 $N\left(75, \left(\dfrac{\sigma}{5}\right)^2\right)$을 따른다.
$P(\overline{X} \leq 53) = P\left(\dfrac{\overline{X}-50}{2} \leq \dfrac{53-50}{2}\right)$
$\qquad\qquad\quad = P(Z \leq 1.5) = 0.5 + P(0 \leq Z \leq 1.5)$
$P(\overline{Y} \leq 69) = P\left(\dfrac{\overline{Y}-75}{\dfrac{\sigma}{5}} \leq \dfrac{69-75}{\dfrac{\sigma}{5}}\right)$
$\qquad\qquad\quad = P\left(Z \leq -\dfrac{30}{\sigma}\right) = 0.5 - P\left(0 \leq Z \leq \dfrac{30}{\sigma}\right)$

이때 $P(\overline{X} \leq 53) + P(\overline{Y} \leq 69) = 1$에서
$P(0 \leq Z \leq 1.5) = P\left(0 \leq Z \leq \dfrac{30}{\sigma}\right)$
$1.5 = \dfrac{30}{\sigma}$　　$\therefore \sigma = 20$
$P(\overline{Y} \geq 71) = P\left(\dfrac{\overline{Y}-75}{4} \geq \dfrac{71-75}{4}\right)$
$\qquad\qquad\quad = P(Z \geq -1)$
$\qquad\qquad\quad = 0.5 + P(0 \leq Z \leq 1)$
$\qquad\qquad\quad = 0.5 + 0.3413$
$\qquad\qquad\quad = 0.8413$ 　　　　　답 ①

05 **Act①** $E(\overline{X}) = m$, $V(\overline{X}) = \dfrac{\sigma^2}{n}$이고 표본평균 $\overline{X}$는 정규분포 $N\left(m, \dfrac{\sigma^2}{n}\right)$을 따름을 이용하여 [보기]의 참, 거짓을 판단한다.

ㄱ. $V(\overline{X}) = \dfrac{2^2}{n} = \dfrac{4}{n}$ (참)

ㄴ. $E(\overline{X}) = 10$에서 $\overline{X}$는 정규분포 $N\left(10, \dfrac{2^2}{n}\right)$을 따르므로
$\quad P(\overline{X} \leq 10 - a) = P(\overline{X} \geq 10 + a)$ (참)

ㄷ. $P(\overline{X} \geq a) = P\left(Z \geq \dfrac{a-10}{\dfrac{2}{\sqrt{n}}}\right) = P(Z \leq b)$이므로
$\quad \dfrac{a-10}{\dfrac{2}{\sqrt{n}}} = -b$, $a - 10 = -\dfrac{2}{\sqrt{n}}b$
$\quad \therefore a + \dfrac{2}{\sqrt{n}}b = 10$ (참)
따라서 ㄱ, ㄴ, ㄷ 모두 옳다. 　　　　　답 ⑤

기출유형 03

Act① 표본평균 $\overline{X}$가 따르는 정규분포 $N\left(m, \dfrac{\sigma^2}{n}\right)$을 구하고

$Z = \dfrac{\overline{X}-m}{\dfrac{\sigma}{\sqrt{n}}}$으로 표준화하여 주어진 확률을 만족시키는 k의 값을 구한다.
고구마 1개의 무게는 정규분포 $N(230, 30^2)$을 따르므로 임의추출한 고구마 100개의 무게의 표본평균 $\overline{X}$는 정규분포 $N(230, 3^2)$을 따른다.
$P(\overline{X} \geq k) = P\left(Z \geq \dfrac{k-230}{3}\right) = 0.02$
즉 $P\left(0 \leq Z \leq \dfrac{k-230}{3}\right) = 0.5 - 0.02 = 0.48$
표에서 $P(0 \leq Z \leq 2.0) = 0.48$이므로
$\dfrac{k-230}{3} = 2$　　$\therefore k = 236$ 　　　　　답 ③

06 **Act①** 표본평균 $\overline{X}$가 따르는 정규분포 $N\left(m, \dfrac{\sigma^2}{n}\right)$을 구하고

$Z = \dfrac{\overline{X}-m}{\dfrac{\sigma}{\sqrt{n}}}$으로 표준화하여 주어진 확률을 만족시키는 n의 값을 구한다.

농구공 무게는 정규분포 $N(600, 20^2)$을 따르므로 임의추출한 농구공 n개의 무게의 표본평균 $\overline{X}$는 정규분포 $N\left(600, \dfrac{20^2}{n}\right)$을 따른다.

$$P(595 \leq \overline{X} \leq 610) = P\left(\dfrac{595-600}{\dfrac{20}{\sqrt{n}}} \leq Z \leq \dfrac{610-600}{\dfrac{20}{\sqrt{n}}}\right)$$

$$= P\left(-\dfrac{\sqrt{n}}{4} \leq Z \leq \dfrac{\sqrt{n}}{2}\right)$$

$$= P\left(0 \leq Z \leq \dfrac{\sqrt{n}}{4}\right) + P\left(0 \leq Z \leq \dfrac{\sqrt{n}}{2}\right)$$

$$= 0.8185$$

표에서
$$P(0 \leq Z \leq 1) + P(0 \leq Z \leq 2) = 0.3413 + 0.4772 = 0.8185$$
이므로
$$\dfrac{\sqrt{n}}{4} = 1, \quad \dfrac{\sqrt{n}}{2} = 2 \qquad \therefore n = 16$$

답 ①

---

07 **Act①** 표본평균 $\overline{X}$가 따르는 정규분포 $N\left(m, \dfrac{\sigma^2}{n}\right)$을 구하고 $Z = \dfrac{\overline{X}-m}{\dfrac{\sigma}{\sqrt{n}}}$으로 표준화하여 주어진 확률을 만족시키는 c의 값을 구한다.

과자 A의 무게가 정규분포 $N(800, 14^2)$을 따르므로 표본평균 $\overline{X}$는 정규분포 $N(800, 2^2)$을 따른다.

$$P(\overline{X} < c) = P\left(Z < \dfrac{c-800}{2}\right) = 0.02$$에서

$$P\left(Z > \dfrac{800-c}{2}\right) = 0.02$$

즉 $P\left(0 \leq Z \leq \dfrac{800-c}{2}\right) = 0.5 - 0.02 = 0.48$

표에서 $P(0 \leq Z \leq 2.05) = 0.48$이므로

$$\dfrac{800-c}{2} = 2.05$$

$$\therefore c = 800 - 2 \times 2.05 = 795.9$$

답 ⑤

기출유형 04

Act① 모평균 m의 신뢰도 $\alpha\%$인 신뢰구간은 $\overline{x} - k\dfrac{\sigma}{\sqrt{n}} \leq m \leq \overline{x} + k\dfrac{\sigma}{\sqrt{n}}$ $\left(단, P(|Z| \leq k) = \dfrac{\alpha}{100}\right)$임을 이용한다.

크기가 100인 표본의 모평균 m에 대한 신뢰도 95%의 신뢰구간은

$$245 - 1.96 \times \dfrac{20}{\sqrt{100}} \leq m \leq 245 + 1.96 \times \dfrac{20}{\sqrt{100}}$$

$$241.08 \leq m \leq 248.92$$

따라서 구하는 정수의 개수는 7이다.

답 ③

---

08 **Act①** 모평균 m의 신뢰도 $\alpha\%$인 신뢰구간은 $\overline{x} - k\dfrac{\sigma}{\sqrt{n}} \leq m \leq \overline{x} + k\dfrac{\sigma}{\sqrt{n}}$ $\left(단, P(|Z| \leq k) = \dfrac{\alpha}{100}\right)$임을 이용

한다.

크기가 49인 표본의 모평균 m에 대한 신뢰도 95%의 신뢰구간은

$$\overline{x} - 1.96 \times \dfrac{\sigma}{\sqrt{49}} \leq m \leq \overline{x} + 1.96 \times \dfrac{\sigma}{\sqrt{49}}$$

이때 $1.73 \leq m \leq 1.87$이므로

$$\overline{x} - 1.96 \times \dfrac{\sigma}{7} = 1.73 \qquad \cdots\cdots ㉠$$

$$\overline{x} + 1.96 \times \dfrac{\sigma}{7} = 1.87 \qquad \cdots\cdots ㉡$$

㉠, ㉡을 연립하여 풀면
$$\overline{x} = 1.8, \quad \sigma = 0.25$$

따라서 $k = \dfrac{0.25}{1.8} = \dfrac{5}{36}$이므로

$$180k = 180 \times \dfrac{5}{36} = 25$$

답 25

---

09 **Act①** 모평균 m의 신뢰도 $\alpha\%$인 신뢰구간은 $\overline{x} - k\dfrac{\sigma}{\sqrt{n}} \leq m \leq \overline{x} + k\dfrac{\sigma}{\sqrt{n}}$ $\left(단, P(|Z| \leq k) = \dfrac{\alpha}{100}\right)$임을 이용한다.

25명을 임의추출하여 구한 표본평균이 $\overline{x_1}$이므로 모평균 m에 대한 신뢰도 95%의 신뢰구간은

$$\overline{x_1} - 1.96 \times \dfrac{5}{\sqrt{25}} \leq m \leq \overline{x_1} + 1.96 \times \dfrac{5}{\sqrt{25}}$$

$$\overline{x_1} - 1.96 \leq m \leq \overline{x_1} + 1.96$$

이때 $80 - a \leq m \leq 80 + a$이므로
$$\overline{x_1} = 80, \quad a = 1.96$$

또, n명을 임의추출하여 구한 표본평균이 $\overline{x_2}$이므로 모평균 m에 대한 신뢰도 95%의 신뢰구간은

$$\overline{x_2} - 1.96 \times \dfrac{5}{\sqrt{n}} \leq m \leq \overline{x_2} + 1.96 \times \dfrac{5}{\sqrt{n}}$$

이때 $\dfrac{15}{16}\overline{x_1} - \dfrac{5}{7}a \leq m \leq \dfrac{15}{16}\overline{x_1} + \dfrac{5}{7}a$이므로

$$\overline{x_2} = \dfrac{15}{16}\overline{x_1}, \quad 1.96 \times \dfrac{5}{\sqrt{n}} = \dfrac{5}{7}a$$

따라서 $\overline{x_2} = 75$, $n = 49$이므로
$$n + \overline{x_2} = 49 + 75 = 124$$

답 ②

기출유형 05

Act① 모평균 m을 신뢰도 $\alpha\%$로 추정한 신뢰구간의 길이는 $2k\dfrac{\sigma}{\sqrt{n}}$ $\left(단, P(|Z| \leq k) = \dfrac{\alpha}{100}\right)$임을 이용한다.

$P(|Z| \leq 1.96) = 0.95$이므로 모평균 m에 대한 신뢰도 95%의 신뢰구간의 길이는

$$(\overline{x} + c) - (\overline{x} - c) = 2 \times 1.96 \times \dfrac{500}{\sqrt{100}}$$

$$2c = 2 \times 1.96 \times 50$$

$$\therefore c = 98$$

답 98

---

10 **Act①** 모평균 m을 신뢰도 $\alpha\%$로 추정한 신뢰구간의 길이는

$2k\dfrac{\sigma}{\sqrt{n}}$ $\left(\text{단, } \mathrm{P}(|Z|\leq k)=\dfrac{\alpha}{100}\right)$임을 이용한다.

$\mathrm{P}(|Z|\leq 1.96)=0.95$이므로 모평균 m에 대한 신뢰도 95%의 신뢰구간의 길이는

$b-a=2\times 1.96\times\dfrac{\sigma}{8}=4.9$

$\therefore \sigma=10$

답 10

11 Act❶ 모평균 m, 모표준편차 σ인 모집단에서 임의추출한 크기 n인 표본의 표본평균 $\overline{X}$에 대하여 $\mathrm{E}(\overline{X})=m$, $\sigma(\overline{X})=\dfrac{\sigma}{\sqrt{n}}$이고, 모평균 m을 신뢰도 $a\%$로 추정한 신뢰구간의 길이는 $2k\dfrac{\sigma}{\sqrt{n}}$ $\left(\text{단, } \mathrm{P}(|Z|\leq k)=\dfrac{\alpha}{100}\right)$임을 이용하여 [보기]의 참, 거짓을 판단한다.

ㄱ. $\mathrm{E}(\overline{X_{\mathrm{A}}})=m_1$, $\mathrm{E}(\overline{X_{\mathrm{B}}})=m_2$이므로
$m_1=m_2$이면 $\mathrm{E}(\overline{X_{\mathrm{A}}})=\mathrm{E}(\overline{X_{\mathrm{B}}})$이다. (참)

ㄴ. 표본평균 $\overline{X_{\mathrm{B}}}$의 표준편차는 $\dfrac{\dfrac{\sigma}{2}}{\sqrt{n_2}}$, 즉 $\dfrac{\sigma}{2\sqrt{n_2}}$이다.

따라서 $\overline{X_{\mathrm{B}}}$는 정규분포 $\mathrm{N}\!\left(m_2,\ \left(\dfrac{\sigma}{2\sqrt{n_2}}\right)^2\right)$을 따른다.

(거짓)

ㄷ. m_1에 대한 신뢰도 95%의 신뢰구간의 길이는
$b-a=2\times 1.96\times\dfrac{\sigma}{\sqrt{n_1}}$
m_2에 대한 신뢰도 95%의 신뢰구간의 길이는
$d-c=2\times 1.96\times\dfrac{\sigma}{2\sqrt{n_2}}$
따라서 $n_1=4n_2$이면 $b-a=d-c$이다. (참)
이상에서 옳은 것은 ㄱ, ㄷ이다.

답 ③

V**I**T **V**ery **I**mportant **T**est
pp. 103~104

01. ④	02. ⑤	03. ②	04. ①	05. ④
06. ①	07. ①	08. ③	09. 154	10. 100
11. 9	12. 64			

01
$m=12$, $\sigma^2=4^2$, $n=4$이므로
$\mathrm{E}(\overline{X})=12$, $\mathrm{V}(\overline{X})=\dfrac{\sigma^2}{4}=4$
$\mathrm{V}(\overline{X})=\mathrm{E}(\overline{X^2})-\{\mathrm{E}(\overline{X})\}^2$이므로
$\mathrm{E}(\overline{X^2})=\mathrm{V}(\overline{X})+\{\mathrm{E}(\overline{X})\}^2=148$

답 ④

02

X	-2	0	3	합계
$\mathrm{P}(X=x)$	$\dfrac{3}{10}$	$\dfrac{2}{5}$	$\dfrac{3}{10}$	1

$\mathrm{E}(X)=(-2)\times\dfrac{3}{10}+0\times\dfrac{2}{5}+3\times\dfrac{3}{10}=\dfrac{3}{10}$

이므로
$\mathrm{E}(20\overline{X}+5)=20\mathrm{E}(\overline{X})+5$
$\qquad\qquad\quad =20\mathrm{E}(X)+5$
$\qquad\qquad\quad =20\times\dfrac{3}{10}+5=11$

답 ⑤

03
주머니에서 임의로 1개의 공을 꺼낼 때, 공에 적혀 있는 숫자를 확률변수 X라 하고, X의 확률분포를 표로 나타내면 다음과 같다.

X	1	3	5	합계
$\mathrm{P}(X=x)$	$\dfrac{1}{2}$	$\dfrac{1}{3}$	$\dfrac{1}{6}$	1

이때
$\mathrm{E}(X)=1\times\dfrac{1}{2}+3\times\dfrac{1}{3}+5\times\dfrac{1}{6}=\dfrac{7}{3}$

$\mathrm{V}(X)=1^2\times\dfrac{1}{2}+3^2\times\dfrac{1}{3}+5^2\times\dfrac{1}{6}-\left(\dfrac{7}{3}\right)^2=\dfrac{20}{9}$

이고, 표본의 크기가 10이므로
$\mathrm{V}(\overline{X})=\dfrac{\mathrm{V}(X)}{n}=\dfrac{1}{10}\times\dfrac{20}{9}=\dfrac{2}{9}$

답 ②

04
확률변수 X가 이항분포 $\mathrm{B}\!\left(160,\ \dfrac{1}{4}\right)$을 따르므로
$\mathrm{E}(X)=160\times\dfrac{1}{4}=40$,
$\mathrm{V}(X)=160\times\dfrac{1}{4}\times\dfrac{3}{4}=30$
이때
$\mathrm{E}(\overline{X})=\mathrm{E}(X)=40$,
$\mathrm{V}(\overline{X})=\dfrac{\mathrm{V}(X)}{6}=\dfrac{30}{6}=5$
이므로
$\mathrm{E}(\overline{X^2})=\mathrm{V}(\overline{X})+\{\mathrm{E}(\overline{X})\}^2$
$\qquad\quad =5+40^2=1605$

답 ①

05
모집단의 확률변수를 X라 하면 평균 m과 분산 σ^2은
$m=360\times\dfrac{1}{6}=60$,
$\sigma^2=360\times\dfrac{1}{6}\times\dfrac{5}{6}=50$
이고, 시행 횟수 360은 충분히 크므로 확률변수 X는 근사적으로 정규분포 $\mathrm{N}(60,\ 50)$을 따른다. 이때 표본평균 $\overline{X}$는 정규분포 $\mathrm{N}\!\left(60,\ \dfrac{50}{50}\right)$, 즉 $\mathrm{N}(60,\ 1^2)$을 따르므로 확률변수 $Z=\dfrac{\overline{X}-60}{1}$은 표준정규분포를 따른다.
따라서 구하는 확률은
$\mathrm{P}(58\leq\overline{X}\leq 59)$
$=\mathrm{P}\!\left(\dfrac{58-60}{1}\leq Z\leq\dfrac{59-60}{1}\right)$
$=\mathrm{P}(-2\leq Z\leq -1)$
$=\mathrm{P}(1\leq Z\leq 2)$

$$= P(0 \le Z \le 2) - P(0 \le Z \le 1)$$
$$= 0.4772 - 0.3413 = 0.1359 \qquad \text{답 ④}$$

06

정규분포 $N(120,\ 8^2)$을 따르는 모집단에서 크기가 16인 표본을 임의추출할 때, 표본평균 $\overline{X}$는 정규분포 $N(120,\ 2^2)$을 따른다.

$Z = \dfrac{\overline{X} - 120}{2}$이라 하면 확률변수 Z는 표준정규분포 $N(0,\ 1)$을 따르므로 $P(|\overline{X} - 120| \ge a) = 0.32$에서

$$P\left(\left|\frac{\overline{X} - 120}{2}\right| \ge \frac{a}{2}\right) = P\left(|Z| \ge \frac{a}{2}\right) = 0.32$$

이고,

$$P\left(|Z| \ge \frac{a}{2}\right) = P\left(Z \ge \frac{a}{2}\right) + P\left(Z \le -\frac{a}{2}\right) = 2P\left(Z \ge \frac{a}{2}\right)$$

이므로

$$P\left(Z \ge \frac{a}{2}\right) = 0.16$$

즉 $0.5 - P\left(0 \le Z \le \dfrac{a}{2}\right) = 0.16$에서

$$P\left(0 \le Z \le \frac{a}{2}\right) = 0.34$$

이때 $P(0 \le Z \le 1) = 0.34$이므로

$$\frac{a}{2} = 1, \ \text{즉}\ a = 2 \qquad \text{답 ①}$$

07

확률변수 $\overline{X}$는 정규분포 $N\left(m,\ \left(\dfrac{6}{\sqrt{n}}\right)^2\right)$을 따르므로

$$P(m-1 \le \overline{X} \le m+3) = P\left(\frac{-1}{\frac{6}{\sqrt{n}}} \le Z \le \frac{3}{\frac{6}{\sqrt{n}}}\right)$$
$$= P\left(-\frac{\sqrt{n}}{6} \le Z \le \frac{\sqrt{n}}{2}\right) \le 0.6247$$

이때 $\dfrac{\sqrt{n}}{6} \times 3 = \dfrac{\sqrt{n}}{2}$이고

$$P(-0.5 \le Z \le 1.5)$$
$$= P(0 \le Z \le 0.5) + P(0 \le Z \le 1.5)$$
$$= 0.1915 + 0.4332 = 0.6247$$

이므로 $\dfrac{\sqrt{n}}{6} \le 0.5$에서 $\sqrt{n} \le 3$

$$\therefore n \le 9$$

따라서 n의 최댓값은 9이다. $\qquad$ 답 ①

08

조건 (가)에서

$$\overline{X} = \frac{1}{50}(X_1 + X_2 + \cdots + X_{50})$$
$$= \frac{1}{50} \times 250 = 5$$

조건 (나)에서

$$\sigma^2 = E(\overline{X}^2) - \{E(X)\}^2 = 50$$

따라서 모평균 m에 대한 신뢰도 95%의 신뢰구간은

$$5 - 2 \times \frac{\sqrt{50}}{\sqrt{50}} \le m \le 5 + 2 \times \frac{\sqrt{50}}{\sqrt{50}}$$

$$\therefore 3 \le m \le 7 \qquad \text{답 ③}$$

09

크기가 n인 표본을 임의추출하여 구한 모평균 m에 대한 신뢰도 99%의 신뢰구간 $a \le m \le b$에서

$$b - a = 2 \times 2.6 \times \frac{\sigma}{\sqrt{n}}$$

$\sigma = 10$일 때, $4 \le b - a \le 13$이므로

$$4 \le 2 \times 2.6 \times \frac{10}{\sqrt{n}} \le 13$$

$$4 \le \frac{52}{\sqrt{n}} \le 13$$

$$\frac{1}{13} \le \frac{\sqrt{n}}{52} \le \frac{1}{4}$$

$$4 \le \sqrt{n} \le 13$$

$$16 \le n \le 169$$

따라서 자연수 n의 개수는 $169 - 16 + 1 = 154 \qquad$ 답 154

10

$\overline{x} = 16.4$, $s = 2$이므로 모평균 m에 대한 신뢰도 95%의 신뢰구간은

$$16.4 - 1.96 \times \frac{2}{\sqrt{n}} \le m \le 16.4 + 1.96 \times \frac{2}{\sqrt{n}}$$

이때 $16.4 - 1.96 \times \dfrac{2}{\sqrt{n}} = 16.008$이므로

$$1.96 \times \frac{2}{\sqrt{n}} = 0.392, \ \sqrt{n} = 10$$

$$\therefore n = 100 \qquad \text{답 100}$$

11

이 회사에서 생산되는 볼펜 1개의 무게를 확률변수 X라 하면 X는 정규분포 $N(20,\ 2^2)$을 따른다. 이 회사에서 생산된 볼펜 중에서 n개를 임의추출하여 구한 무게의 표본평균 $\overline{X}$에 대하여

$$E(\overline{X}) = 20, \ \sigma(\overline{X}) = \frac{2}{\sqrt{n}}$$

이므로 표본평균 $\overline{X}$는 정규분포 $N\left(20,\ \left(\dfrac{2}{\sqrt{n}}\right)^2\right)$을 따른다. 이때 $Z = \dfrac{\overline{X} - 20}{\frac{2}{\sqrt{n}}}$이라 하면 확률변수 Z는 표준정규분포 $N(0,\ 1)$을 따른다.

$$P(19 \le \overline{X}) = P\left(\frac{19 - 20}{\frac{2}{\sqrt{n}}} \le Z\right)$$
$$= P\left(-\frac{\sqrt{n}}{2} \le Z\right)$$
$$= P\left(-\frac{\sqrt{n}}{2} \le Z \le 0\right) + 0.5$$
$$= P\left(0 \le Z \le \frac{\sqrt{n}}{2}\right) + 0.5$$

이므로 $P(19 \le \overline{X}) \ge 0.9332$에서

$$P\left(0 \le Z \le \frac{\sqrt{n}}{2}\right) + 0.5 \ge 0.9332$$

$$P\left(0 \le Z \le \frac{\sqrt{n}}{2}\right) \ge 0.4332$$

이때 $P(0 \le Z \le 1.5) = 0.4332$이므로

$\dfrac{\sqrt{n}}{2} \geq 1.5,\ \sqrt{n} \geq 3$

양변을 제곱하면 $n \geq 9$

따라서 자연수 n의 최솟값은 9이다.　　　　　　　　　　　답 9

12

비누의 무게를 확률변수 X라 하면 X는 정규분포 $N(100,\ 2^2)$을 따르므로 확률변수 $Z = \dfrac{X-100}{2}$은 표준정규분포를 따른다.

X가 96 미만일 때 불량품이므로 선택한 비누 한 개가 불량품일 확률은

$$
\begin{aligned}
P(X<96) &= P\left(Z < \dfrac{96-100}{2}\right) \\
&= P(Z < -2) \\
&= 0.5 - P(0 \leq Z \leq 2) \\
&= 0.5 - 0.48 = 0.02
\end{aligned}
$$

불량품의 개수를 확률변수 Y라 하면 Y는 이항분포 $B(2500,\ 0.02)$를 따른다.

이때 Y의 평균 m과 분산 σ^2은

$m = 2500 \times 0.02 = 50$,

$\sigma^2 = 2500 \times 0.02 \times 0.98 = 49$

이고, 시행 횟수 2500은 충분히 크므로 확률변수 Y는 근사적으로 정규분포 $N(50,\ 7^2)$을 따른다.

따라서 확률변수 $Z = \dfrac{Y-50}{7}$은 표준정규분포를 따르므로 구하는 확률은

$$
\begin{aligned}
P(Y \geq a) &= P\left(Z \geq \dfrac{a-50}{7}\right) \\
&= 0.5 - P\left(0 \leq Z \leq \dfrac{a-50}{7}\right) \leq 0.02
\end{aligned}
$$

$\therefore\ P\left(0 \leq Z \leq \dfrac{a-50}{7}\right) \geq 0.48$

$\dfrac{a-50}{7} \geq 2 \qquad \therefore\ a \geq 64$

따라서 a의 최솟값은 64이다.　　　　　　　　　　　답 64

memo

조금이라도 달라지고 싶다면
지금 이 순간부터 변해야 한다.
-프레드 스미스

당신이 친구들이 보고 싶으면
친구들이 당신에게 관심을 가지게 하려 하지 말고
당신이 먼저 친구들에게 관심을 가져라.
- 데일 카네기

좋은 기회를 만나지 못한 사람은 아무도 없다.
다만 그것을 붙잡지 못했을 뿐이다.
- 앤두르 카네기

memo

조금이라도 달라지고 싶다면
지금 이 순간부터 변해야 한다.
- 프레드 스미스

당신이 친구들이 보고 싶으면
친구들이 당신에게 관심을 가지게 하려 하지 말고
당신이 먼저 친구들에게 관심을 가져라.
- 데일 카네기

좋은 기회를 만나지 못한 사람은 아무도 없다.
다만 그것을 붙잡지 못했을 뿐이다.
- 앤드류 카네기

참 중요한
3·4점 수학